B Grammatik

Anne Buscha · Szilvia Szita

Übungsgrammatik
Deutsch als Fremdsprache

Sprachniveau B1 · B2

Mit Zeichnungen von Jean-Marc Deltorn

SCHUBERT Verlag

Die Autorinnen der B-Grammatik sind Lehrerinnen am Goethe-Institut Niederlande und verfügen über langjährige Erfahrungen in Deutschkursen für fremdsprachige Lerner.

Bitte beachten Sie unser Internet-Angebot mit zusätzlichen Aufgaben und Übungen zu den Sprachniveaus B1 und B2 unter:

www.aufgaben.schubert-verlag.de

Die vorliegende Übungsgrammatik beinhaltet ein herausnehmbares Lösungsheft sowie eine Audio-CD.

 Hörtext auf CD (z. B. Nr. 2)

Verlagsredaktion: Silvia Hofmann
Layout und Satz: Diana Becker
Umschlagfoto: Andreas Buscha

Die Hörmaterialien auf der CD wurden gesprochen von:
Burkhard Behnke, Claudia Gräf, Judith Kretzschmar, Axel Thielmann

5.	4.	3.	2.	Die letzten Ziffern bezeichnen Zahl
2015	14	13	12	und Jahr des Druckes.

Alle Drucke dieser Auflage können, da unverändert,
nebeneinander benutzt werden.

© SCHUBERT-Verlag, Leipzig
1. Auflage 2011
Alle Rechte vorbehalten
Printed in Germany
ISBN: 978-3-941323-10-0

Inhaltsübersicht

Inhaltsübersicht

Inhaltsübersicht

B Grammatik

Vorwort

Die B-Grammatik ist eine Übungsgrammatik für Lerner auf den Niveaustufen B1 und B2 des Gemeinsamen Europäischen Referenzrahmens für Sprachen. Sie eignet sich sowohl als kursbegleitendes Zusatzmaterial als auch für die individuelle Arbeit.

Die B-Grammatik bietet einen Überblick über alle wichtigen Bausteine der deutschen Grammatik und ist deshalb auch für Lerner höherer Niveaustufen zur Wiederholung und Festigung ihrer Grammatikkenntnisse geeignet. Sie orientiert sich an der Relevanz grammatischer Erscheinungen für den Sprachgebrauch, Ausnahmen und Seltenheiten werden nur ansatzweise berücksichtigt.

Im Mittelpunkt der B-Grammatik stehen die grammatischen Strukturen und ihr Gebrauch. Die Strukturen werden anhand von konkreten Beispielen eingeführt und einfach und verständlich erklärt. Kenntnisse der grammatischen Termini sind daher für die Arbeit mit der B-Grammatik weniger wichtig.

Jedes Grammatikthema ist übersichtlich gegliedert in:
▸ ein illustriertes Beispiel zur Einführung in das Thema
▸ Erläuterung des Gebrauchs
▸ Übersichten über die grammatischen Formen
▸ Hinweise zu den Strukturen
▸ besondere Hinweise zur Syntax
▸ zahlreiche Übungen zur Anwendung.

Zum Erlernen und Einüben der grammatischen Strukturen werden unterschiedliche Übungsformen angeboten. Dazu gehören unter anderem Zuordnungs- und Umformungsübungen, Lückentexte und das vorgabeorientierte Formulieren von Sätzen oder Texten. Die Übungen sind in kommunikative und authentische Kontexte wie Dialoge, E-Mails, Briefe oder Zeitungsinformationen eingebunden. Die Situationen und Themen beziehen sich auf das Alltags- und das Arbeitsleben und greifen Wortschatz aus beiden Bereichen auf. Bei der Textauswahl wurden sowohl formale als auch inhaltliche Kriterien wie Informations- und Unterhaltungswert berücksichtigt.

Der Anhang enthält neben Übersichten zu Rechtschreibung und Zeichensetzung, Verben, Adjektiven und Nomen-Verb-Verbindungen auch Tipps und Übungsbeispiele für einen kommunikativen Grammatikunterricht. Sie sollen Hilfe und Anregungen für die Unterrichtenden bieten, die anhand der Beispiele schnell und unkompliziert eigene Übungen entwickeln können.

Zur B-Grammatik gehört eine Audio-CD mit ausgewählten Texten, die in unterschiedlicher Weise genutzt werden kann, zum Beispiel zur Kontrolle der Lösungen, zum Aussprachetraining oder als Grundlage für weitere Übungen wie das Zusammenfassen oder Nachschreiben der Texte. Das Buch enthält zudem ein herausnehmbares Lösungsheft.

Zusätzliche Übungen zu den Grammatikthemen sind im Internet unter *www.aufgaben.schubert-verlag.de* zu finden.

Anne Buscha und Szilvia Szita

1 Verben
1.1 Tempora
1.1.1 Gebrauch der Tempora

Die Reise nach Köln

Familie Schmidt sitzt im Zug und fährt nach Köln.

Herr Schmidt besucht morgen aus beruflichen Gründen die Fotomesse „Photokina". Währenddessen wird Frau Schmidt den Kölner Dom besichtigen oder ins Museum Ludwig gehen. Das hat sie sich fest vorgenommen.

Der kleine Otto hat sich auf die Reise sehr gefreut. Nachdem Otto seiner Oma von der Reise erzählt hatte, schenkte sie ihm ein Buch über Tiere. Otto las es mit großem Interesse. Das Kapitel über die Raubtiere gefiel ihm besonders. Die Löwen im Kölner Zoo werden Otto bestimmt beeindrucken.

Wenn Familie Schmidt wieder zurückkehrt, wird Otto ein großes Abenteuer erlebt haben.

→ Mit den Tempusformen kann man

▸ Vorgänge und Zustände in der Gegenwart, Zukunft oder Vergangenheit beschreiben:

Gegenwart:	Familie Schmidt sitzt im Zug und fährt nach Köln.
Zukunft:	Herr Schmidt besucht morgen die Fotomesse.
	Frau Schmidt wird den Kölner Dom besichtigen.
Vergangenheit:	Der kleine Otto hat sich auf die Reise sehr gefreut.
	Otto las das Buch über Tiere mit großem Interesse.

▸ zeitliche Abläufe schildern: Nachdem Otto seiner Oma von der Reise erzählt hatte, schenkte sie ihm ein Buch über Tiere.

▸ eine Absicht formulieren: Währenddessen wird Frau Schmidt den Kölner Dom besichtigen oder ins Museum Ludwig gehen.

▸ eine Vermutung ausdrücken: Die Löwen im Zoo werden Otto bestimmt beeindrucken.

▶ **Übersicht über die Tempusformen**

Präsens	(▶ Seite 09)	er fährt	sie besucht
Präteritum	(▶ Seite 26)	er fuhr	sie besuchte
Perfekt	(▶ Seite 18)	er ist gefahren	sie hat besucht
Plusquamperfekt	(▶ Seite 33)	er war gefahren	sie hatte besucht
Futur I	(▶ Seite 36)	er wird fahren	sie wird besuchen
Futur II	(▶ Seite 36)	er wird gefahren sein	sie wird besucht haben

▶ **Die Beziehung zwischen Zeit und Tempusformen**

▸ Die grammatischen Tempusformen entsprechen im Deutschen nicht immer der Aktionszeit!

Aktionszeit	Tempus	Beispielsatz	sprachliche Handlung
Gegenwart	Präsens	Wir **fahren** nach Köln.	über gegenwärtige Ereignisse berichten
	Futur I	Er **wird** noch im Stau **stehen**.	Vermutungen über ein gegenwärtiges Geschehen ausdrücken

Aktionszeit	Tempus	Beispielsatz	sprachliche Handlung
Zukunft	Präsens	Morgen **besucht** Herr Schmidt die Fotomesse.	über ein zukünftiges Geschehen sprechen (oft mit einer Zeitangabe)
	Futur I	Frau Schmidt **wird** den Kölner Dom **besichtigen**.	eine Absicht bzw. ein Vorhaben ausdrücken
		Die Erdbevölkerung **wird zunehmen**.	erwartetes, zukünftiges Geschehen oder Visionen/Prophezeiungen beschreiben
		Die Löwen **werden** Otto bestimmt **beeindrucken**.	eine Vermutung formulieren
	Futur II	Otto **wird** ein großes Abenteuer **erlebt haben**.	eine Absicht, eine Vermutung, eine Prophezeiung ausdrücken, die zu einem zukünftigen Zeitpunkt abgeschlossen ist

Aktionszeit	Tempus	Beispielsatz	sprachliche Handlung
Vergangenheit	Perfekt	Otto **hat** sich auf die Reise **gefreut**.	über vergangene Ereignisse berichten und erzählen, vor allem mündlich und in persönlichen Texten
	Präteritum	Otto **las** das Buch mit großem Interesse.	über vergangene Ereignisse berichten und erzählen, vor allem schriftlich und bei bestimmten Verben (z. B. Modalverben oder *haben, sein* und *werden*)
	Plusquamperfekt	Nachdem Otto seiner Oma von seiner Reise **erzählt hatte**, schenkte sie ihm ein Buch.	über in der Vergangenheit hintereinander stattfindende Ereignisse berichten

Aktionszeit	Tempus	Beispielsatz	sprachliche Handlung
zeitstufenunabhängig	Präsens	Der Abstand der Erde zum Mond **beträgt** 365 000 km.	über Allgemeingültiges berichten

1.1.2 Präsens

Die Reise nach Köln

Familie Schmidt sitzt im Zug und fährt nach Köln.

Herr Schmidt besucht morgen aus beruflichen Gründen die Fotomesse „Photokina".

▶ **Gebrauch**

→ Wir verwenden das Präsens

▸ zum Berichten und Beschreiben **gegenwärtiger Ereignisse**:
Familie Schmidt sitzt im Zug und fährt nach Köln.

▸ zum Beschreiben **zukünftigen Geschehens** (oft mit einer Zeitangabe):
Herr Schmidt besucht morgen aus beruflichen Gründen die Fotomesse „Photokina".

▸ zur Wiedergabe **allgemeingültiger, zeitunabhängiger Tatsachen**:
Der Abstand der Erde zum Mond beträgt 365 000 km.

■ Verben mit und ohne Vokalwechsel im Präsens

Otto kocht gern.
↓
Verb ohne Vokalwechsel

Ingo liest Zeitung.
Petra schläft schon.
↓
Verben mit Vokalwechsel

Franz ist krank.
Er hat eine Erkältung.
Er wird bald wieder gesund.
↓
haben, sein und *werden*

▶ **Formen: Verben ohne Vokalwechsel im Präsens**

		Verben auf *-t/-d*	Verben auf *-n/-m*	Verben auf *-s/-ss/-ß/-z*	Verben auf *-eln*
	kochen	arbeiten	öffnen	tanzen	sammeln
ich	koche	arbeite	öffne	tanze	sammle
du	kochst	arbeitest	öffnest	tanzt	sammelst
er/sie/es	kocht	arbeitet	öffnet	tanzt	sammelt
wir	kochen	arbeiten	öffnen	tanzen	sammeln
ihr	kocht	arbeitet	öffnet	tanzt	sammelt
sie/Sie	kochen	arbeiten	öffnen	tanzen	sammeln

▶ **Hinweise**

→ Fast alle Verben haben im Präsens die Endungen: Singular: *-e /-st/-t*; Plural: *-en/-t/-en*.

→ Verben auf *-t* oder *-d* bekommen in der 2. und 3. Person Singular und der 2. Person Plural ein *-e* vor der Endung: du arbeit**e**st • er arbeit**e**t • ihr arbeit**e**t. Das erleichtert die Aussprache.

→ Das Gleiche gilt für Verben auf *-m* oder *-n*, wenn ein anderer Konsonant (aber nicht: *r*) davorsteht: du öffn**e**st • er öffn**e**t • ihr öffn**e**t.

→ Für Verben auf *-s/-ss/-ß/-z* gilt: 2. Person Singular = 3. Person Singular: du tanzt – er tanzt.

→ Bei Verben auf *-eln* entfällt das *-e-* in der 1. Person Singular: ich sammle.

▶ **Formen: Verben mit Vokalwechsel im Präsens**

	e → i(e)			a → ä	au → äu	i → ei	o → ö
	geben	**nehmen**	**lesen**	**fahren**	**laufen**	**wissen**	**stoßen**
ich	geb**e**	nehm**e**	les**e**	fahr**e**	lauf**e**	weiß	stoß**e**
du	gib**st**	nimm**st**	lies**t**	fähr**st**	läuf**st**	weiß**t**	stöß**t**
er/sie/es	gib**t**	nimm**t**	lies**t**	fähr**t**	läuf**t**	weiß	stöß**t**
wir	geb**en**	nehm**en**	les**en**	fahr**en**	lauf**en**	wiss**en**	stoß**en**
ihr	geb**t**	nehm**t**	les**t**	fahr**t**	lauf**t**	wiss**t**	stoß**t**
sie/Sie	geb**en**	nehm**en**	les**en**	fahr**en**	lauf**en**	wiss**en**	stoß**en**

➢ Seite 232: Übersicht *Unregelmäßige Verben*

▶ **Hinweise**

→ Einige Verben haben einen Vokalwechsel in der 2. und 3. Person Singular: *e → i(e), a → ä, au → äu, o → ö.* du gibst, er gibt • du fährst, er fährt • du läufst, er läuft • du stößt, er stößt

→ *Wissen* hat besondere Formen im Singular: ich weiß, du weißt, er weiß.

▶ **Formen: *haben*, *sein* und *werden***

	haben	**sein**	**werden**
ich	hab**e**	bin	werd**e**
du	ha**st**	bist	wir**st**
er/sie/es	ha**t**	ist	wird
wir	hab**en**	sind	werd**en**
ihr	hab**t**	seid	werd**et**
sie/Sie	hab**en**	sind	werd**en**

▶ **Hinweise**

→ Als Vollverben werden *haben, sein* und *werden* mit einer Ergänzung (Nomen oder Adjektiv) verwendet. Ich bin krank. Ich habe Angst. Ich werde Ärztin.

→ Meistens werden *haben, sein* und *werden* als Hilfsverben gebraucht (zum Beispiel beim Perfekt oder beim Passiv).

▶ **Satzbau**

	I.	II.	III.	Satzende
Aussagesatz	Ich	koche	gern.	
	Franz	ist	heute	krank.
Fragesatz mit Fragewort	Was	kocht	Otto gern?	
	Wann	wird	Franz endlich wieder	gesund?
Fragesatz ohne Fragewort	Kochst	du	gern?	
	Ist	Franz	schon lange	krank?

■ ■ ■ Übungen

1) **Niemand hat Zeit, alle sind sehr beschäftigt.**
Bilden Sie Sätze wie im Beispiel.

a) Zu Hause: Niemand hilft Julia beim Saubermachen.

● Hans – schreiben – eine E-Mail – an seine Freundin

Hans schreibt eine E-Mail an seine Freundin.

1. mit seiner Mutter – Marcus – telefonieren ....

2. Tante Frieda – lesen – einen Liebesroman ....

3. mähen – Opa – den Rasen ....

4. Herbert und Christine – einen Kuchen – backen ....

5. sehen – ein wichtiges Fußballspiel – Karl ....

6. ich – meine Nachbarin – beobachten ....

7. Jürgen – reparieren – sein Auto ....

8. buchen – ihren Urlaub – Carla – im Internet ....

9. Franziska – schlafen ....

10. im Garten – Cornelius – arbeiten ....

11. Edwin – waschen – seine Socken ....

12. essen – Pommes – an der Imbissbude – Ingo ....

b) Im Büro: Niemand trinkt mit Frau Müller Kaffee.

1. der Chef – sprechen – mit Kunden
....

2. über die Reisekostenabrechnung – Frank – mit der Verwaltungsleiterin – diskutieren
....

3. haben – ein Problem – Brigitte – mit dem Kopierer
....

4. einen Termin – die Sekretärin – mit der Firma SUFIX – vereinbaren
....

5. die Praktikantin – ein Hotelzimmer – reservieren – für die Gäste
....

6. Herr Krüger – zum Flughafen – fahren
....

7. sein – Martina – krank
....

8. mit dem Abteilungsleiter – über eine Gehaltserhöhung – Susanne – reden
....

9. der Hausmeister – auf eine Lieferung von Büroartikeln – warten
....

10. Frau Schenk – ein Seminar – zum Thema „Motivation im Büro" – geben
....

11. halten – Herr Krause – einen Vortrag – über das neue Marketingkonzept
....

12. Andreas – seinen Fotoapparat – nehmen + die neuen Produkte – fotografieren
....

13. messen – die Temperatur – im Keller – der Elektriker
....

14. Franziska – Sport – treiben • sie – laufen – durch den Park
....

15. der Informatiker – installieren – ein neues Programm
....

2) **Familie Stein fährt mit dem Auto in den Urlaub.**
Frau Stein hat noch einige Fragen an ihren Mann bzw. ihre Kinder.
Ergänzen Sie die Verben in der 2. Person Singular und in der 2. Person Plural.

- packen: *Packst* du / *Packt* ihr schon mal die Koffer?
1. helfen: .... du / .... ihr mir mal beim Aufräumen?
2. vergessen: .... du / .... ihr bitte den Fotoapparat nicht?
3. geben: .... du / .... ihr mir mal die Reisepässe?
4. fahren: Wir haben keine Sonnencreme.
   .... du / .... ihr noch mal schnell zum Supermarkt?
5. denken: .... du / .... ihr auch an ein paar Aspirintabletten?
6. tragen: .... du / .... ihr den Koffer schon mal zum Auto?
7. haben .... du / .... ihr die Reiseunterlagen?
8. kennen: .... du / .... ihr die Reiseroute?
9. werden: .... du / .... ihr schon wieder müde?
10. sein: .... du / .... ihr endlich fertig?

3) **Wissenschaftliche Erkenntnisse rund ums Fliegen**

a) **Warum trinken so viele Menschen im Flugzeug Tomatensaft?** (2)
Ergänzen Sie die fehlenden Verben.

beeinflussen · schmecken · ~~sein~~ · empfinden · nutzen · wissen · liegen · rücken

Tomatensaft *ist* (0) in der Luft eines der beliebtesten Getränke. Wissenschaftler .... (1) nun warum: Es .... (2) am niedrigen Luftdruck in den Kabinen. Dieser Luftdruck .... (3) den Geschmack. Salz, Zucker und Kräuter .... (4) im Flugzeug weniger stark, süße und fruchtige Geschmackseindrücke .... (5) in den Vordergrund. Deshalb .... (6) viele Leute Tomatensaft über den Wolken als geschmacklich angenehmer und interessanter. Diese Erkenntnisse .... (7) nun auch Fluggesellschaften für die Rezepte ihrer Bordmahlzeiten.

b) **Wie sicher sind Flugzeuge?**
Ergänzen Sie die vorgegebenen Verben. (3)

Das Flugzeug .... (1) *(sein)* und .... (2) *(bleiben)* ein sehr sicheres Verkehrsmittel. Im Verhältnis zu anderen Transportmitteln und im Vergleich zu früher .... (3) *(kommen)* im Flugverkehr deutlich weniger Menschen zu Schaden. Das .... (4) *(sein)* besonders bemerkenswert, weil die Anzahl der Starts und Landungen jedes Jahr .... (5) *(steigen)*.

In einem Flugzeug .... (6) *(geben)* es sehr viele elektronische Bauteile. Dass alle Komponenten eines Flugzeuges einwandfrei .... (7) *(funktionieren)*, ... (8) *(gewährleisten)* strenge Regeln. In Deutschland .... (9) *(gelten)* hierfür die Verordnung Nr. 2042/2003 der Europäischen Union. Diese Verordnung .... (10) *(beinhalten)* Angaben zu allen Bauteilen und zu Sicherheitschecks.

Im Cockpit des Flugzeuges .... (11) *(sein)* alle wichtigen Steuer- und Navigationsgeräte zweimal vorhanden und sie .... (12) *(arbeiten)* unabhängig voneinander. Außerdem .... (13) *(fliegen)* jedes Flugzeug mit zwei Piloten. Der Copilot .... (14) *(steuern)* die Maschine genauso sicher wie der Kapitän.

Doch die Sicherheit beim Fliegen .... (15) *(lassen)* sich noch verbessern. Im Falle eines Flugzeugabsturzes .... (16) *(entstehen)* die schlimmsten Schäden direkt vor und hinter den Tragflächen. An diesen Stellen .... (17) *(sitzen)* in den Flugzeugen Passagiere. Leider .... (18) *(sein)* es für die Fluggesellschaften finanziell zu unattraktiv, diese Plätze nicht zu besetzen.

4) **Wetter und Smalltalk**
   Ergänzen Sie die Verben in der richtigen Form.

> geben *(2 x)* • werden • ~~lieben~~ • sprechen • reden • beginnen • spielen • haben *(2 x)* • halten • ermöglichen • fliegen • kommen • scheinen • bestätigen

Die Briten *lieben* (0) den Smalltalk, das ist bekannt. Gerne .... (1) sie bei einem Tässchen Tee über die wichtigen Dinge dieser Welt: .... (2) die englische Fußballnationalmannschaft bei der nächsten Weltmeisterschaft ins Finale? Was .... (3) es Neues in der königlichen Familie? Und wie .... (4) das Wetter?

Interessanterweise .... (5) das Wetter die Briten mehr zu interessieren als andere Nationalitäten. Das .... (6) nun die Ergebnisse einer Studie im Auftrag des britischen Versicherers Lloyds TSB Insurance: In ihrem gesamten Leben .... (7) die Bürger des Königreiches etwa sechs Monate über das Wetter, 58 Prozent der Briten .... (8) damit ihre Konversation. Themen wie Regen, Schnee und Sonnenschein .... (9) eine größere Rolle als Politik, Wirtschaft oder Fußball.

Wetter-Kolumnist Philip Eden .... (10) auch eine Erklärung für das Phänomen. Er .... (11) es für einen Teil der britischen Psyche: Gespräche über das Wetter .... (12) eine einfache, nicht konfrontative Konversation, wie sie die reservierten Briten mögen. Und durch die täglichen Wetterveränderungen .... (13) es jeden Tag etwas Neues zu besprechen. Außerdem .... (14) das Wetter noch einen Vorteil: Selbst wenn die Fußballnationalmannschaft frühzeitig aus einem Turnier .... (15), bleibt das Wetter den Briten erhalten.

5) **Die Generation Online und die Medien**
   Bilden Sie Sätze.

● für Jugendliche – die klassischen Medien – noch eine Rolle – spielen?
  Spielen die klassischen Medien für Jugendliche noch eine Rolle?

1. sehr interessant – die Antworten auf die Frage – sein – für Medienforscher
   ....

2. über einen eigenen Rechner – verfügen – fast die Hälfte der jungen Leute
   ....

3. belegen – in der Rangliste der meistgenutzten Medien – noch immer Platz eins – das Fernsehen
   ....

4. auf Platz zwei – der Rechner – liegen
   ....

5. im Durchschnitt – vor dem Fernseher – sitzen – ein Jugendlicher – 151 Minuten am Tag
   ....

6. er – 144 Minuten – im Internet – verbringen
   ....

7. ein Buch – ein Viertel der Jugendlichen – ab und zu – lesen
   ....

8. höchst unterschiedlich – nutzen – der Nachwuchs – die Medien
   ....

9. dienen – Fernsehen und Radio – zur Unterhaltung
   ....

10. im Netz – gehen – mehr – um Kontaktpflege – es
    ....

■ Verben mit Präfix

Otto *kauft ein.*
↓
trennbares Verb

Er *bezahlt an der Kasse.*
↓
nicht trennbares Verb

Trennbare Verben

▶ **Formen**

	anfangen	**auf**stehen	**ein**kaufen	**hin**fahren	**vor**lesen	**zu**hören
ich	fange **an**	stehe **auf**	kaufe **ein**	fahre **hin**	lese **vor**	höre **zu**
du	fängst **an**	stehst **auf**	kaufst **ein**	fährst **hin**	liest **vor**	hörst **zu**
er/sie/es	fängt **an**	steht **auf**	kauft **ein**	fährt **hin**	liest **vor**	hört **zu**
wir	fangen **an**	stehen **auf**	kaufen **ein**	fahren **hin**	lesen **vor**	hören **zu**
ihr	fangt **an**	steht **auf**	kauft **ein**	fahrt **hin**	lest **vor**	hört **zu**
sie/Sie	fangen **an**	stehen **auf**	kaufen **ein**	fahren **hin**	lesen **vor**	hören **zu**

▶ **Hinweise**

→ Verben, die als Präfix ein Wort haben, das auch allein stehen kann, sind meist **trennbar**.

→ Das Präfix ist in der Regel eine **Präposition** oder ein **Adverb**, z. B.:
abholen, **an**fangen, **auf**stehen, **aus**schalten, **ein**kaufen, **fern**sehen, **fest**halten, **her**kommen, **hin**fahren, **los**lassen, **mit**machen, **nach**denken, **vor**schlagen, **weg**bringen, **weiter**gehen, **zu**hören, **zurück**kommen, **zusammen**arbeiten

→ Das Präfix ist betont.

▶ **Satzbau**

	I.	**II.**	**III.**	**Satzende**
Aussagesatz	Peter	steht	jeden Morgen um 7.00 Uhr	**auf.**
Fragesatz mit Fragewort	Wann	steht	Peter jeden Morgen	**auf?**
Fragesatz ohne Fragewort	Stehst	du	jeden Morgen um 7.00 Uhr	**auf?**

▸ Bei trennbaren Verben steht das Präfix am Satzende.

Nicht trennbare Verben

▶ **Formen**

	bezahlen	**emp**fehlen	**er**halten	**ge**fallen	**ver**einbaren	**zer**stören
ich	bezahle	empfehle	erhalte	gefalle	vereinbare	zerstöre
du	bezahlst	empfiehlst	erhältst	gefällst	vereinbarst	zerstörst
er/sie/es	bezahlt	empfiehlt	erhält	gefällt	vereinbart	zerstört
wir	bezahlen	empfehlen	erhalten	gefallen	vereinbaren	zerstören
ihr	bezahlt	empfehlt	erhaltet	gefallt	vereinbart	zerstört
sie/Sie	bezahlen	empfehlen	erhalten	gefallen	vereinbaren	zerstören

▶ **Hinweise**

→ Verben mit den Präfixen *be-/emp-/ent-/er-/ge-/miss-/ver-/zer-* sind **nicht trennbar**. Diese Präfixe können als Wörter nicht allein stehen.

→ Das Präfix ist unbetont.

Trennbare oder nicht trennbare Verben

▶ **Formen**

	unterschreiben	**unterbringen**	**wiederholen**	**wiederkommen**
ich	unterschreibe	bringe unter	wiederhole	komme wieder
du	unterschreibst	bringst unter	wiederholst	kommst wieder
er/sie/es	unterschreibt	bringt unter	wiederholt	kommt wieder
wir	unterschreiben	bringen unter	wiederholen	kommen wieder
ihr	unterschreibt	bringt unter	wiederholt	kommt wieder
sie/Sie	unterschreiben	bringen unter	wiederholen	kommen wieder

▶ **Hinweise**

→ Verben mit den Präfixen: *durch-/hinter-/über-/um-/unter-/wider-/wieder-* können **trennbar** oder **nicht trennbar** sein.

→ Die meisten Verben mit den Präfixen *durch-, um-* und *wieder-* sind **trennbar**, z. B.:
durchfallen, durchschlafen, durchlesen (aber: durchschauen, durchsuchen → nicht trennbar)
umfallen, umsteigen, umkehren, umziehen (aber: umarmen, umkreisen → nicht trennbar)
wiederbringen, wiederfinden, wiederkommen (aber: wiederholen → nicht trennbar)

→ Die meisten Verben mit den Präfixen *hinter-, über-, unter-* und *wider-* sind **nicht trennbar**, z. B.:
hinterlassen, hintergehen, hinterziehen (aber: hinterschlucken (regional) → trennbar)
überfallen, überleben, überraschen, überweisen (aber: überkochen → trennbar)
unterbrechen, unterhalten, unterscheiden, unterschreiben (aber: unterbringen → trennbar)
widersprechen, widerrufen (aber: widerspiegeln → trennbar)

■ ■ ■ Übungen

6) **Alle haben Zeit und helfen Julia im Haushalt.**
Bilden Sie Sätze wie im Beispiel.

● Erna – einkaufen – etwas – zum Abendessen

1. Bruno – abwaschen – das Geschirr

2. Ernst – abtrocknen – die Gläser

3. Martina – zurückstellen – die Gläser – in den Küchenschrank

4. Oma – herausnehmen – die Wäsche – aus der Waschmaschine

5. Opa – aufhängen – die Wäsche

6. Kerstin – abholen – ein Paket – von der Post

7. Eva – aufräumen – ihr Zimmer

8. Siegfried – hinunterbringen – den Müll

9. Rainer – aufbauen – ein neues Bücherregal

10. Gabi – abheben – Geld – am Bankautomaten

Erna kauft etwas zum Abendessen ein.

....

....

....

....

....

....

....

....

....

....

....

7) **Beschreiben Sie die Tagesabläufe von Lehrer Lampe und Otto Fröhlich.**

Herr Lampe
um 6.00 Uhr · aufstehen + eine Tasse Kaffee · trinken → von 7.00 bis 7.45 Uhr · den Unterricht vorbereiten → um 8.00 Uhr · mit öffentlichen Verkehrsmitteln · zur Schule · fahren → am Bahnhof · umsteigen → um 8.45 Uhr · in der Schule · ankommen → im Lehrerzimmer · mit Kollegen · kurz · sprechen → mit dem Unterricht · um 9.00 Uhr · beginnen · und · um 14.30 Uhr · aufhören → das Fach Geografie · geben → Geschichten · über andere Länder · gern · erzählen → nachmittags · Hausaufgaben · korrigieren · oder · Schüler · betreuen

Herr Lampe steht um 6.00 Uhr auf und trinkt eine Tasse Kaffee.

Otto Fröhlich
um 7.00 Uhr · aufstehen → um 7.30 Uhr · frühstücken → um 8.00 Uhr · mit dem Auto · zur Arbeit · fahren → im Büro · zuerst · den Computer · einschalten + das Passwort · eingeben → dann · seine E-Mails lesen + sie beantworten → wichtige E-Mails · an den Chef · weiterleiten → danach · Rechnungen · bezahlen → online · Geld · überweisen · auf die Konten der Lieferanten → später · mit Geschäftspartnern · telefonieren + Termine vereinbaren → nach dem Mittagessen · die Abteilungssitzung · vorbereiten → Dokumente ausdrucken + sie · kopieren → sein Drucker · nicht richtig · funktionieren → deshalb · oft · den Informatiker anrufen + das Problem · besprechen → um 17.00 Uhr · an der Abteilungssitzung · teilnehmen → um 18.30 Uhr · das Sitzungsprotokoll · schreiben + es · versenden · an alle Kollegen → um 20.00 Uhr · endlich · Feierabend · haben

Otto steht um 7.00 Uhr auf.

8) **Schreiben Sie Sätze mit Zukunftsbedeutung wie im Beispiel.**

● ich – anrufen – Sie – heute Abend
Ich rufe Sie heute Abend an.

1. Franz – am Sonntag – Songs – herunterladen – aus dem Internet

2. ich – anmelden – übermorgen – zum Spanischkurs – mich

3. der Chef – berichten – über die Ergebnisse – auf der nächsten Besprechung

4. ich – vorbeikommen – morgen – im Institut

5. wir – besuchen – am Wochenende – die Kandinsky-Ausstellung

6. Frau Müller – übersetzen – den Brief – nächste Woche

9) Opa berichtet über seinen Garten.
Ergänzen Sie die Verben in der richtigen Form. Achtung! Einige Verben sind nicht trennbar.

● Ich bin sehr gerne in meinem Garten: Gartenarbeit *entspannt* mich ....—.... *(entspannen)*

1. Ich .... das Gartenjahr immer gut ...., damit ich keine großen Probleme bekomme. *(vorbereiten)*

2. Im Winter .... ich mir ...., wie ich den Garten im nächsten Jahr gestalten möchte. *(überlegen)*

3. Meistens .... ich dann einen detaillierten Jahresplan .... *(erstellen)*

4. Im Februar .... ich die Samen für das ganze Jahr .... *(bestellen)*

5. Ich .... mit der Gartenarbeit Ende März ...., wenn der Boden nicht mehr gefroren ist. *(beginnen)*

6. Im März .... ich die Beete .... *(anlegen)*

7. Küchenabfälle .... ich nie ....:
   Ich kompostiere sie. *(wegwerfen)*

8. Ich .... auch ein kleines Gewächshaus ...., in dem ich schon Ende Februar Gemüse und Pflanzen züchten kann. *(besitzen)*

9. Tomaten und Paprika .... ich im Mai im Freien .... *(anpflanzen)*

10. Im Sommer .... ich ab und zu meine Nachbarn in den Garten ....
    und wir grillen zusammen. *(einladen)*

10) Wortbildung: Nicht trennbare Verben

Die untrennbaren Präfixe *miss-, ver-, zer-, er-* und *ent-* können Verben eine bestimmte Bedeutung geben.

→ *miss-* steht oft für **falsch** bzw. **nicht gut:** etwas missverstehen
→ *ver-*   steht oft für **einen Fehler machen** oder **eine Veränderung:** die Suppe versalzen, die Zensuren verbessern
→ *zer-*   steht oft für **kaputtgehen:** etwas zerstören
→ *er-*   steht oft für **einen Prozess, ein Ziel** oder **einen bestimmten Zustand:** etwas erforschen, etwas erarbeiten
→ *ent-*   steht oft für **verschwinden** oder **etwas wegnehmen:** etwas entnehmen

a) Suchen Sie passende Verben mit *ver-*.

● Die Schrift ist zu klein. Man muss sie *vergrößern*. *(größer machen)*

1. Diese Erklärung ist viel zu kompliziert. Du musst sie .... *(einfacher machen)*

2. Mein Büro ist so hässlich. Ich kaufe ein paar Pflanzen und .... es. *(schöner machen)*

3. Die wöchentlichen Sitzungen dauern viel zu lange. Wir müssen sie .... *(kürzer machen)*

4. Ich komme nie pünktlich. Ich .... mich immer. *(später kommen)*

5. Er redet immer nur über seine Pläne, aber er muss sie auch mal .... *(Wirklichkeit werden lassen)*

6. Paul hat in der Schule Probleme. Er muss seine Noten .... *(besser machen)*

b) *Miss-, ver,- zer-, er-* oder *ent-*?
Ergänzen Sie das passende Präfix.

● Ich glaube, der Versuch läuft nicht gut. Er *miss*glückt.

1. In Zukunft sollten wir solche Fehler ....meiden.

2. So geht das nicht weiter. Wir müssen etwas ....ändern.

3. Wir suchen neue Produkte und ....weitern unsere Produktpalette.

4. Man kann mit diesem Messer alle Arten von Gemüse problemlos ....kleinern.

5. Bitte behandeln Sie die Kunstobjekte vorsichtig, sie können leicht ....brechen.

6. Die Steuersenkung soll die Bürger finanziell ....lasten.

7. Wenn man die Rosen richtig anschneidet, dann ....blühen sie nicht so schnell.

8. Er macht, was er will. Er ....achtet sogar die Sicherheitsvorschriften.

9. Diese Schere ....schneidet nicht nur Papier, sondern auch Pappe oder Stoff.

10. Die Mitarbeiter haben kein Vertrauen in die neue Geschäftsleitung. Sie ....trauen ihr.

11. Mit dieser unfreundlichen Art ....reichst du bei den Kunden gar nichts.

12. An dieser Stelle ....richtet die Stadt ein Denkmal für den berühmten Komponisten.

1.1.3 Perfekt

Die Reise nach Köln

Familie Schmidt ist letzte Woche nach Köln gefahren.
Der kleine Otto hat sich auf die Reise sehr gefreut.

▶ **Gebrauch**

→ Wir verwenden das Perfekt

▸ zum Berichten über **vergangene Ereignisse**, vor allem mündlich:
Familie Schmidt ist nach Köln gefahren. Der kleine Otto hat sich auf die Reise sehr gefreut.

▸ zum Beschreiben **vergangenen Geschehens** in persönlichen Texten:
Lieber Gustav, wir sind gut in Köln angekommen. Gestern habe ich im Zoo viele Raubtiere gesehen und eine Currywurst gegessen. Herrlich! Viele Grüße von Otto.

■ Perfekt mit *haben*

Was haben die Leute am Sonntag gemacht?

Georg hat Musik gehört.
↓ ↓
Hilfsverb Partizip II

hören → regelmäßiges Verb

Max hat ein Gedicht geschrieben.
↓ ↓
Hilfsverb Partizip II

schreiben → unregelmäßiges Verb

Gustav hat an seine Arbeit gedacht.
↓ ↓
Hilfsverb Partizip II

denken → Mischverb

Regelmäßige Verben

▶ **Formen**

	hören		kochen		Verben auf -t/-d warten		Verben auf -ieren studieren	
ich	habe		habe		habe		habe	
du	hast		hast		hast		hast	
er/sie/es	hat	gehört	hat	gekocht	hat	gewartet	hat	studiert
wir	haben		haben		haben		haben	
ihr	habt		habt		habt		habt	
sie/Sie	haben		haben		haben		haben	

▶ **Hinweise**

→ Die meisten Verben bilden das Perfekt mit dem Hilfsverb *haben* und dem Partizip II (➤ Seite 21: *Perfekt mit sein*).

→ Regelmäßige Verben bilden das Partizip II mit *ge-* + Verbstamm + *-(e)t*: gehört • gewartet.

→ Verben auf *-ieren* bilden das Partizip II mit Verbstamm + *-t*: studiert.

Unregelmäßige Verben
▶ **Formen**

	lesen		trinken		schreiben		schneiden		helfen	
ich	habe		habe		habe		habe		habe	
du	hast		hast		hast		hast		hast	
er/sie/es	hat	gelesen	hat	getrunken	hat	geschrieben	hat	geschnitten	hat	geholfen
wir	haben		haben		haben		haben		haben	
ihr	habt		habt		habt		habt		habt	
sie/Sie	haben		haben		haben		haben		haben	

➤ Seite 232: Übersicht *Unregelmäßige Verben*

▶ **Hinweise**

→ Unregelmäßige Verben bilden das Partizip II mit *ge-* + Verbstamm + *-en*.
   Oft ändert sich der Stammvokal: schreiben → geschrieben,
   manchmal auch der Konsonant: schneiden → geschnitten.

Mischverben
▶ **Formen**

	denken		kennen		bringen		wissen	
ich	habe		habe		habe		habe	
du	hast		hast		hast		hast	
er/sie/es	hat	gedacht	hat	gekannt	hat	gebracht	hat	gewusst
wir	haben		haben		haben		haben	
ihr	habt		habt		habt		habt	
sie/Sie	haben		haben		haben		haben	

➤ Seite 232: Übersicht *Unregelmäßige Verben*

▶ **Hinweise**

→ Mischverben bilden das Partizip II mit *ge-* + Verbstamm + *-t*.
   Allerdings ändert sich der Stammvokal, deshalb zählen sie zu den unregelmäßigen Verben: denken → gedacht.

→ Die Zahl der Mischverben ist relativ klein. Zu ihnen gehören: brennen, bringen, denken, kennen, nennen, rennen, senden und wissen.

▶ **Satzbau**

	I.	II.	III.	Satzende
	Georg	hat	gestern Musik	gehört.
Fragesatz mit Fragewort	Was	hat	Herr Roth	fotografiert?
Fragesatz ohne Fragewort	Hat	Max	ein Liebesgedicht	geschrieben?

■ ■ ■ **Übungen**

1) **Geben Sie die Perfektform an und markieren Sie die Besonderheiten des Partizips.**

● ich sehe: *ich habe ge̲sehe̲n*
1. er liest: ....
2. ihr wisst: ....
3. du machst: ....
4. das Kind spielt: ....
5. sie telefoniert: ....
6. du isst: ....
7. wir bringen: ....

8. wir denken: ....
9. sie nimmt: ....
10. sie kochen: ....
11. wir arbeiten: ....
12. ihr trinkt: ....
13. ich stehe: ....
14. sie wohnen: ....

2) **Ergänzen Sie die Sätze.**

> lesen • s̶i̶t̶z̶e̶n̶ • lernen • arbeiten • suchen • hören • essen • bringen • schließen

● Ich habe gestanden, ihr *habt gesessen*.
1. Er hat ein Bier getrunken, sie .... eine Suppe ....
2. Die Kinder haben am Computer gespielt, ihr Vater .... am Computer ....
3. Wir haben eine E-Mail geschrieben, Walter .... unsere E-Mail ....
4. Ich habe das Fenster geöffnet, Karen .... es ....
5. Peter hat Maries Handy unter dem Tisch versteckt. Marie .... es dann überall ....
6. Er hat die Nachricht in der Zeitung gelesen, ich .... sie im Radio ....
7. Er hat in dieser Schule Deutsch unterrichtet, sie .... hier Deutsch ....
8. Die Gäste haben das Essen bestellt, der Kellner .... es sofort ....

3) **Sie haben im Internet interessante Informationen gefunden. Geben Sie Ihr Wissen weiter.** 〔5〕

a) **Setzen Sie die unterstrichenen Verben ins Perfekt.**

1
Schon die alten Ägypter verwendeten eine Art Zahnpasta aus Weinessig und gemahlenem Bimsstein. Die erste Zahnpasta unserer heutigen Zeit entwickelte 1907 der Dresdner Apotheker Ottomar Heinsius von Mayenburg. Er nannte sein Produkt „Chlorodont".

haben verwendet
....
....

2
Karl Follen, ein Jurist aus Darmstadt, verbreitete den deutschen Brauch des Weihnachtsbaums von den USA aus in die ganze Welt. Als er in Cambridge, USA, an der Universität lehrte, stellte er Weihnachten 1832 eine mit Äpfeln und Nüssen geschmückte Tanne vor sein Haus. Er fand viele Nachahmer.

....
....
....

3
In Westdeutschland gab es ab 1958 über größere Entfernungen einsetzbare Autotelefone. Diese Geräte wogen 16 Kilogramm und kosteten mehr als ein neuer VW-Käfer.

....
....

4
Der englische Offizier Charles Granville Bruce liebte die gute Küche. Auf seiner Mount-Everest-Expedition im Jahr 1922 stellte er seinen Männern neben Trockenfleisch und Ölsardinen auch fein zubereitete Speisen zur Verfügung. Deshalb trugen die Expeditionsteilnehmer in ihrer Ausrüstung auch Kaviar, Gänseleber und Champagner.

....
....

5
Das Auto „Mercedes-Simplex" überzeugte 1906 die Besucher bei der Automobilausstellung in Berlin mit seiner Startschnelligkeit: Es dauerte im Schnitt nur zehn Minuten, um den Wagen in Gang zu setzen.

....
....

b) **Berichten Sie über das Gelesene.**

1. *Schon die alten Ägypter haben eine Art Zahnpasta aus Weinessig und gemahlenem Bimsstein verwendet.*

■ Perfekt mit *sein*

Was haben die Leute
am Sonntag gemacht?

Paul ist gewandert.
↓   ↓
Hilfsverb   Partizip II

wandern → regelmäßiges Verb

Martina ist mit ihrem Motorroller gefahren.
↓   ↓
Hilfsverb   Partizip II

fahren → unregelmäßiges Verb

▶ Formen

	regelmäßige Verben		unregelmäßige Verben		
	wandern	**landen**	**fahren**	**bleiben**	**sein**
ich	bin	bin	bin	bin	bin
du	bist	bist	bist	bist	bist
er/sie/es	ist gewandert	ist gelandet	ist gefahren	ist geblieben	ist gewesen
wir	sind	sind	sind	sind	sind
ihr	seid	seid	seid	seid	seid
sie/Sie	sind	sind	sind	sind	sind

▶ Hinweise

→ Das Perfekt mit *sein* bilden Verben,

› die einen Ortswechsel beschreiben und **keine Akkusativergänzung** haben:
   Otto ist ins Büro gelaufen, ich bin gefahren.
   Das Flugzeug ist gelandet. (Aber: Der Pilot **hat** die Maschine sicher gelandet.)

› die eine Zustandsveränderung beschreiben:
   Der Junge ist gewachsen. • Es ist etwas passiert. • Das Kind ist plötzlich aufgewacht.

› und einige besondere Verben:
   sein: Ich bin in Italien gewesen.
   bleiben: Ich bin dort drei Wochen geblieben.
   werden: Peter ist 15 Jahre alt geworden.

   Sein und *werden* verwendet man
   selten im Perfekt (➤ Seite 26: *Präteritum*).

→ Alle anderen Verben bilden das Perfekt mit *haben*.

▶ Satzbau

	I.	II.	III.	Satzende
Aussagesatz	Das Flugzeug	ist	pünktlich	gelandet.
Fragesatz mit Fragewort	Wann	ist	das Flugzeug	gelandet?
Fragesatz ohne Fragewort	Ist	das Flugzeug	aus Rom schon	gelandet?

■ ■ ■ Übungen

4) **Nach dem Banküberfall. Helfen Sie dem Kommissar beim Verhör.**
   Bilden Sie Fragen im Perfekt mit *haben* oder *sein*.

● wann – Sie – gestern – zur Bank – fahren   *Wann sind Sie gestern zur Bank gefahren?*

1. wie viele – Bankmitarbeiter – hinter dem Bankschalter – stehen ....

2. wann – die Bankräuber – kommen ....

3. was für Kleidung – die Diebe – tragen ....

4. mit welchen Waffen – die Bankräuber – drohen ....

5. wann – der Schuss – fallen ....

6. wer – den Tresor – öffnen ....

7. wie viel – Geld – im Tresor – liegen ....

8. wer – den Bankräubern – helfen ....

9. mit wem – die Räuber – sprechen ....

10. wer – die Polizei – rufen ....

11. wann – die Diebe – flüchten ....

12. was – Sie – noch – sehen oder hören ....

5) **Was haben diese Menschen am Wochenende gemacht?**
   Ergänzen Sie die Verben im Perfekt.

● Peter *ist* zehn Kilometer *geschwommen*. *(schwimmen)*

1. Ihr .... 20 Kilometer .... *(laufen)*

2. Martina .... erst durch den Wald .... *(reiten)*
   Danach .... sie mit ihrem Pferd über Hindernisse .... *(springen)*

3. Du .... Tennis .... *(spielen)*

4. Ich .... einen Ausflug in die Berge .... und .... auf
   eine Bergspitze .... *(machen, klettern)*

5. Christine .... mit dem Fahrrad zu ihrer Freundin .... *(fahren)*

6. Wir .... ans andere Ufer des Sees .... *(segeln)*

7. Katja .... mit ihrem Hund in den Park .... *(gehen)*

8. Nur Petra .... zu Hause ....
   Sie .... ein Buch .... *(bleiben, lesen)*

6) **Eine Postkarte aus Köln**
   Ergänzen Sie die Sätze mit der richtigen Form von *haben* oder *sein* und dem Partizip II des Verbs.

Liebe Anja,

wie Du weißt, bin ich seit zwei Tagen in Köln.
Stell Dir mal vor, wen ich gestern Vormittag in der Stadt *getroffen habe* *(treffen)*: Walter Nett, meine große Liebe
aus dem Gymnasium!!! Erinnerst Du Dich noch an ihn? Ich .... ihn seit der Schulzeit nicht mehr
.... *(sehen)*. Wir .... einen Kaffee .... *(trinken)* und ein bisschen ....
(plaudern). Natürlich .... wir wieder über moderne Kunst .... *(diskutieren)*, wie früher. Er
.... vor zehn Jahren nach Köln .... *(ziehen)* und .... an der Internationalen
Filmschule .... *(studieren)*, aber in der Filmbranche .... er leider keinen Job ....
(finden). Vor ein paar Jahren .... er eine Firma .... *(gründen)*, die Kameras verkauft. Ich
glaube, er ist ganz glücklich. Er .... mir seine Nummer .... *(geben)*, ich hoffe, wir bleiben in
Kontakt.
Den Rest erzähle ich Dir, wenn ich wieder in Hamburg bin.

Viele Grüße
Deine Sabine

■ Verben mit Präfix

Was hat Otto gestern gemacht?

Otto *hat* für das Abendessen *eingekauft.*
  ↓   ↓
Hilfsverb   Partizip II

einkaufen → regelmäßiges Verb

Otto *ist* sehr spät *zurückgekommen.*
  ↓   ↓
Hilfsverb   Partizip II

zurückkommen → unregelmäßiges Verb

Trennbare Verben

▶ **Formen**

	regelmäßige Verben	unregelmäßige Verben		
	einkaufen	**anrufen**		**zurückkommen**
ich	habe	habe		bin
du	hast	hast		bist
er/sie/es	hat	hat	angerufen	ist	zurückgekommen
wir	haben	haben		sind
ihr	habt	habt		seid
sie/Sie	haben eingekauft	haben		sind

➤ Seite 14: *Verben mit Präfix*

▶ **Hinweise**

→ Verben mit Präfix bilden das Perfekt mit *haben* oder *sein* und dem Partizip II.

→ Bei trennbaren Verben steht beim Partizip II *-ge-* zwischen Präfix und Verbstamm.
  ▸ regelmäßige Verben: Präfix + *-ge-* + Verbstamm + *-(e)t*: ein**ge**kauf**t**
  ▸ unregelmäßige Verben: Präfix + *-ge-* + Verbstamm + *-en*: an**ge**ruf**en**

Nicht trennbare Verben

Was hat Otto gestern gemacht?

Er *hat* mit Kunden Termine *vereinbart.*
  ↓   ↓
Hilfsverb   Partizip II

vereinbaren → regelmäßiges Verb

Otto *hat* viele E-Mails *bekommen.*
  ↓   ↓
Hilfsverb   Partizip II

bekommen → unregelmäßiges Verb

▶ **Formen**

	regelmäßige Verben		unregelmäßige Verben	
	vereinbaren		**bekommen**	
ich	habe		habe	
du	hast		hast	
er/sie/es	hat	vereinbar**t**	hat	bekomm**en**
wir	haben		haben	
ihr	habt		habt	
sie/Sie	haben		haben	

▶ **Hinweise**

→ Nicht trennbare Verben bilden das Partizip II ohne *ge-:*
  ‣ regelmäßige Verben: Verbstamm + *-(e)t*: vereinbar**t**
  ‣ unregelmäßige Verben: Verbstamm + *-en*: bekomm**en**

▶ **Satzbau**

	I.	II.	III.	Satzende
Aussagesatz	Wir	**sind**	pünktlich	abgefahren.
	Otto	**hat**	viele Termine	vereinbart.
Fragesatz mit Fragewort	Wie viele E-Mails	**hat**	Otto	bekommen?
Fragesatz ohne Fragewort	**Hat**	Otto	gestern	eingekauft?

■ ■ ■ **Übungen**

7) **Alltägliches**

a) **Hast/Bist du schon mal …? Bilden Sie Fragen wie im Beispiel.**

● einen Kollegen beschimpfen   *Hast du schon mal einen Kollegen beschimpft?*
1. im Büro einschlafen   ....
2. ein Flugzeug verpassen   ....
3. ein wichtiges Dokument löschen   ....
4. beim Einparken ein anderes Auto anfahren ....
5. einen Termin beim Chef vergessen   ....
6. bei einer Besprechung nicht richtig zuhören ....
7. in Hausschuhen zur Arbeit gehen   ....
8. bei einer Prüfung durchfallen   ....
9. eine schlechte Note verheimlichen   ....
10. ein geliehenes Buch nicht zurückgeben ....

b) **Bilden Sie Fragen und antworten Sie.**

● ihr – wann – abfahren? *(acht Uhr)*
  Wann seid ihr abgefahren?   *Wir sind um acht Uhr abgefahren.*
1. was – du – bestellen? *(eine Tomatensuppe)*

2. das Dokument – wer – ausdrucken? *(Martina)*

3. wen – Sie – anrufen – gerade? *(meine Kollegin in Wien)*

4. wie viele Autos – verkaufen – die Firma – im letzten Jahr? *(20 000)*

5. wann – die Tür – der Hausmeister – abschließen? *(21.00 Uhr)*

6. mit wem – du – sich verabreden? *(mit meinem alten Schulfreund)*

....

7. ihr – wo – aussteigen? *(am Marienplatz)*

....

8. wer – dir – erklären – die Regeln? *(mein Deutschlehrer)*

....

8) **Der Chef berichtet über die Ereignisse des letzten Jahres. Ergänzen Sie die Verben im Perfekt.**

● Unsere Firma *hat* wieder ein erfolgreiches Jahr *abgeschlossen. (abschließen)*

1. Wir .... unsere Produktionsziele in fast allen Abteilungen .... *(erreichen)*

2. Unsere Produktionszahlen .... sich deutlich .... *(erhöhen)*

3. Wir .... auch mehr Profit .... als im vorletzten Jahr. *(erwirtschaften)*

4. Wir .... an allen renommierten europäischen Messen .... *(teilnehmen)*

5. Unsere Abteilung für Innovation und Forschung .... eine neue Software
.... *(entwickeln)*

6. Wir .... ein bekanntes Marktforschungsinstitut mit einer Konkurrenten-Analyse .... *(beauftragen)*

7. Wir .... beim Europäischen Patentamt fünf neue Patentanmeldungen .... *(einreichen)*

8. Insgesamt .... wir 14 neue Mitarbeiter .... *(einstellen)*

9. Unseren Kundenkreis .... wir auch .... *(erweitern)*

10. Wir .... mehr Produkte .... als im Vorjahr. *(verkaufen)*

9) **Die Erfindung des Eau de Cologne. Bilden Sie Sätze im Perfekt.**

● im Frühjahr 1709 – Johann Maria Farina – ein wunderbar riechendes Duftwasser – erfinden
Im Frühjahr 1709 hat Johann Maria Farina ein wunderbar riechendes Duftwasser erfunden.

1. es – ihn – an einen Frühlingsmorgen – in Italien – erinnern

....

2. dies – er – aus dem fernen Köln – an seinen älteren Bruder Johann Baptiste Farina – in Italien – schreiben

....

3. Johann Baptiste – sofort – seine Sachen – packen + zu seinem Bruder – nach Köln – ziehen

....

4. am 13. Juli 1709 – er – dort – eine Firma zur Produktion des neuen Duftwassers – gründen

....

5. fünf Jahre später – auch Johann Maria – in das Geschäft – einsteigen

....

6. ihr Produkt – zu Ehren der Stadt Köln – den Namen Eau de Cologne – bekommen

....

7. damals – die meisten Menschen – Wasser – für gesundheitsschädlich – halten

....

8. nach Benutzung des neuen „Wunderwassers" – der französische Philosoph Voltaire – von dem Parfüm – schwärmen:
„Endlich ein Duft, der den Geist inspiriert und nicht den Körper verklebt."

....

9. bei der Herstellung des Parfüms – die Brüder Farina – hauptsächlich – Zitrusnoten – verwenden

....

10. sie – auf schwere Essenzen wie Zimt oder Moschus – verzichten

....

11. damit – sie – den Parfümmarkt – revolutionieren

....

12. viele Kaiser und Könige – „Kölnisch Wasser" – in großen Mengen – bestellen + verwenden

....

1.1.4 Präteritum

Die Reise nach Köln

Vor seiner Reise nach Köln schenkte *Oma dem kleinen Otto ein Buch.*

Otto las *das Buch mit großem Interesse.*

Das Kapitel über Raubtiere gefiel *ihm besonders.*

▶ **Gebrauch**

→ Wir verwenden das Präteritum

  ▸ in **schriftlichen Erzählungen oder Berichten** über vergangene Ereignisse, z. B. in Aufsätzen, literarischen Texten, Zeitungstexten, Reportagen u. ä.:
  Vor meiner Reise nach Köln schenkte mir meine Oma ein Buch über Tiere.
  Aus dem Kölner Zoo brach gestern ein Löwe aus. Die Polizei sperrte die Gegend um den Zoo ab und fing das Tier wieder ein.

  ▸ bei den Verben *haben, sein* und *werden*:
  Der kleine Otto war gestern im Kölner Zoo.

■ Regelmäßige und unregelmäßige Verben

Was passierte gestern?

Der Künstler malte *ein Bild.*

↓
regelmäßiges Verb

Der Minister gab *ein Interview.*

↓
unregelmäßiges Verb

Gustav dachte an *seine Arbeit.*

↓
Mischverb

Franz war *krank.*
Er hatte *eine Erkältung.*
Er wurde *schnell gesund.*

↓
haben, sein und *werden*

Regelmäßige Verben

▶ **Formen**

	malen	studieren	Verben auf -t/-d/-n/-m	
			arbeiten	öffnen
ich	mal**te**	studier**te**	arbeit**ete**	öffn**ete**
du	mal**test**	studier**test**	arbeit**etest**	öffn**etest**
er/sie/es	mal**te**	studier**te**	arbeit**ete**	öffn**ete**
wir	mal**ten**	studier**ten**	arbeit**eten**	öffn**eten**
ihr	mal**tet**	studier**tet**	arbeit**etet**	öffn**etet**
sie/Sie	mal**ten**	studier**ten**	arbeit**eten**	öffn**eten**

▶ **Hinweise**

→ Regelmäßige Verben bilden das Präteritum mit -t-: malen → malten.

→ Verben auf -d oder -t bilden das Präteritum mit -et-: arbeiteten.

→ Verben auf -n oder -m bilden das Präteritum mit -et-, wenn ein anderer Konsonant (aber nicht: r) davorsteht: öffneten.

Unregelmäßige Verben

▶ **Formen**

	geben	gehen	kommen	*Verben auf -t/-d* **bieten**
ich	gab	ging	kam	bot
du	gabst	gingst	kamst	botest
er/sie/es	gab	ging	kam	bot
wir	gaben	gingen	kamen	boten
ihr	gabt	gingt	kamt	botet
sie/Sie	gaben	gingen	kamen	boten

➤ Seite 232: Übersicht *Unregelmäßige Verben*

▶ **Hinweise**

→ Unregelmäßige Verben haben im Präteritum einen **Vokalwechsel**: geben → gaben.
→ Die Verbformen der 1. und die 3. Person Singular haben **keine Endung**: ich gab, er gab.
→ Verben auf -d oder -t enden in der 2. Person Singular auf -est, in der 2. Person Plural auf -et: du botest, ihr botet.

Mischverben

▶ **Formen**

	brennen	bringen	denken	kennen	nennen	senden	wissen
ich	brannte	brachte	dachte	kannte	nannte	sandte	wusste
du	branntest	brachtest	dachtest	kanntest	nanntest	sandtest	wusstest
er/sie/es	brannte	brachte	dachte	kannte	nannte	sandte	wusste
wir	brannten	brachten	dachten	kannten	nannten	sandten	wussten
ihr	branntet	brachtet	dachtet	kanntet	nanntet	sandtet	wusstet
sie/Sie	brannten	brachten	dachten	kannten	nannten	sandten	wussten

➤ Seite 232: Übersicht *Unregelmäßige Verben*

▶ **Hinweise**

→ Mischverben bilden das Präteritum mit -t- (wie die regelmäßigen Verben) und mit einem **Vokalwechsel** (wie die unregelmäßigen Verben): kennen → kannten.
Bei einigen Verben ändert sich auch der Konsonant im Wortstamm: denken → dachten.

Haben, sein und *werden*

▶ **Formen**

	haben	sein	werden
ich	hatte	war	wurde
du	hattest	warst	wurdest
er/sie/es	hatte	war	wurde
wir	hatten	waren	wurden
ihr	hattet	wart	wurdet
sie/Sie	hatten	waren	wurden

▶ **Hinweise**

→ Bei *haben*, *sein* und *werden* bevorzugen wir in der Vergangenheit das Präteritum.

▶ **Satzbau**

	I.	II.	III.	Satzende
Aussagesatz	Franz Der Minister	**war** **gab**	gestern ein Interview.	**krank.**
Fragesatz mit Fragewort	Wem	**gab**	der Minister das Interview?	
Fragesatz ohne Fragewort	Dachte	Gustav	an seine Arbeit?	

■ ■ ■ **Übungen**

1) **Das Leben von Ludwig van Beethoven**
Schreiben Sie Beethovens Biografie im Präteritum.

Das Leben von Ludwig van Beethoven ist nur lückenhaft dokumentiert. Van Beethovens genaues Geburtsdatum ist unbekannt. Wir wissen heute nur, dass er am 17. Dezember 1770 getauft wurde.

● sein Großvater – Hofkapellmeister – in Bonn – sein
Sein Großvater war Hofkapellmeister in Bonn.

1. sein Vater – ebenfalls – als Musiker – arbeiten • aber – seine Karriere – unter dem ständigen Alkoholkonsum – leiden

....

2. der junge Ludwig – schon früh – das Klavierspielen – lernen

....

3. er – mit sieben Jahren – sein erstes öffentliches Konzert – haben

....

4. mit zwölf Jahren – er – seine erste eigene Komposition – schreiben

....

5. 1786 – Beethoven – zum Studium – nach Wien – reisen

....

6. nach dem Tod seiner Mutter – er – wieder nach Bonn – ziehen – und – für seine Familie – sorgen

....

7. trotz dieser Belastung – Beethoven – weiterhin – auf seine musikalische Ausbildung – sich konzentrieren

....

8. er – bis 1789 – Musik – an der Universität Bonn – studieren

....

9. 1792 – er – Bonn – verlassen – und – nach Wien – gehen

....

10. in Wien – höhere Adelskreise – Beethovens Musik – schätzen – und – finanzielle Hilfe – leisten

....

11. außerdem – er – Unterricht – geben – und – die Noten seiner Werke – verkaufen

....

12. mit 27 Jahren – Beethoven – schwerhörig – werden

....

13. später – er – völlig taub – sein • er – nichts mehr – hören

....

14. doch – Beethoven – weiter – komponieren

....

15. am 27. März 1827 – Beethoven – im Alter von 56 Jahren – nach langer Krankheit – sterben

....

2) Woher stammen unsere Nachnamen?
Ergänzen Sie die Verben im Präteritum.

Woher hat Herr Bleifuß seinen Namen? *Hatten* (0) *(haben)* seine Vorfahren Probleme mit ihren Füßen, vielleicht einen Fuß aus Blei? Und welche Sünden .... (1) *(gehen)* auf das Konto der Familie Sünderhauf? Ein Forscherteam der Universität Leipzig .... (2) *(versuchen)* nun, das Rätsel um unsere Namen zu lösen.

Die Wissenschaftler .... (3) *(kommen)* dabei zu der Erkenntnis, dass sich viele unserer Nachnamen auf das Mittelalter zurückführen lassen. Zwischen dem 11. und 13. Jahrhundert .... (4) *(wachsen)* die Städte immer schneller und plötzlich .... (5) *(geben)* es mehrere Menschen an einem Ort, die denselben Vornamen .... (6) *(tragen)*. Aus diesem Grund .... (7) *(werden)* es notwendig, sich durch einen zweiten Namen voneinander zu unterscheiden. Wenn ein Fremder in der Stadt jemanden .... (8) *(suchen)*, ... (9) *(fragen)* er bald nicht mehr nach Friedrich, sondern nach Friedrich dem Zimmermann oder Friedrich dem Koch.

Berufsbezeichnungen .... (10) *(stehen)* deshalb auch Pate für die meisten deutschen Nachnamen: Rund 700 000 Deutsche heißen Müller, 518 000 Schmidt, 313 000 Schneider, 267 000 Fischer und 234 000 Weber. Interessant ist auch, dass sich die Bedeutung mancher Namen regional .... (11) *(ändern)*. Im Norden Deutschlands .... (12) *(bezeichnen)* der Name des ehemaligen deutschen Bundeskanzlers Schröder einen Schneider, im Süden einen Bierkutscher.

Auch Orte oder Eigenschaften .... (13) *(eignen)* sich für den zweiten Namen. Heute weiß man, dass die Träger der Namen Scheel, Schiller oder Schily .... (14) *(schielen)*, Menschen, die Füchtenhans oder Feucht .... (15) *(heißen)*, übermäßig .... (16) *(trinken)*, und Personen mit dem Namen Klum aus armen Verhältnissen .... (17) *(stammen)*. Bleifuß geht übrigens auf „Blaufuß", einen Jagdfalken, zurück und Familie Sünderhauf .... (18) *(wohnen)* neben einem „Sinterhaufen", einem Berg Schlacke.

3) Das war ein Urlaub! Nichts stimmte mit den Angaben im Reiseprospekt überein.
Schreiben Sie einen Beschwerdebrief im Präteritum. Benutzen Sie dafür die Angaben im rechten Kästchen.

Angaben im Reiseprospekt

– Das Hotel hat fünf Sterne.
– Es liegt in Strandnähe.
– Das Essen ist hervorragend, die Bedienung ist zuvorkommend.
– Das Hotel verfügt über einen großen Swimmingpool und einen Tennisplatz.
– Komfortable Zimmer ermöglichen einen entspannten Urlaub.

Erfahrungen am Urlaubsort

– nicht mal drei Sterne haben
– an einer Hauptverkehrsstraße – liegen • jeden Tag – 30 Minuten – zum Strand – unterwegs sein
– das Essen – schrecklich schmecken – zum Teil ungenießbar – sein
– mehrmals – bis zu zwei Stunden – auf das Essen – warten
– der Swimmingpool – sich noch im Bau befinden • der Tennisplatz – zum Nachbarhotel – gehören + nicht benutzbar sein
– die Betten – zu hart sein + quietschen • es – keinen Kühlschrank + keinen Fernseher – geben • die Dusche – oft nicht – funktionieren • einmal – sogar – kleine schwarze Tiere – durchs Zimmer – krabbeln • unsere Tochter – einen Nervenzusammenbruch – erleiden • wir – beabsichtigen, zwei Wochen zu bleiben • aber – wir – nach einer Woche – nach Hause – fahren

Sehr geehrte Damen und Herren,

gestern kam ich mit meiner Familie vorzeitig aus dem Urlaub zurück und ich möchte mich sofort über die bei Ihnen gebuchte Reise beschweren. Im Prospekt stand, dass das Hotel fünf Sterne hat, <u>es hatte</u> aber ...

Sie haben sicher Verständnis für meine Beschwerde und erstatten mir die Hälfte der Reisekosten.

Mit freundlichen Grüßen

■ Verben mit Präfix

Was passierte gestern?

Ein Dieb brach ins Museum ein.

Die Polizei verhaftete den Dieb.

Der Dieb bekam eine Strafe.

Trennbare und nicht trennbare Verben

▶ **Formen**

	trennbare Verben		nicht trennbare Verben	
	regelmäßige Verben	unregelmäßige Verben	regelmäßige Verben	unregelmäßige Verben
	einkaufen	einbrechen	verhaften	bekommen
ich	kaufte ein	brach ein	verhaftete	bekam
du	kauftest ein	brachst ein	verhaftetest	bekamst
er/sie/es	kaufte ein	brach ein	verhaftete	bekam
wir	kauften ein	brachen ein	verhafteten	bekamen
ihr	kauftet ein	bracht ein	verhaftetet	bekamt
sie/Sie	kauften ein	brachen ein	verhafteten	bekamen

> ➤ Seite 14: *Verben mit Präfix*

▶ **Hinweise**

→ Trennbare und nicht trennbare Verben können regelmäßige oder unregelmäßige Formen des Präteritums bilden.

▶ **Satzbau**

	I.	II.	III.	Satzende
Aussagesatz	Der Dieb Die Polizei	**brach** **verhaftete**	ins Museum den Dieb.	ein.
Fragesatz mit Fragewort	Warum Wann	**brach** **verhaftete**	der Dieb ins Museum die Polizei den Dieb?	ein?
Fragesatz ohne Fragewort	Brach Verhaftete	gestern die Polizei	jemand ins Museum den Dieb schon?	ein?

▸ Bei trennbaren Verben steht das Präfix am Satzende.

■ ■ ■ Übungen

4) **Bilden Sie kurze Sätze im Präteritum.**

● die Polizei – den Dieb – verhaften
  Die Polizei verhaftete den Dieb.

1. die Polizisten – die Wohnung – durchsuchen
   ....

2. sie – die Gemälde – entdecken
   ....

3. der Fund – den Museumsdieb – überführen
   ....

4. der Kommissar – den Verdächtigen – verhören
   ....

5. der Dieb – den Einbruch – gestehen
   ....

5) **Sportliches**

a) **Wer lief den ersten Marathon?**
Geben Sie den Infinitiv an.

Seinen Namen <u>erhielt</u> der Marathonlauf von einem Dorf in Griechenland, das auf
einer kleinen Ebene <u>lag</u>. Dort <u>kämpften</u> 490 v. Chr. Griechen und Perser miteinander. Die Schlacht <u>endete</u> mit dem Sieg der Griechen.
Einer Sage nach <u>lief</u> ein Bote der Griechen die 42,195 km lange Strecke von
Marathon nach Athen und <u>verkündete</u> dort die Siegesnachricht. Danach <u>brach</u>
er tot <u>zusammen</u>. Übrigens <u>war</u> er nicht der einzige Bote, der in Griechenland auf
diese Weise <u>starb</u>.

In der Neuzeit <u>organisierte</u> man den ersten Marathonlauf 1896 in Athen. Bis 1908
<u>erstreckte</u> er sich jedoch nur über eine Länge von ungefähr 40 km.

Der erste offizielle deutsche Marathonlauf <u>fand</u> am 3. Juli 1898 <u>statt</u>. Die Strecke
<u>verlief</u> von Paunsdorf bei Leipzig nach Bennewitz und wieder nach Paunsdorf zu-
rück. Sieger <u>war</u> Arthur Techtow, der für die etwa 40 km eine Zeit von 3:15:50 Stunden <u>brauchte</u>.

erhalten

.... / ....

....

.... / ....

....

....

....

....

....

....

b) **Die Geschichte der Olympischen Spiele**
Ergänzen Sie die vorgegebenen Verben im Präteritum.

Ursprünglich *waren* (0) *(sein)* die Olympischen Spiele ein kleiner sportlicher Wettbewerb zu
Ehren der Götter im antiken Griechenland. Einige Wissenschaftler sagen, dass der Halbgott
Herakles die Spiele in Olympia zu Ehren seines Vaters Zeus .... (1) *(gründen)*.

Die ersten Spiele von Olympia .... (2) vermutlich 776 vor Christus .... (2)
(stattfinden) und sie .... (3) *(bestehen)* bis zum Jahr 724 vor Christus nur aus
einer einzigen Sportart: dem Wettlauf über die Distanz eines Stadions (192,27 Meter).
Mit der Zeit .... (4) *(kommen)* noch einige Sportarten dazu, sodass die Zahl der
sportlichen Wettkämpfe auf 18 .... (5) *(steigen)*. In ihrer Anfangszeit
.... (6) *(haben)* die Olympischen Spiele eher den Charakter eines religiösen
Festes, die sportliche Auseinandersetzung .... (7) *(spielen)* eine untergeordnete
Rolle.

Das .... (8) *(ändern)* sich mit dem Umzug der Veranstaltung zum Tempel des Zeus nach Athen. Die
Sieger .... (9) *(erhalten)* nach dem Wettkampf einen Kranz aus Olivenzweigen und der Sieg
.... (10) *(bringen)* ihnen Ruhm und Reichtum: Sie .... (11) *(brauchen)* keine Steuern mehr zu
zahlen und .... (12) *(leben)* bis zu ihrem Tod auf Staatskosten.
Das .... (13) *(machen)* einen Sieg so attraktiv, dass immer mehr Sportler .... (14) *(beginnen)*,
bei den Wettkämpfen zu betrügen.

Das bekannteste Beispiel für Bestechung und Betrug ist Kaiser Nero: Er .... (15) im Jahre 67 nach
Christus an den Spielen .... (15) *(teilnehmen)* und .... (16) *(gewinnen)* in sechs Disziplinen – auch im
Wagenrennen, obwohl er während der Fahrt vom Wagen .... (17) *(fallen)*.

6) **Der Nobelpreis**

a) **Ergänzen Sie die Verben im Präteritum.**

Den Nobelpreis *stiftete* (0) *(stiften)* der schwedische Erfinder und Industrielle Alfred Nobel. In seinem Testament
.... er .... (1) *(festlegen)*, dass diese Auszeichnung denen übergeben werden sollte, die für die
Menschheit besonders viel getan haben. Das Geld .... (2) *(verteilen)* er gleichmäßig auf die Gebiete
Physik, Chemie, Medizin, Literatur und Bemühungen um Frieden. Die ersten Preise .... (3) *(verleihen)* die
Nobelstiftung 1901, fünf Jahre nach Nobels Tod.

Wir wissen nicht, warum Alfred Nobel sich für diese fünf Kategorien .... (4) *(entscheiden)*. So gibt es zum
Beispiel keinen Nobelpreis für Mathematik. Anscheinend .... (5) *(gehören)* diese Disziplin für Nobel nicht
zu den Wissenschaften, die die Menschheit voranbringen. Gerüchten zufolge gibt es keinen Nobelpreis für Mathematik, weil seine Frau ihn angeblich mit einem Mathematiker .... (6)
(betrügen). Das ist aber schon deshalb gar nicht möglich, weil er nie verheiratet war.

Alfred Nobel .... (7) *(sein)* ein interessanter Mensch. Er .... (8)
(besuchen) nur ein Jahr lang eine reguläre Schule, ... kein Examen
.... (9) *(ablegen)* und .... (10) *(erwerben)* nie einen akade-
mischen Grad. Trotzdem .... (11) *(sprechen)* er schon mit 17 Jahren vier
Fremdsprachen. Er .... (12) *(erfinden)* das Dynamit und ....
bis zu seinem Tod 355 weitere Patente .... (13) *(anmelden)*.

b) **Anekdoten rund um den Nobelpreis. Ergänzen Sie die Verben im Präteritum.**

1. überweisen • ~~behalten~~ • weiterreichen

   Einige Preisträger *behielten* das Preisgeld nicht, sondern .... es ....
   Der Deutsch-Amerikaner Max Delbrück .... die gesamte Summe 1969 an
   Amnesty International.

2. einladen • geschehen • übergeben • erhalten

   Ähnliches .... 1999, als der in New York lebende Deutsche Günter Blobel
   den Nobelpreis für Medizin .... Er .... seine ganze Verwandtschaft zu den Feierlichkeiten in Stockholm .... Den größten Teil des Geldes
   .... der gebürtige Dresdener einer Stiftung zum Wiederaufbau der Frau-
   enkirche.

3. bekommen • verpflichten

   Albert Einstein .... den Preis, nicht aber das Geld. Er .... sich
   nämlich bei seiner Scheidung, die ganze Summe seiner ehemaligen Frau zu geben.

4. benötigen • erklären • er-halten *(2 x)* • teilnehmen

   Marie Curie ist die einzige zweifache Preisträgerin. Sie .... ihren ersten
   Preis für Physik 1903, zusammen mit ihrem Ehemann Pierre und Antoine Henri Bec-
   querel. Allerdings .... sie dazu die Vermittlung ihres Mannes, der dem
   Nobelpreiskomitee in einem Brief .... , dass seine Frau an der Forschung
   aktiv .... Den Nobelpreis für Chemie .... sie 1911.

5. zuerkennen • einstufen • erregen

   In der ersten Hälfte des 20. Jahrhunderts .... man die Preisvergabe in der
   Kategorie Literatur nur selten als „ganz normal" .... Dass das Nobelpreiskomitee überragenden Schriftstellern wie Leo Tolstoi, James Joyce, Virginia Woolf,
   Marcel Proust, Henrik Ibsen und selbst dem Schweden August Strindberg den Preis
   nie .... , ... damals großes Aufsehen.

6. erweisen • entdecken • verleihen • entwickeln • befinden

   Es gab auch schon echte Fehlentscheidungen. So wurde der dänische Pathologe
   Johannes Grib Fibiger 1926 mit dem Medizin-Nobelpreis geehrt. Er ....
   die Theorie, dass ein kleiner Fadenwurm Magenkrebs auslöst. Diese Vermutung .... sich später als Irrtum. Auch dem Kanadier John Macleod
   .... das Komitee 1923 den Preis zu Unrecht, denn er .... sich
   gerade im Urlaub, als Angestellte seines Instituts das Insulin ....

1.1.5 Plusquamperfekt

Die Reise nach Köln

Nachdem Otto seiner Oma von der Reise erzählt hatte, schenkte sie ihm ein Buch über Tiere.

▶ **Gebrauch**

→ Wir verwenden das Plusquamperfekt zum Berichten über **Ereignisse**, die in der **Vergangenheit hintereinander** stattgefunden haben.
Das Plusquamperfekt beschreibt dabei das **vor-vergangene Geschehen**.
Es wird selten verwendet, meistens schriftlich, z. B. in Temporalsätzen mit *nachdem*.
Nachdem Otto seiner Oma von seiner Reise erzählt hatte, schenkte sie ihm ein Buch.

Am Sonntag besuchte ich Otto. Was hatte Otto vor meinem Besuch gemacht?

Als ich kam,	*Als ich kam,*	*Als ich kam,*
hatte Otto gerade *geduscht.*	*hatte* Otto schon *gegessen.*	*war* Otto gerade erst *aufgestanden.*
↓ ↓	↓ ↓	↓ ↓
Hilfsverb Partizip II	Hilfsverb Partizip II	Hilfsverb Partizip II
im Präteritum	im Präteritum	im Präteritum

▶ **Formen**

		Hilfsverb: *haben*			Hilfsverb: *sein*		
		regel-mäßige Verben	unregel-mäßige Verben	trennbare Verben	regel-mäßige Verben	unregel-mäßige Verben	trennbare Verben
		duschen	essen	einkaufen	landen	fahren	aufstehen
ich	hatte				war		
du	hattest				warst		
er/sie/es	hatte	geduscht	gegessen	eingekauft	war	gelandet	gefahren	aufgestanden
wir	hatten				waren		
ihr	hattet				wart		
sie/Sie	hatten				waren		

➤ Seite 18: *Bildung des Partizips und Gebrauch von haben oder sein*

▶ **Hinweise**

→ Das Plusquamperfekt wird mit der Präteritumsform von *haben* oder *sein* und dem Partizip II gebildet.
er hatte geduscht, er war aufgestanden

▶ **Satzbau**

Hauptsatz			
I	II	III	Satzende
Otto	**hatte**	gerade	**gegessen.**

Nebensatz		nachfolgender Hauptsatz	
	Satzende Nebensatz		
Nachdem Otto	**gegessen hatte,**	**ging**	er ins Kino.

➤ Seite 215: *Temporalsätze*

■ ■ ■ **Übungen**

1) **Aus der Geschichte der Gartenzwerge**

⌒9⌒

a) **Lesen Sie den folgenden Text und markieren Sie die Verben.**

Immer wieder <u>geraten</u> Menschen in Begeisterung, wenn sie Gartenzwerge sehen oder kaufen. Doch woher kommt dieses Markenzeichen der deutschen Vorgartenidylle?
Als Philipp Griebel Anfang des 19. Jahrhunderts in einem kleinen Ort in Thüringen Tierköpfe aus Ton modellierte, galt es im Bürgertum als schick, einen realistisch modellierten Hirschkopf als Wandschmuck zu besitzen. Doch Philipp Griebel gab sich mit Tieren als Motiv nicht mehr zufrieden. Er suchte und fand etwas Neues: den Gartenzwerg. Schon kurz nachdem er die kleinen Zwerge 1884 auf der Messe in Leipzig vorgestellt hatte, verkaufte Philipp Griebel die ersten Exemplare und die kleine Manufaktur hatte ein neues, ständig wachsendes Absatzgebiet.

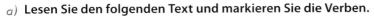

In der ersten Hälfte des 20. Jahrhunderts, vor allem während des Ersten und Zweiten Weltkriegs, ließ das Interesse an den Gartenzwergen etwas nach, später erholte sich der Verkauf wieder. Erst die Regierung der DDR* brachte das Geschäft mit den Zwergen vollkommen zum Erliegen: Sie verbot die Produktion der Gartenzwerge als Symbol der Kleinbürgerlichkeit. Doch das Verbot hielt nicht lange: Als die Genossen bemerkten, dass die Gartenzwerge im Ausland sehr beliebt waren und harte Devisen einbrachten, begannen sie plötzlich, die Produktion und den Verkauf des kleinbürgerlichen Schönheitsobjektes zu fördern. Ganze Armeen von Gartenzwergen wanderten nun nach Skandinavien, Westdeutschland oder Amerika und spülten der DDR-Regierung viel Geld in die Kasse.

DDR: Deutsche Demokratische Republik

b) **Ergänzen Sie die Tabelle mit den Verben aus Aufgabe a).**

Verb im Text	Tempus	Infinitiv	Verb im Text	Tempus	Infinitiv
geraten	*Präsens*	*geraten*			

2) **Was war vorher passiert?**
Bilden Sie die Sätze im Plusquamperfekt.

● Franz war überglücklich. *(Karten – für das Fußballfinale – bekommen)*
Er hatte Karten für das Fußballfinale bekommen.

1. Petra suchte gestern ihre Katze. *(sie – vor zwei Tagen – weglaufen)*
....

2. Ferdinand bestand die Prüfung mit „sehr gut". *(er – für die Prüfung – sehr fleißig – lernen)*
....

3. Niemand erhielt eine Einladung zum Sommerfest. *(die Sekretärin – sie – nicht – verschicken)*
....

4. Die Sicherheitsanlage funktionierte nicht. *(jemand – sie – ausschalten)*
....

5. Gustav war übel. *(er – zu viel – Schokolade – essen)*
....

6. Frau Müller strahlte vor Freude. *(der Chef – sie – zum Abendessen – einladen)*
....

7. Max ließ nach der Party sein Auto stehen und fuhr mit dem Taxi. *(er – zu viel – Alkohol – trinken)*
....

8. Die Ärzte operierten Fritzchen am Bein. *(er – beim Spielen – vom Baum – fallen)*
....

3) **Verbinden Sie die Sätze miteinander.**
Bilden Sie temporale Nebensätze mit *nachdem*. Der Hauptsatz steht im Präteritum.

● Die Gäste kamen am Flughafen an.   *Nachdem die Gäste am Flughafen angekommen waren,*
Sie fuhren mit einem Taxi in die Firma.   *fuhren sie mit einem Taxi in die Firma.*

1. Frau Müller bereitete alles für die Präsentation vor.   ....
Sie machte eine kleine Pause.   ....

2. Der Chef begrüßte die Gäste.   ....
Die Sitzung begann.   ....

3. Herr Friedrich stellte das neue Produkt vor.   ....
Die Gäste zeigten großes Interesse.   ....

4. Herr Friedrich beantwortete den Gästen alle Fragen.   ....
Man sprach über den Preis.   ....

5. Die Gäste bestellten das neue Produkt.   ....
Frau Müller servierte Champagner.   ....

6. Die Gäste gingen.   ....
Frau Müller räumte das Verhandlungszimmer auf.   ....

4) **Der Chef nervt …**
Bilden Sie Sätze im Plusquamperfekt und Präteritum wie im Beispiel.

● ich – gerade – das Gebäude – betreten • da – mir – der Chef – schon –
entgegenkommen
Ich hatte gerade das Gebäude betreten, da kam mir der Chef
schon entgegen.

1. ich – gerade – den Computer – einschalten • da – der Chef – mir – schon – viele Aufträge – erteilen
....

2. die Sitzung – gerade – beginnen • da – der Chef – schon – wütend – werden
....

3. ich – gerade – den Bericht – schreiben • da – der Chef – mir – noch – mehr Dokumente – zum Einarbeiten – schicken
....

4. ich – gerade – einen Termin – mit den Kunden – vereinbaren • da – der Chef – mir – eine Terminänderung – mitteilen
....

5. ich – gerade – alle E-Mails – beantworten • da – der Chef – mir – seine E-Mails – zur Beantwortung – weiterleiten
....

6. ich – gerade – meinen Rechner – herunterfahren • da – der Chef – mich – noch einmal – in sein Büro – rufen
....

1.1.6 Futur I und II

Die Reise nach Köln

Frau Schmidt wird den Kölner Dom besichtigen oder ins Museum Ludwig gehen.

Die Löwen im Kölner Zoo werden Otto bestimmt beeindrucken.

Wenn Familie Schmidt wieder zurückkehrt, wird Otto ein großes Abenteuer erlebt haben.

▶ **Gebrauch**

→ Wir verwenden das **Futur I**

  ▸ zum Berichten über **zukünftige Ereignisse**, wenn man die **Absicht betonen** möchte: Frau Schmidt wird den Kölner Dom besichtigen. Ich werde Tante Annelies im Krankenhaus besuchen. (Ich verspreche es.)

  ▸ zum Beschreiben von **erwartetem, zukünftigem Geschehen oder Visionen und Prophezeiungen**: Die Erdbevölkerung wird zunehmen. Im Jahr 2111 werden wir mit Außerirdischen kommunizieren.

  ▸ zum Ausdruck einer **Vermutung** in der Zukunft oder der Gegenwart: Die Löwen werden Otto beeindrucken. Wo ist Paul? Er wird noch im Büro sein.

    Die Vermutung kann man mithilfe von modalen Adverbien unterstützen bzw. modifizieren.
    größere Sicherheit: Die Löwen werden Otto **bestimmt/sicher/sicherlich** beeindrucken.
    weniger Sicherheit: Er wird **wahrscheinlich/vermutlich** noch im Büro sein.
    (➤ Seite 179: *Modale Adverbien*)

  Achtung: Zum Beschreiben zukünftiger Ereignisse und Vorgänge benutzen wir normalerweise die Präsensform mit einer Zeitangabe: Wir fahren morgen nach Köln.

→ Wir verwenden das **Futur II**

  ▸ zum Ausdruck einer Absicht, einer Vermutung, einer Prophezeiung, die zu einem zukünftigen Zeitpunkt abgeschlossen ist:
    Wenn Familie Schmidt wieder zurückkehrt, wird Otto ein großes Abenteuer erlebt haben. Bis morgen werden wir eine Lösung gefunden haben.

Wird Gustav das Problem lösen?

Er wird sicher eine Lösung für das Problem finden.
    ↓   ↓
   Hilfsverb   Infinitiv

Bis morgen wird er eine Lösung gefunden haben.
    ↓   ↓   ↓
   Hilfsverb   Partizip II Infinitiv von
                           haben oder *sein*

▶ **Formen**

	Futur I		**Futur II**	
ich	werde		werde	
du	wirst		wirst	
er/sie/es	wird	finden	wird	gefunden haben
wir	werden		werden	
ihr	werdet		werdet	
sie/Sie	werden		werden	

▶ **Hinweise**

→ Das Futur I wird mit *werden* und dem Infinitiv gebildet: er wird finden.

→ Das Futur II wird mit *werden*, dem Partizip II und dem Infinitiv von *haben* oder *sein* gebildet: er wird gefunden haben.

▶ **Satzbau**

	I.	II.	III.	Satzende
Aussagesatz	Gustav	**wird**	eine Lösung	**finden.**
	Gustav	**wird**	eine Lösung	**gefunden haben.**
Fragesatz ohne Fragewort	**Werden**	die Thunfische	bald	**aussterben?**
	Werden	die Thunfische	bald	**ausgestorben sein?**

■ ■ ■ **Übungen**

1) **Im nächsten Jahr wird alles anders!**

a) **Und wieder ist ein Jahr vorbei. Sagen Sie, was Sie sich für das nächste Jahr alles vorgenommen haben. Formulieren Sie Ihre guten Vorsätze im Futur I.**

> **Damit wollen Sie aufhören:**
> ~~rauchen~~ • Überstunden machen • die Kollegin ärgern • bis Mitternacht fernsehen • im Fastfood-Restaurant essen

● *Im nächsten Jahr werde ich nicht mehr rauchen.*

1. ....
2. ....
3. ....
4. ....

> **Damit wollen Sie anfangen:**
> zu Fuß zur Arbeit gehen • jeden Tag Obst essen • Konzerte und Museen besuchen • den Kollegen gegenüber hilfsbereit und freundlich sein

1. ....
2. ....
3. ....
4. ....

b) **Auch die Politiker versprechen viel.**
Ergänzen Sie die Verben im Futur I.

> stoppen • beteiligen • schaffen • entstehen • senken • verbieten • investieren • durchführen • gehen • ~~unterstützen~~ • bleiben

● Wir *werden* die Förderung von alternativen Energien weiter *unterstützen.*

1. Wir .... die Steuern im nächsten Jahr ...., damit die Bürger mehr Geld in der Tasche haben.
2. Kriminelle Bankgeschäfte .... wir ....
3. Die Banken .... sich an der Überwindung der Krise finanziell ....
4. Es .... viele neue Arbeitsplätze ....
5. Wir .... eine Bildungsreform ....
6. Es .... allen Bürgern besser ....!
7. Wir .... in den sozialen Bereich viel Geld ....
8. Die Währung .... stabil ....
9. Wir .... den Ausbau der Atomenergie ....
10. Die Kommunen .... ausreichend Kindergartenplätze ....

2) **Hilfe! Ein Familientreffen naht! Was werden die Familienmitglieder tun?**
Drücken Sie Ihre Vermutungen aus. Sie können Ihre Vermutung mit einem modalen Adverb unterstützen.

● Oma – erzählen – wieder – alte Geschichten   *Oma wird wahrscheinlich wieder alte Geschichten erzählen.*

1. Opa – zu viel – Bier – trinken – und – über seine Krankheiten – reden ....

2. Cousin Alfons – wieder – nicht – kommen ....

3. Cousine Janette – ihren Hund – mitbringen ....

4. Onkel Alfred – nur schlechte Witze – erzählen ....

5. Tante Erna – Kopfschmerzen – haben – wieder ....

6. Gustav – mit seinem neuen Handy – angeben ....

7. Gerda – ihr neustes Kleid – tragen ....

8. Mutter – einen leckeren Kuchen – backen – wieder ....

9. Vater – der Kuchen – nicht schmecken ....

10. fotografieren – alle – mein Bruder – beim Essen ....

3) **Erstellen Sie Prognosen für die Zukunft der Arbeitswelt im Futur I.**

● Teilzeitarbeit – zunehmen
Die Teilzeitarbeit wird zunehmen.

1. Videokonferenzen – die Zahl der Dienstreisen – reduzieren
....

2. E-Mails – die klassischen Geschäftsbriefe – komplett ablösen
....

3. Mitarbeiter – für ihre fachliche Weiterbildung – selbst verantwortlich – sein
....

4. Betriebe – von den Mitarbeitern – hohe Sozialkompetenz, Medienkompetenz und Fachkompetenz – fordern
....

5. es – weniger unbefristete Arbeitsverträge – geben
....

6. Team- und Projektarbeit – an Bedeutung – gewinnen
....

4) **Optimistische Visionen**
Wie wird das Jahr 2111 aussehen? Was wird bis dahin schon alles passiert sein?
Beschreiben Sie in der Zukunft abgeschlossene Vorgänge im Futur II.

● Die Menschen lernen aus ihren Fehlern.
Im Jahr 2111 <u>werden</u> die Menschen aus ihren Fehlern <u>gelernt haben</u>.

1. Die Politiker finden gemeinsame Lösungen für die Probleme der Menschheit.
....

2. Die europäischen Länder gründen ein vereintes Europa.
....

3. Alternative Energien setzen sich durch.
....

4. Die Anzahl der Überschwemmungen nimmt in vielen Gebieten ab.
....

5. Der Wasserspiegel steigt langsamer als erwartet.
....

6. Die Menschen bauen einen Fahrstuhl zum Mond.
....

7. Forscher entdecken einen bewohnten Planeten.
....

8. Die Erdbewohner nehmen Kontakt zu außerirdischen Lebewesen auf.
....

1.2 Modalverben
1.2.1 Modalverben in der Grundbedeutung

Herr Kleinschmidt kann sehr gut kochen.
Er hat ein Restaurant. Dort muss er jeden Tag
für seine Gäste Essen zubereiten.

Die meisten Gäste mögen sein Essen und kommen
gerne wieder.

▶ **Gebrauch**

→ Modalverben beschreiben das Verhältnis einer Person zur Handlung. Sie drücken z. B. Fähigkeit oder Notwendigkeit aus: Herr Kleinschmidt kann sehr gut kochen. Es muss jeden Abend für seine Gäste Essen zubereiten. Deshalb stehen Modalverben meistens mit einem Infinitiv: Herr Kleinschmidt **kann** sehr gut **kochen**.

→ Manchmal verwendet man Modalverben als Vollverben,
oft das Verb *mögen*: Die meisten Gäste **mögen** sein Essen.
oder wenn der Kontext deutlich ist: Kommst du mit ins Kino? Nein, ich **kann** heute nicht.

▶ **Grundbedeutung der Modalverben**

können	Herr Kleinschmidt **kann** sehr gut kochen. Moritz **kann** noch <u>nicht</u> kochen. Du **kannst** jetzt zum Chef gehen. (Der Chef hat gerade Zeit.) Er **kann** machen, was er will. **Können** Sie mich bitte mit Frau Kaiser verbinden?	Fähigkeit Unfähigkeit/Unvermögen Gelegenheit Berechtigung/Erlaubnis Frage/Bitte
müssen **nicht brauchen** + *zu*	Ich **muss** die E-Mail heute noch beantworten. Wir alle **müssen** Steuern zahlen. Ich verdiene nichts. Ich **brauche** <u>keine</u> Steuern **zu** zahlen.	Notwendigkeit Pflicht Negation von *müssen* = *nicht brauchen*
sollen	Ich **soll** heute länger arbeiten. (Mein Chef hat das gesagt.) Du **sollst** Frau Kümmel sofort zurückrufen. **Soll** ich dir ein Brötchen mitbringen? Man **soll** sich gegenseitig respektieren. Du **sollst** <u>nicht</u> töten. (aus der Bibel) Du **solltest** mehr Sport treiben. (▶ Seite 85: *Konjunktiv II*)	Auftrag Weiterleitung eines Auftrags Frage nach dem Wunsch einer anderen Person moralische Forderung moralisches Gebot/Verbot Empfehlung/Rat
dürfen	Man **darf** bis 22.00 Uhr Musik machen. In öffentlichen Gebäuden **darf** man <u>nicht</u> rauchen. Darüber **darf** man keine Witze machen. **Darf** ich hier mal telefonieren?	Erlaubnis/Berechtigung Verbot negative Anweisung höfliche Frage
mögen	Ich **mag** die Musik von Johann Sebastian Bach. Den Hund meiner Nachbarin **mag** ich <u>nicht</u>.	Vorliebe Abneigung
wollen	Ich **will** mir ein neues Auto kaufen.	Absicht/Plan
möchte(n)	Ich **möchte** gern am Fenster sitzen. Du **möchtest** bitte Frau Kümmel zurückrufen.	Wunsch (freundliche Form von *wollen*) höfliche Weiterleitung eines Auftrags (freundliche Form von *sollen*)

■ Zeitformen der Modalverben

Franz ist gesund.
Er **kann** im Finale **mitspielen**.
↓ ↓
Modalverb   Infinitiv

Franz war krank.
Er **konnte** im Halbfinale nicht **mitspielen**.
↓ ↓
Modalverb   Infinitiv

Er **hat** im Halbfinale nicht **mitspielen können**.
↓ ↓ ↓
Hilfsverb   Infinitiv   Infinitiv Modalverb

▶ **Übersicht**

	Modalverb als Hilfsverb (Regelfall)	**Modalverb als Vollverb** (Ausnahme)
Präsens	Er **kann** mitspielen.	Er **kann**.
Präteritum	Er **konnte** mitspielen.	Er **konnte**.
Perfekt	Er hat mitspielen **können**.	Er hat **gekonnt**.
Futur I	Er wird mitspielen **können**.	Er wird **können**.

▶ **Formen: Präsens**

	können	**müssen**	**sollen**	**dürfen**	**mögen**	**wollen**	**möchte(n)**
ich	kann	muss	soll	darf	mag	will	möchte
du	kannst	musst	sollst	darfst	magst	willst	möchtest
er/sie/es	kann	muss	soll	darf	mag	will	möchte
wir	können	müssen	sollen	dürfen	mögen	wollen	möchten
ihr	könnt	müsst	sollt	dürft	mögt	wollt	möchtet
sie/Sie	können	müssen	sollen	dürfen	mögen	wollen	möchten

▶ **Formen: Präteritum** (oft gebraucht)

	können	**müssen**	**sollen**	**dürfen**	**mögen**	**wollen**
ich	konnte	musste	sollte	durfte	mochte	wollte
du	konntest	musstest	solltest	durftest	mochtest	wolltest
er/sie/es	konnte	musste	sollte	durfte	mochte	wollte
wir	konnten	mussten	sollten	durften	mochten	wollten
ihr	konntet	musstet	solltet	durftet	mochtet	wolltet
sie/Sie	konnten	mussten	sollten	durften	mochten	wollten

▶ **Formen: Perfekt** (Diese Form wird nur gebraucht, wenn das Modalverb als Vollverb auftritt.)

	können		**müssen**		**sollen**		**dürfen**		**mögen**		**wollen**	
ich	habe		habe		habe		habe		habe		habe	
du	hast		hast		hast		hast		hast		hast	
er/sie/es	hat	gekonnt	hat	gemusst	hat	gesollt	hat	gedurft	hat	gemocht	hat	gewollt
wir	haben		haben		haben		haben		haben		haben	
ihr	habt		habt		habt		habt		habt		habt	
sie/Sie	haben		haben		haben		haben		haben		haben	

▶ **Hinweise**

→ Bei den Modalverben bevorzugen wir in der Vergangenheit das Präteritum, auch im mündlichen Gebrauch.
Franz konnte nicht Fußball spielen.

→ Wenn Modalverben die Funktion von Hilfsverben haben, bildet man das Perfekt mit *haben*, dem Infinitiv des Verbs und dem Infinitiv des Modalverbs.
Oskar hat nicht mitspielen dürfen.
Wird ein Modalverb als Vollverb verwendet, bildet man das Perfekt mit *haben* und dem Partizip II.
Hat Oskar mitgespielt? Nein, er hat nicht gedurft.

→ Das Verb *möchte(n)* hat keine eigene Vergangenheitsform.
Ich möchte am Fenster sitzen. → Ich **wollte** am Fenster sitzen.
Du möchtest bitte Frau Kümmel zurückrufen. → Du **solltest** doch Frau Kümmel zurückrufen.

■ Stellung der Modalverben im Satz

▶ **Stellung im Hauptsatz**

	I.	II.	III.	Satzende
Aussagesatz im Präsens	Franz	kann	heute im Finale	mitspielen.
Aussagesatz im Präteritum	Franz	konnte	im Halbfinale nicht	mitspielen.
Aussagesatz im Perfekt	Franz	hat	im Halbfinale nicht	mitspielen können.

▸ Im Perfekt steht das Modalverb im Infinitiv an letzter Stelle.

▶ **Stellung im Nebensatz**

	Hauptsatz	Nebensatz	Satzende
Aussagesatz im Präsens	Es ist schön,	dass Franz heute im Finale	mitspielen kann.
Aussagesatz im Präteritum	Es ist schade,	dass Franz im Halbfinale nicht	mitspielen konnte.
Aussagesatz im Perfekt	Es ist schade,	dass Franz im Halbfinale nicht	hat mitspielen können.

▸ Im Nebensatz steht das Modalverb an letzter Stelle.

■ ■ ■ Übungen

1) **Fragen und Bitten. Formulieren Sie aus den vorgegebenen Wörtern Fragen.
Achten Sie auf die Konjugation der Verben und die Reihenfolge der Satzglieder.**

● können – verbinden – mit Frau Kaiser – mich – Sie – bitte   *Können Sie mich bitte mit Frau Kaiser verbinden?*

1. können – mir – mal – dein Handy – du – leihen ....

2. dürfen – mit dem Dienstwagen – fahren – ich ....

3. dürfen – man – rauchen – hier ....

4. können – die Gäste – du – abholen – vom Bahnhof ....

5. dürfen – mal – ich – Ihren Kopierer – benutzen ....

6. können – mir – sagen – Sie, wo – sein – Raum 104 ....

7. wollen – du – sehen – mal – die neue Statistik ....

8. können – ihr – bei der Konferenzvorbereitung – helfen – mir ....

9. sollen – ich – neues Briefpapier – bringen – dir ....

10. dürfen – schon – gehen – nach Hause – ihr ....

2) **Welches Modalverb entspricht der Umschreibung? Kreuzen Sie an.**

	(nicht) können	(nicht) dürfen	(nicht) wollen	(nicht) sollen/ sollten	müssen/ nicht brauchen	(nicht) mögen
● jemand ist in der Lage, etwas zu tun	X					
1. jemand findet etwas gut						
2. es ist verboten						
3. es ist nicht notwendig						
4. jemand kann etwas/jemanden nicht leiden						
5. etwas ist erlaubt						
6. es ist eine Pflicht						
7. es besteht die Möglichkeit, etwas zu tun						
8. etwas ist notwendig						
9. jemand hat nicht den Wunsch						
10. jemand hat den Auftrag						
11. jemand hat die Absicht						
12. jemand ist nicht im Stande, etwas zu tun						
13. jemand ist berechtigt						
14. es ist empfehlenswert						

3) **Suchen Sie für die unterstrichenen Wortgruppen die passenden Modalverben.**

● Edwin hat die Absicht, dieses Jahr nach Bayern zu fahren.   *Edwin will dieses Jahr nach Bayern fahren.*

1. Der Chef gab mir den Auftrag, dass ich die Besprechung vorbereite.

   Ich .... die Besprechung vorbereiten.

2. Es ist nicht notwendig, dass du für mich Kaffee kochst.

   Du .... keinen Kaffee .... kochen.

3. Georg ist nicht in der Lage, den Bericht auf Französisch zu schreiben.

   Georg .... den Bericht nicht auf Französisch schreiben.

4. Es ist nicht erlaubt, hier Fahrräder abzustellen.

   Man .... hier keine Fahrräder abstellen.

5. Ich finde die neuen Farben für unsere Produkte gut.

   Ich .... die neuen Farben für unsere Produkte.

6. Wir haben nicht die Absicht, Ihnen Schwierigkeiten zu bereiten.

   Wir .... Ihnen keine Schwierigkeiten bereiten.

7. In diesem Raum haben Sie die Möglichkeit zu kopieren.

   In diesem Raum .... Sie kopieren.

8. Alle Mitarbeiter haben die Pflicht, ihre Arbeitszeiten aufzuschreiben.

   Alle Mitarbeiter .... ihre Arbeitszeiten aufschreiben.

9. Ich empfehle dir, mehr Obst zu essen.

   Du .... mehr Obst essen.

10. Nur der Hausmeister ist berechtigt, die Tür zu öffnen.

    Nur der Hausmeister .... die Tür öffnen.

11. Es ist verboten, das Labor ohne Schutzkleidung zu betreten.

    Man .... das Labor ohne Schutzkleidung nicht betreten.

12. Frau Müller kann die neue Praktikantin nicht leiden.

    Frau Müller .... die neue Praktikantin nicht.

4) **Aus dem Arbeitsleben**

a) **Was darf man oder muss man während der Arbeitszeit tun?**
Formulieren Sie Fragen mit *dürfen* oder *müssen* und antworten Sie.

● Sie – wichtige Spiele einer Fußballweltmeisterschaft – sehen
Dürfen Sie während der Arbeitszeit wichtige Spiele einer Fußballweltmeisterschaft sehen?

1. ihr – eine Urlaubsreise im Internet – buchen ....

2. du – private Dokumente – ausdrucken ....

3. ihr – vorgeschriebene Kleidung – tragen ....

4. man – Alkohol – trinken ....

5. Sie – Ihren Chef – mit Du – ansprechen ....

6. du – den Kaffee – selber kochen ....

b) **Dies alles brauchen Sie während Ihrer Arbeitszeit nicht zu tun.**
Bilden Sie Sätze mit *ich brauche nicht* bzw. *ich brauche kein(e)*. Achten Sie auf den Infinitiv mit *zu*.

● meinen Schreibtisch aufräumen *Ich brauche meinen Schreibtisch nicht aufzuräumen.*

1. Produkte verkaufen ....

2. an Dienstbesprechungen teilnehmen ....

3. mein Büro abschließen ....

4. E-Mails in anderen Sprachen schreiben ....

5. Praktikanten betreuen ....

6. Rechnungen bezahlen ....

c) **Wünsche und Aufträge anderer Personen**
Klaus hat es schwer. Jeder hat einen anderen Auftrag für ihn. Formulieren Sie Sätze mit *sollen*.

● Frank will, dass Klaus den Besprechungsraum reserviert.
Klaus *soll den Besprechungsraum reservieren.*

1. Der Projektleiter möchte, dass Klaus den Fehler im Computerprogramm behebt.
Klaus ....

2. Frau Müller will, dass Klaus das Besprechungsprotokoll an alle verschickt.
Klaus ....

3. Kathrin möchte, dass Klaus den neuen Kollegen einarbeitet.
Klaus ....

4. Martina möchte, dass Klaus die Verkaufszahlen zusammenstellt.
Klaus ....

5) **Endlich Samstag!** *Nicht brauchen, müssen* oder *(nicht) können*?
Ergänzen Sie die Verben.

1. Otto *braucht* heute nicht so früh *aufzustehen (aufstehen)*. Er .... endlich mal .... (ausschlafen).

2. Maria .... Ingrid heute Abend nicht .... (abholen). Ingrid nimmt ein Taxi.

3. Frieda ist heute alleine. Sie .... den ganzen Tag .... (machen), was sie will.

4. Wenn du Lust hast, ... wir heute an den Strand .... (gehen).

5. Du .... heute nicht .... (einkaufen). Maria macht das.

6. Peter und Carola .... sich heute nicht um die Kinder .... (kümmern). Sie bleiben das ganze Wochenende bei Oma und Opa.

7. Ihr .... heute Abend nicht .... (kochen). Ihr .... ins Restaurant .... (gehen) oder bei mir .... (essen).

8. Heute Vormittag .... ich leider ein paar Stunden .... (arbeiten). Am Montag .... ich meine Präsentation .... (vorstellen).

6) **Ergänzen Sie in den Dialogen die fehlenden Modalverben** *können, dürfen, möchte(n), müssen, brauchen, wollen, sollen* **in der richtigen Form. Es gibt manchmal mehrere Lösungen.**

a) **Kursinformationen am Telefon** `10`

☐ Volkshochschule Köln, guten Tag.

△ Ja, guten Tag. Ich interessiere mich für den Kurs „Power-Point für Anfänger". Wie .... ich mich dafür anmelden?

☐ Sie .... sich im Internet anmelden oder persönlich vorbeikommen.

△ Gut, dann mache ich das im Internet. .... ich Ihnen noch ein paar Fragen zum Kurs stellen?

☐ Gern. Was .... Sie wissen?

△ Wie ist das mit der Bezahlung? .... ich vor Kursbeginn bezahlen?

☐ Ja, Sie .... den Betrag vor Kursbeginn auf unser Konto überweisen. Wenn Sie Studentin sind, ... wir Ihnen einen Rabatt von 10 Prozent gewähren. Dann .... Sie aber eine Kopie Ihres Studentenausweises vorlegen.

△ Ja, das mache ich. .... ich meinen eigenen Laptop mitbringen?

☐ Nein, Sie .... Ihren Laptop nicht mitzubringen, aber Sie ...., wenn Sie .... Dann .... Sie gleich alle Anwendungsmöglichkeiten auf Ihrem eigenen Computer ausprobieren, das hat auch seine Vorteile.

△ Vielen Dank erst mal für die Informationen.

☐ Gern geschehen.

b) **Im Büro** `11`

☐ Carla, gut, dass ich dich sehe. Der Chef hat angerufen. Du .... ihn zurückrufen.

△ Was .... er denn?

☐ Keine Ahnung. Da .... du ihn schon selber fragen.

△ .... ich ihn gleich anrufen?

☐ Nein, er ist im Moment beschäftigt. Er .... noch einen Bericht überarbeiten. Ich schätze, in einer Stunde ist er fertig. Dann .... du es versuchen.

7) **Ergänzen Sie die Modalverben** *wollen, können, müssen* **und** *dürfen* **im Präteritum.**

1. ☐ Hallo Martina, du bist ja da! Du *wolltest* doch in den Urlaub fahren?
   △ Ja, ich .... vorgestern nach Athen fliegen, das stimmt – aber ich .... nicht. Der Flug wurde annulliert. Wir .... den ganzen Tag auf dem Flughafen sitzen und warten. Abends hat uns die Fluggesellschaft informiert, dass alle Flüge gestrichen wurden. Wir .... also wieder nach Hause fahren.

2. ☐ Was .... Gustav gestern Abend denn mit dem Chef besprechen?
   △ Ich glaube, er .... über eine Gehaltserhöhung reden.
   ☐ Hat Gustav nicht schon im letzten Jahr mehr Gehalt bekommen?
   △ Nein, der Chef .... ihm zwar mehr Geld geben, aber er .... es nicht. Der Vorstand war dagegen.

3. ☐ Wo warst du denn? Wir .... gerade ohne dich anfangen.
   △ Tut mir leid! Ich .... nicht eher kommen. Ich .... meine Kinder noch zur Schule bringen, weil mein Mann heute eher ins Büro ....

4. ☐ Hallo, Herr Kaiser. Ich .... eigentlich schon gestern bei Ihnen vorbeikommen, aber ich .... unsere Präsentation noch einmal überarbeiten.
   △ Das ist gut, dass Sie erst heute kommen. Ich .... gestern wegen einer dringenden Verhandlung nach Köln fahren und war deshalb gar nicht im Büro. Was war denn an der alten Präsentation nicht in Ordnung?
   ☐ Wir .... ein paar technische Dinge verändern, auf unseren neuen Computern .... die Präsentation nicht ohne Probleme laufen.

8) Modalverben als Vollverben
Bilden Sie Sätze in der Ich-Form im Präsens. Setzen Sie die Sätze anschließend ins Präteritum.

	Präsens	Präteritum
● Ich habe keine Zeit! müssen – zur Arbeit	*Ich muss zur Arbeit.*	*Ich musste zur Arbeit.*
1. können – kein Spanisch	....	....
2. mögen – keine Haustiere	....	....
3. wollen – unbedingt – eine neue Handtasche	....	....
4. Rauchen im Büro? das – nicht dürfen	....	....
5. Ein Computerprogramm installieren? das – nicht können	....	....
6. Die Arbeitszeiten aufschreiben? das – nicht brauchen		

9) In diesem persönlichen Brief stimmt der Schreibstil nicht. Er klingt zu formell.
Formulieren Sie den Brief um und ersetzen Sie die unterstrichenen Ausdrücke durch Modalverben.
Achten Sie auf die Zeitformen.
Achtung: Nach Modalverben (außer *brauchen*) steht kein Infinitiv mit *zu*.

müssen *(2 x)* • wollen • ~~mögen~~ • können *(2 x)* • sollen • brauchen • dürfen

Liebe Martina,

vielen Dank für Deinen lieben Brief. Es freut mich, dass Du einen neuen Job gefunden hast und dass
Du Deine neue Arbeit und die Kollegen <u>nett findest</u>. Und was für ein Glück, dass Du im Sommer
einen Spanischkurs gemacht hast und nun <u>in der Lage bist</u>, ein bisschen Spanisch <u>zu</u> reden! Ich
hoffe, <u>es ist noch nicht notwendig</u>, spanische Briefe zu schreiben – das ist sicher sehr schwer.
<u>Ich hatte mir vorgenommen</u>, Dir schon viel früher <u>zu</u> antworten, aber ich hatte wirklich viel zu
tun. <u>Ich hatte den Auftrag</u>, mit meinem Kollegen Marcus zusammen eine Konferenz <u>zu</u> organisieren. Das war Stress pur! Marcus hatte die großen Ideen und ich <u>war verpflichtet</u>, sie auszuführen. <u>Es blieb mir
nichts anderes übrig,</u> als mich alleine um die Unterbringung der Teilnehmer, die Zeit- und Raumplanung und das
kulturelle Rahmenprogramm <u>zu</u> kümmern. Marcus dagegen <u>war es erlaubt</u>, bei der Eröffnung die Gäste <u>zu</u> begrüßen. Natürlich <u>hatte er</u> dabei <u>die Gelegenheit</u>, die wichtigsten Leute persönlich kennen<u>zu</u>lernen und mit ihnen <u>zu</u>
reden. Dumm gelaufen für mich: Ich hatte die Arbeit und er das Vergnügen.

Soweit das Neueste von mir,
liebe Grüße Marianne

Liebe Martina,
vielen Dank für Deinen lieben Brief. Es freut mich, dass Du einen neuen Job gefunden hast und dass Du
Deine neue Arbeit und die Kollegen <u>magst</u>. ...

10) Setzen Sie die Sätze a) ohne Modalverb und b) mit Modalverb ins Perfekt.

● Herr Bausch sagt die Reise ab. *(müssen)*
a) *Herr Bausch <u>hat</u> die Reise <u>abgesagt</u>.*
b) *Herr Bausch <u>hat</u> die Reise <u>absagen müssen</u>.*

1. Marie geht zum Zahnarzt. *(müssen)*
a) ....
b) ....

2. Martin schreibt das Protokoll noch nicht. *(können)*
a) ....
b) ....

3. Klaus überarbeitet den Projektvorschlag. *(wollen)*
a) ....
b) ....

4. Der Hausmeister repariert schon wieder den Kopierer. *(müssen)*
a) ....
b) ....

5. Gudrun kommt nicht zur Sitzung. *(können)*
a) ....
b) ....

6. Friedrich beantwortet die E-Mail noch nicht. *(können)*
a) ....
b) ....

1.2.2 Modalverben in subjektiver Bedeutung

Das ist Franz. Er ist Stürmer bei Bayern München.

Er soll der beste Stürmer der Bundesliga sein.
Das sagt die Presse.

Er will der beste Stürmer der Welt sein.
Das sagt er über sich selbst.

Am nächsten Spiel kann er leider nicht teilnehmen.
Sein Fuß tut weh. Der Fuß kann gebrochen sein.
Der Arzt muss Franz nun untersuchen.

▶ **Gebrauch**

Neben der Grundbedeutung der Modalverben, z. B. **Fähigkeit** (Franz kann am nächsten Spiel nicht teilnehmen.) oder **Notwendigkeit** (Der Arzt muss Franz untersuchen.), können Modalverben noch weitere Bedeutungen haben.

→ Modalverben können zur **Wiedergabe oder Weitergabe von Informationen oder Gerüchten** dienen.
   Er soll der beste Stürmer der Bundesliga sein.
   Mit *sollen* gibt man Informationen wieder, die man irgendwo gehört oder gelesen hat. Der Wahrheitsgehalt der Informationen ist nicht sicher.
   Er will der beste Stürmer der Welt sein.
   Mit *wollen* gibt man Informationen wieder, die jemand über sich selbst gesagt hat. Ob die Aussage stimmt, weiß man nicht. Sätze mit *wollen* in subjektiver Bedeutung werden selten verwendet.

→ Man kann mithilfe von Modalverben auch **eine Vermutung ausdrücken**.
   Der Fuß kann gebrochen sein.
   Mit *können, müssen* oder *dürfen* kann man einen vermuteten, nicht bewiesenen Sachverhalt in der Gegenwart, Vergangenheit oder Zukunft beschreiben.

→ Die subjektive Bedeutung von Modalverben lässt sich im Präsens oft nur aus dem Kontext erkennen.

■ Modalverben zur Weitergabe von Informationen und Gerüchten

Neue Gerüchte aus Berlin:

Der Minister soll zurzeit in Italien Urlaub machen.
    ↓   ↓
   Modalverb   Infinitiv
   Gegenwart

Er soll mit seinem Dienstwagen gefahren sein.
    ↓   ↓ ↓
   Modalverb   Partizip II Infinitiv des Hilfsverbs
   Vergangenheit

▶ **Formen: Gegenwart**

	Modalverb		**Infinitiv**
Der Minister	soll	zurzeit in Italien Urlaub	machen.
Der Staatssekretär	will	davon keine Ahnung	haben.

▶ **Formen: Vergangenheit**

	Modalverb		**Partizip II + Infinitiv von** *haben* **oder** *sein*
Der Minister	soll	mit seinem Dienstwagen	gefahren sein.
Der Minister	will	seinen Dienstwagen niemals privat	genutzt haben.

▶ **Synonyme**

Modalverb	synonyme Wendungen
sollen	ich habe gehört/gelesen/erfahren · jemand hat erzählt · es heißt · angeblich · Gerüchten zufolge · in den Nachrichten haben sie gesagt · in der Zeitung stand
wollen	jemand hat über sich selbst gesagt/erzählt · jemand behauptet, dass …

■ ■ ■ Übungen

1) **Ergänzen Sie** *wollen* **oder** *sollen*.

● In der Zeitung stand, dass der Minister mit seinem Auto viel zu schnell gefahren ist.
Der Minister *soll* viel zu schnell gefahren sein.

1. Der Minister sagte dazu, dass er noch nie schneller gefahren ist als erlaubt.
Der Minister .... noch nie schneller gefahren sein als erlaubt.

2. Die Presse meldete, dass es zurzeit Streit zwischen dem Außenminister und dem Wirtschaftsminister gibt.
Es .... zurzeit Streit zwischen dem Außenminister und dem Wirtschaftsminister geben.

3. Der Außenminister erklärte: „Ich verstehe mich mit allen Regierungskollegen bestens."
Der Außenminister .... sich mit allen Regierungskollegen bestens verstehen.

4. Journalisten haben berichtet, dass mehrere Skifahrer Dopingmittel genommen haben.
Mehrere Skifahrer .... Dopingmittel genommen haben.

5. Die Skifahrerin Susanne M. sagte heute, dass sie noch nie unerlaubte Mittel eingenommen hat.
Die Skifahrerin Susanne M. .... noch nie unerlaubte Mittel eingenommen haben.

6. Es heißt, dass die Regierungspartei die Wahlen manipuliert hat.
Die Regierungspartei .... die Wahlen manipuliert haben.

2) **Sabine war im Urlaub und möchte gerne wissen, ob es neuen Tratsch und Klatsch im Büro gibt.**
Geben Sie die folgenden Gerüchte weiter, die Sie von Kollegen gehört haben.

a) **Bilden Sie Sätze mit** *sollen* **im Präsens.**

● Otto ist seit einer Woche nicht im Büro.
Er ist schon wieder krank.
    Er soll schon wieder krank sein.

1. Er hat Probleme mit seinem Magen.
....

2. Gustav trinkt manchmal zu viel.
....

3. Er hat deshalb Ärger mit dem Chef.
....

4. Edwin sucht nach einer anderen Stelle.
....

5. Er ist sehr enttäuscht, dass er nicht Abteilungsleiter wurde.
....

6. Die neue Praktikantin kommt jeden Morgen eine Stunde zu spät.
....

7. Es gibt im nächsten Jahr keine Gehaltserhöhung.
....

8. Der Betriebsausflug fällt dieses Jahr aus.
....

b) **Bilden Sie Sätze mit** *sollen* **in der Vergangenheit.**

● Friedrich ist mit seiner neuen Freundin in den Urlaub gefahren.
    Friedrich soll mit seiner neuen Freundin in den Urlaub gefahren sein.

1. Frau Rudolf hat sich über ihre Nachbarin beschwert.
....

2. Peter hat von der Konkurrenz ein Jobangebot bekommen.
....

3. Marie hat sich mal wieder in einen Musiker verliebt.
....

4. Jemand hat den Laptop vom Chef gestohlen.
....

5. Frau Müller hat sich ein neues Auto gekauft – einen Mini!
....

■ Modalverben zum Ausdruck einer Vermutung

Alle sind schon auf der Party und warten auf Klaus.
Keiner weiß, wo er ist, aber jeder äußert eine Vermutung.

Klaus muss/müsste noch im Büro sein. Er arbeitet doch immer so lange.
Klaus kann nicht mehr im Büro sein. Das Bürogebäude ist dunkel.

↓
große Sicherheit (90–99 % sicher)

Klaus dürfte noch zu Hause sitzen und Krimi gucken. Das macht er sehr oft.

↓
Wahrscheinlichkeit (75 % sicher)

Klaus kann/könnte auch seine Wäsche waschen. Er hat vielleicht keine sauberen Hemden mehr.

↓
Möglichkeit (50 % sicher)

▶ **Formen: Gegenwart**

	Modalverb		**Infinitiv**
Klaus	**muss/müsste**	noch im Büro	sein.
Klaus	**dürfte**	noch zu Hause vor dem Fernseher	sitzen.
Klaus	**kann/könnte**	auch seine Wäsche	waschen.

▶ **Formen: Vergangenheit**

	Modalverb		**Partizip II + Infinitiv von** *haben* **oder** *sein*
Klaus	**muss/müsste**	noch im Büro	gewesen sein.
Klaus	**dürfte**	noch zu Hause vor dem Fernseher	gesessen haben.
Klaus	**kann/könnte**	auch seine Wäsche	gewaschen haben.

▶ **Hinweise**

→ Modalverben in Vermutungsbedeutung stehen oft im Konjunktiv II.
müssen/müssten:	*Müssten* vermittelt etwas weniger Sicherheit als *müssen*.
dürften:	In Vermutungsbedeutung wird *dürfen* immer im Konjunktiv II verwendet.
können/könnten:	Hier gibt es keinen Bedeutungsunterschied.
	Beide Formen können synonym eingesetzt werden.

➤ Seite 81: *Konjunktiv II*

▶ **Synonyme**

Modalverb	synonyme Wendungen
müssen	zweifellos · sicher · bestimmt · mit großer Sicherheit · ich bin mir ganz sicher · ich bin davon überzeugt
nicht können	es ist unmöglich · es ist unvorstellbar
müssten	höchstwahrscheinlich · mit hoher Wahrscheinlichkeit · ich bin mir fast/ziemlich sicher
dürften	wahrscheinlich · vermutlich · ich nehme an · vieles spricht dafür
können/könnten	vielleicht · möglicherweise · es ist denkbar · ich halte es für möglich

■ ■ ■ **Übungen**

3) **Die Arbeit stapelt sich und Klaus ist alleine im Büro.
Wo sind bloß die Kollegen? Formulieren Sie Vermutungen mit den
passenden Modalverben.**

● Antons Zug hat <u>möglicherweise</u> Verspätung.

   Antons Zug <u>kann/könnte</u> Verspätung haben.

1. Berta ist <u>vielleicht</u> noch im Urlaub.

   ....

2. Doris steht <u>wahrscheinlich</u> noch im Stau.

   ....

3. Eva ist <u>sicher</u> noch beim Zahnarzt.

   ....

4. Friedrich arbeitet <u>möglicherweise</u> heute zu Hause.

   ....

5. Gerda ist <u>mit hoher Wahrscheinlichkeit</u> auf Dienstreise.

   ....

6. Herbert besucht <u>vermutlich</u> seine Mutter im Krankenhaus.

   ....

4) **Formulieren Sie Vermutungen über vergangenes Geschehen.**

a) **Gemälde verschwunden! Helfen Sie der Polizei bei der Analyse. Was halten Sie für sicher?
Bilden Sie Sätze mit *müssen*.**

● Die Fensterscheibe ist zerbrochen. → jemand – ins Museum – einbrechen
   Jemand <u>muss</u> ins Museum <u>eingebrochen sein</u>.

1. Es fehlen zwei Bilder von Kandinsky. → jemand – die Bilder – stehlen

   ....

2. Der Wachmann hat nichts gehört. → er – einschlafen

   ....

3. Die Alarmanlage ging nicht los. → die Einbrecher – sie – ausschalten

   ....

4. Die Kandinskybilder sind die teuersten Gemälde der Sammlung. → jemand – den Diebstahl – in Auftrag – geben

   ....

5. Das war schon der dritte Einbruch dieser Art. → es – dieselben Täter – sein

   ....

b) **Klaus hat gekündigt und keiner weiß warum. Welche Gründe halten Sie für möglich?
Bilden Sie Sätze mit *können/könnten*.**

● mit seinem Gehalt – unzufrieden sein

   *Er kann/könnte mit seinem Gehalt unzufrieden
   gewesen sein.*

1. über seine Kollegen – sich ärgern

   ....

2. unter der Arbeitsbelastung – leiden

   ....

3. mit dem Chef – sich streiten

   ....

4. bei der Konkurrenz eine bessere Stelle – bekommen

   ....

5. im Lotto – gewinnen

   ....

1.2.3 Modalverbähnliche Verben

Herr Kleinschmidt *kann kochen.*

Moritz *lernt kochen.*

▶ **Gebrauch**

→ Einige Verben können wie modale Hilfsverben gebraucht werden und mit einem Infinitiv stehen.
Moritz lernt kochen. Ich sah ihn wegrennen. Sie geht einkaufen. Fritz lässt sich massieren.

→ Einige Verben können mit einem Infinitiv und einem Modalverb stehen.
Der Arzt sagt, du musst noch liegen bleiben. Tom will sein Deutsch testen lassen.

▶ **Formen: Ohne Modalverb**
  ▸ **lernen, üben, gehen, fahren, bleiben**

		II		Satzende
Präsens	Moritz	**lernt**	jetzt	**kochen.**
Präteritum	Moritz	**lernte**	schon vor fünf Jahren	**kochen.**
Perfekt	Moritz	**hat**	schon vor fünf Jahren	**kochen gelernt.**

  ▸ **lassen, hören, sehen, helfen**

		II		Satzende
Präsens	Fritz	**lässt**	sich	**massieren.**
Präteritum	Fritz	**ließ**	sich	**massieren**
Perfekt	Fritz	**hat**	sich	**massieren <u>lassen</u>.**

▶ **Formen: Mit Modalverb**

		II		Satzende
Präsens	Moritz	**will**	jetzt	**kochen lernen.**
Präteritum	Moritz	**wollte**	schon immer	**kochen lernen.**
Perfekt	Moritz	**hat**	schon immer	**kochen lernen wollen.**

➤ Seite 40: *Zeitformen der Modalverben*

▶ **Hinweise**

→ Diese Verben können mit einem Infinitiv oder mit einem Infinitiv und einem Modalverb stehen.
  ▸ hören · sehen: Ich hörte ihn kommen. Ich sah ihn wegrennen. Ich konnte ihn Klavier spielen hören.
  ▸ gehen · fahren: Sie geht/fährt einkaufen. Fritz möchte heute Abend tanzen gehen.
  ▸ bleiben: Bleib sitzen, ich hole den Kaffee! Du musst noch zwei Tage liegen blieben.
  Bleiben steht meist mit den Verben *sitzen, liegen* und *stehen*.
  ▸ lassen: Fritz lässt sich massieren. Tom will sein Deutsch testen lassen.

→ Diese Verben können mit einem Infinitiv oder mit einem Infinitiv mit *zu* stehen.
  ▸ lernen · üben: Ich lerne gerade Motorrad fahren. Ich lerne gerade, Motorrad zu fahren.
  ▸ helfen: Dein Handy ist weg? Ich helfe dir suchen. Ich helfe dir, dein Handy zu suchen.
  Helfen steht meist mit Infinitiv mit *zu.* ➤ Seite 221: *Infinitiv mit zu*

→ *Lassen, hören, sehen* und *helfen* bilden das Perfekt wie Modalverben mit dem Infinitiv.
Er hat sich massieren lassen. Er hat den Täter wegrennen sehen.

▪▪▪ Übungen

1) **Welches Verb passt?**

● mit jemandem essen *gehen*
1. sich helfen ....
2. Klavier spielen ....
3. jemanden ausreden ....
4. ein Bier trinken ....

┊ • gehen ┊
┊ • lassen ┊
┊ • lernen ┊

5. den Kopierer reparieren ....
6. Auto fahren ....
7. tanzen ..../..................
8. etwas im Zug liegen ....
9. sich die Ware nach Hause schicken ....

2) **Ein Gemälde ist verschwunden. Was sahen oder hörten die Museumsmitarbeiter?**
   Formen Sie die Sätze um.

● Frau Sommer am Kartenschalter sah, dass zwei große blonde Männer jeden Tag Eintrittskarten kauften.
  Frau Sommer am Kartenschalter sah zwei große blonde Männer jeden Tag Eintrittskarten kaufen.

1. Die Aufsichtsperson im Raum fünf sah, dass zwei verdächtige Männer sehr lange vor dem Gemälde standen.
   ....

2. Sie sah außerdem, dass die Männer das Bild nachzeichneten.
   ....

3. Die Toilettenfrau hörte, dass die Männer über die Alarmanlage des Museums sprachen.
   ....

4. Ein Mann vom Wachdienst sah, dass zwei verdächtige Gestalten nachts vor dem Gebäude auf- und abgingen.
   ....

5. Kurze Zeit später hörte er, dass eine Fensterscheibe kaputtging.
   ....

6. Er lief schnell zu dem beschädigten Fenster und sah, dass zwei Täter das Bild von
   der Wand rissen.
   ....

7. Ein anderer Wachmann sah, dass die maskierten Diebe zum Ausgang rannten
   und im Dunkeln verschwanden.
   ....

3) **Was machen diese Leute bzw. was haben sie gemacht?**
   Bilden Sie Sätze a) im Präsens und b) im Perfekt.

● Tante Gerda – malen – lernen – in einem Kurs
  a) *Tante Gerda lernt in einem Kurs malen.*   b) *Tante Gerda hat in einem Kurs malen gelernt.*

1. einkaufen – ich – gehen – heute Nachmittag
   a) ....   b) ....

2. lassen – die Haare – sich – Peter – schneiden
   a) ....   b) ....

3. Klaus – Tango tanzen – üben
   a) ....   b) ....

4. wir – die Vögel – nach Süden – ziehen – sehen
   a) ....   b) ....

4) **Was war los im Urlaub?**
   Bilden Sie Sätze mit Modalverben im Präteritum und achten Sie auf die Stellung der Verben.

● Martina: schwimmen – wollen – gehen   *Martina wollte schwimmen gehen.*
1. Otto: müssen – im Bett – bleiben – liegen – zwei Tage   ....
2. Fritz: jeden Abend – gehen – wollen – tanzen   ....
3. Kerstin: sich verwöhnen – im Hotel – wollen – lassen   ....
4. Frank: morgens – die Vögel – singen – hören – wollen   ....
5. Christine: wollen – am Strand – die Sonne – untergehen – sehen   ....
6. Oskar: endlich – tauchen – wollen – lernen   ....

1.3   Reflexive Verben

> *Der kleine Otto ist gerade aufgestanden und Mama hat es eilig.*
> *Sie muss Otto gleich in die Schule bringen.*

Otto! Dusch <u>dich</u> ganz schnell!

↓	↓
Verb	Reflexivpronomen im Akkusativ

Otto! Zieh <u>dir</u> endlich <u>das Hemd</u> an!

↓	↓	↓
Verb	Reflexivpronomen im Dativ	Ergänzung im Akkusativ

▶ **Gebrauch**

→ Manche Verben werden mit einem Reflexivpronomen gebraucht. Das Reflexivpronomen zeigt an, dass sich die Handlung auf das Subjekt des Satzes bezieht.

▶ **Formen**

	Singular				**Plural**		
		Akkusativ	**Dativ**			**Akkusativ**	**Dativ**
1. Person	ich	mich	mir	1. Person	wir	uns	uns
2. Person	du	dich	dir	2. Person	ihr	euch	euch
3. Person	er sie es	sich	sich	3. Person	sie	sich	sich
				formelle Anrede (Singular + Plural)	Sie	sich	sich

▶ **Hinweise**

→ Die Reflexivpronomen in der 1. und 2. Person Singular und Plural entsprechen den Personalpronomen.

→ In der 3. Person Singular und Plural und in der formellen Form ist das Reflexivpronomen im Dativ und Akkusativ immer *sich*.

→ Unterschiedliche Formen zwischen Akkusativ und Dativ gibt es nur in der 1. und 2. Person Singular.
mich – mir • dich – dir
Bei reflexiven Verben, die eine Akkusativergänzung haben, steht das Reflexivpronomen im Dativ.
Ich ziehe mir jetzt meinen Mantel an.

▶ **Satzbau: Stellung des Reflexivpronomens im Hauptsatz**

	I.	**II.**	**III.**
Aussagesatz	Seit Kurzem Seit Kurzem Seit Kurzem	interessiert interessiert interessiert	sich Franz auch für Kunst. er sich auch für Kunst. Franz sich auch für Kunst.
Fragesatz ohne Fragewort	Interessiert Interessiert	sich er	Franz für Kunst? sich für Kunst?

▸ Das Reflexivpronomen steht normalerweise direkt hinter dem konjugierten Verb oder dem Personalpronomen. Wenn das Subjekt ein Nomen ist und an dritter Position steht, kann es manchmal auch hinter dem Nomen stehen.

▶ **Satzbau: Stellung des Reflexivpronomens im Nebensatz**

	Hauptsatz	Nebensatz	*Satzende*
Nebensatz	Es ist toll, Ich weiß nicht,	dass **sich** Franz für Kunst ob er **sich** wirklich für Kunst	**interessiert.** **interessiert.**

▸ Das Reflexivpronomen steht normalerweise direkt hinter der Subjunktion oder dem Personalpronomen.

▶ **Reflexive und teilreflexive Verben**

Wir unterscheiden reflexive Verben und teilreflexive Verben.

reflexive Verben, die immer mit einem Reflexivpronomen stehen: Ich bedanke mich. *(Auswahl)*	sich ausruhen sich bedanken sich beeilen sich befinden sich beschweren sich bewerben sich erkälten sich erkundigen sich freuen	sich gewöhnen sich interessieren sich irren sich streiten sich sonnen sich verabreden sich verlieben sich wundern
teilreflexive Verben, die mit einem Reflexivpronomen oder einem anderen Akkusativ stehen können: Ich ändere mich. Ich ändere mein Verhalten. Ich verabschiede mich. Ich verabschiede die Gäste. *(Auswahl)*	sich/jemanden/etwas ändern sich/jemanden/etwas anmelden sich/jemanden ärgern sich/jemanden beruhigen sich/jemanden beschäftigen sich/jemanden/etwas bewegen sich/jemanden duschen sich/jemanden erinnern	sich/jemanden entschuldigen sich/jemanden treffen sich/jemanden verabschieden sich/jemanden verletzen sich/jemanden/etwas verstehen sich/jemanden/etwas verteidigen sich/jemanden/etwas vorbereiten sich/jemanden/etwas vorstellen
reflexive oder **teilreflexive Verben,** die mit einem Reflexivpronomen im Dativ und einem Akkusativobjekt stehen können: Ich stelle mir einen herrlichen Sonnenaufgang vor.* Ich wasche mir meine Hände.** *(Auswahl)*	sich (etwas) abtrocknen sich etwas anhören sich (etwas) ansehen/anschauen sich (etwas) anziehen sich etwas ausdenken sich etwas leisten	sich etwas merken sich (etwas) schminken sich etwas überlegen sich etwas vorstellen sich (etwas) waschen

* Bei einigen Verben ist die Ergänzung im Dativ obligatorisch.
** Bei einigen Verben ist die Ergänzung im Dativ fakultativ. Wenn es keine Ergänzung im Akkusativ gibt, steht **das Reflexivpronomen** im Akkusativ: Ich wasche mir die Hände. Ich wasche mich.

■ ■ ■ **Übungen**

1) **Was passt zusammen? Ergänzen Sie das Relativpronomen. Ordnen Sie zu.**

1. Ich wundere	→ *mich*	a)	mit bedrohten Tierarten.
2. Wir freuen	....	b)	sehr über dein Verhalten.
3. Kannst du	....	c)	mit deinen ehemaligen Kollegen?
4. Er beschäftigt	....	d)	schon wieder über den Chef auf?
5. Hast du	....	e)	noch an unsere alte Mathelehrerin?
6. Regst du	....	f)	schon die Zähne geputzt?
7. Triffst du	....	g)	über den Auftrag.
8. Erinnerst du	....	h)	das vorstellen?

2) Bilden Sie Fragen in der angegebenen Zeitform und antworten Sie. Achten Sie auch auf die Wortstellung.

● verletzen – du – an der Hand *(Perfekt)*
Hast du dich an der Hand verletzt?

Ja, ich habe mich an der Hand verletzt.
Nein, ich habe mich nicht an der Hand verletzt.

1. verabschieden – wollen – Sie – schon *(Präsens)*
....? ....

2. waschen – du – vor dem Essen – die Hände *(Perfekt)*
....? ....

3. merken – können – du – die Grammatikregeln *(Präsens)*
....? ....

4. beschweren – der Hotelgast – über das Zimmer *(Perfekt)*
....? ....

5. langweilen – du – in der Besprechung *(Perfekt)*
....? ....

6. verändern – Margit – in den letzten Jahren? *(Perfekt)*
....? ....

7. ausdenken – du – bis nächste Woche – einen neuen Projektvorschlag *(Präsens)*
....? ....

8. verabreden – du – mit Kathrin – zum Essen *(Perfekt)*
....? ....

9. gewöhnen – deine neue Kollegin – an ihre Arbeit *(Perfekt)*
....? ....

10. freuen – ihr – über die Fußballergebnisse *(Präsens)*
....? ....

11. interessieren – ihr – auch für Eiskunstlaufen *(Präsens)*
....? ....

12. anmelden – du – schon – zur Fortbildung *(Perfekt)*
....? ....

13. Du hustest ja so! erkälten – du *(Perfekt)*
....? ....

3) Geben Sie Ihren Kollegen/Freunden gute Ratschläge.
Formulieren Sie Sätze in der 2. Person Singular wie im Beispiel.

● Carla ist aufgeregt. *(sich wieder beruhigen)*
Carla, du solltest dich wieder beruhigen!

1. Otto friert. *(sich etwas Warmes anziehen)*
....

2. Brigitte ist erschöpft. *(sich jetzt ausruhen)*
....

3. Kerstin lebt sehr sparsam. *(sich mal etwas leisten)*
....

4. David fühlt sich zu Unrecht kritisiert. *(sich verteidigen)*
....

5. Ute kommt mal wieder zu spät. *(sich eine gute Ausrede ausdenken)*
....

6. Magda sieht aus, als hätte sie geweint. *(sich neu schminken)*
....

7. Edwin muss eine Präsentation halten. *(sich gut vorbereiten)*
....

4) Aus dem Leben eines Wirtschaftsstudenten im ersten Semester (12)

a) Lesen Sie den Bericht und ergänzen Sie die fehlenden Reflexivpronomen.

6.30 Uhr	Der Wecker klingelt. Ich mache ihn aus und hüpfe aus dem Bett. Um gut in Form zu sein, halte ich .... täglich mit fünf Kilometer Jogging fit. Anschließend dusche ich .... eiskalt, rasiere .... und putze .... die Zähne.
8.00 Uhr	Schon beim Frühstück bereite ich .... auf den Tag an der Uni vor: Ich mache .... einen starken Kaffee und vertiefe .... in den Wirtschaftsteil der gestrigen Zeitung.
9.00 Uhr	Ich ziehe .... den grauen Anzug an, hetze zur Uni und erreiche pünktlich den Vorlesungssaal. Dort setze ich .... gleich in die erste Reihe, damit mich niemand übersieht.
9.30 Uhr	Ich versuche, ... auf die Vorlesung zu konzentrieren, doch einige Kommilitonen beschäftigen .... mit anderen Dingen: Sie lesen die Sportberichte in der Zeitung oder amüsieren .... über die Ereignisse des Vorabends. Ich dagegen schreibe alles mit und lache laut über die Witze des Professors.
11.00 Uhr	Das Seminar beginnt. Ich melde .... bei jeder Frage, werde aber vom Dozenten ignoriert. Unverschämtheit!
12.30 Uhr	Ich esse in der Mensa und versuche, ... trotz des Lärms auf meine Arbeit zu konzentrieren.
13.45 Uhr	In der Bibliothek informiere ich .... über Neuerscheinungen in meinem Fachgebiet. Die Bücher sind alle ausgeliehen. Ich beschwere .... beim Bibliotheksleiter und frage, warum .... die Bibliothek nicht mehrere Exemplare leisten kann. Ich leihe .... acht ältere Bücher aus.
15.00 Uhr	In der nächsten Vorlesung verlässt mein Nachbar mit der Bemerkung: „Sinnlose Veranstaltung!" den Raum. Ich entschuldige .... sofort beim Professor für sein Verhalten.
16.30 Uhr	Ich treffe .... mit Kommilitonen aus meiner Lerngruppe. Wir verabreden .... zur Klausurvorbereitung am nächsten Tag.
17.30 Uhr	Ich befinde .... eine Dreiviertelstunde im Copyshop. Währenddessen unterhalte ich .... mit einem Uni-Assistenten und stelle fest: Der Typ hat keine Ahnung! Er irrt .... fachlich immer wieder. Ich kläre ihn über seine Irrtümer auf.
18.30 Uhr	Ich esse alleine beim Italiener und beschäftige .... mit den Promotionsbedingungen der Uni. Ich nehme .... vor, gleich morgen erste Kontakte zu knüpfen.
19.45 Uhr	Nach dem Abendessen überarbeite ich meine Mitschriften. Ich sehe .... die Börsennachrichten an und wundere .... über die Entwicklung der Aktienkurse.
22.00 Uhr	Ich gehe ins Bett und frage ...., wann ich endlich den Nobelpreis bekomme.

b) Suchen Sie im Text alle reflexiven und reflexiv gebrauchten Verben. Schreiben Sie die Verben im Infinitiv auf.

sich fit halten, ...

....

....

....

....

1.4 Verben und ihre Ergänzungen
1.4.1 Verben mit direktem Kasus

▶ **Gebrauch: Das Verb regiert im Satz!**

Verben können nicht alleine stehen. Sie brauchen Ergänzungen, um einen sinnvollen Satz bilden zu können. Wie viele Ergänzungen obligatorisch sind und in welchem Kasus sie stehen, das hängt vom Verb ab.

→ Fast alle Sätze haben ein Subjekt. Das Subjekt steht immer im Nominativ.
Einige Verben können nur mit einem Subjekt stehen, z. B.: schlafen, lächeln, regnen, schneien, scheinen.

Paul _schläft._
↓
Subjekt
Nominativ

→ Wenige Verben bilden Sätze mit einer Ergänzung im Nominativ, z. B.: sein, werden, bleiben.

Bruno ist _Sänger._
↓ ↓
Subjekt Ergänzung
Nominativ Nominativ

→ Die meisten Verben haben eine Ergänzung im Akkusativ, z. B.: abholen, anrufen, beantworten, besuchen, bezahlen, brauchen, essen, finden, haben, hören, kennen, lesen, lieben, möchte(n), sehen, trinken.

Otto liest _eine Tageszeitung._
↓ ↓
Subjekt Ergänzung
Nominativ Akkusativ

→ Einige Verben haben eine Ergänzung im Dativ, z. B.: antworten, danken, folgen, gefallen, gehören, glauben, gratulieren, helfen, leidtun, missfallen, misstrauen, passen, schaden, schmecken, vertrauen, verzeihen, widersprechen, zuhören.
Die Dativergänzung ist oft eine Person.

Das Auto gehört _meinem Bruder._
↓ ↓
Subjekt Ergänzung
Nominativ Dativ

→ Manche Verben bilden Sätze mit einer Ergänzung im Dativ (meist eine Person) und einer Ergänzung im Akkusativ (meist eine Sache), z. B.: anbieten, bringen, empfehlen, erklären, geben, leihen, kaufen, schenken, schicken, schreiben, senden, wünschen, zeigen.

Kathrin schreibt _ihrem Freund_ _einen Brief._
↓ ↓ ↓
Subjekt Ergänzung Ergänzung
Nominativ Dativ Akkusativ

Das Haus kostete _mich_ _ein Vermögen._
↓   ↓   ↓
Subjekt   Ergänzung   Ergänzung
Nominativ   Akkusativ   Akkusativ

→ Einige wenige Verben bilden Sätze mit zwei Ergänzungen im Akkusativ, z. B.: kosten, nennen, lehren.

Die Polizei verdächtigte _den Mann_ _des Einbruchs._
↓   ↓   ↓
Subjekt   Ergänzung   Ergänzung
Nominativ   Akkusativ   Genitiv

→ Einige Verben (rund um kriminelle Delikte) bilden Sätze mit einer Ergänzung im Akkusativ und einer Ergänzung im Genitiv, z. B.: anklagen, bezichtigen, überführen, verdächtigen.

➤ Seite 240: Übersicht _Verben mit direktem Kasus_

▶ **Satzbau**

I.	II.	III.	
Kathrin	schenkt	ihrem Freund	ein Fahrrad.
Kathrin	schenkt	ihm	ein Fahrrad.
Kathrin	schenkt	es	ihm.

▸ Bei mehreren Ergänzungen steht normalerweise der Dativ vor dem Akkusativ.

▸ Wenn beide Ergänzungen Pronomen sind, steht der Akkusativ vor dem Dativ.

➤ Seite 185: _Wortstellung im Mittelfeld_

■ ■ ■ Übungen

_1)_ **Welche Ergänzungen hat das Verb? Markieren Sie die richtige Lösung.**

➤ Seite 105: _Kasus der Nomen_

	Nominativ	Dativ	Akkusativ	Genitiv
● Sie nannte <u>ihn</u> <u>einen Esel</u>.	○	○	✗ ✗	○
1. Ich kaufe <u>mir</u> <u>einen neuen Laptop</u>.	○	○	○	○
2. Der Kommissar konnte <u>den Manager</u> <u>der Untreue</u> überführen.	○	○	○	○
3. Das Auto gehört <u>meiner Nachbarin</u>.	○	○	○	○
4. Georg wird <u>Physiker</u>.	○	○	○	○
5. Der Informatiker erklärt <u>der Sekretärin</u> <u>das neue Programm</u>.	○	○	○	○
6. Bitte liefern Sie <u>mir</u> <u>den Kühlschrank</u> nach Hause.	○	○	○	○
7. Herr Lampe unterrichtet <u>das Fach Geografie</u>.	○	○	○	○
8. Wir besprechen <u>das Thema</u> morgen.	○	○	○	○
9. Das Gericht klagte <u>den Verdächtigen</u> <u>des Mordes</u> an.	○	○	○	○
10. Karl Theodor ist <u>ein Lügner</u>.	○	○	○	○
11. Der Urlaub kostete <u>uns</u> <u>sehr viel Geld</u>.	○	○	○	○
12. Hörst du <u>die Musik</u> im Hintergrund?	○	○	○	○
13. Warum hörst du <u>mir</u> nie zu?	○	○	○	○
14. Immer widersprichst du <u>der Lehrerin</u>!	○	○	○	○

2) **Dativ oder Akkusativ? Was passt zusammen?**
➤ Seite 105: *Kasus der Nomen*

1. Wir verlängern
2. Der Chef vertraut
3. Nur Spezialisten bedienen
4. Wir bekämpfen mittags im Büro
5. Bitte benutzen Sie nur
6. Unsere Fachabteilung entwickelt
7. Die Managementstrategien schaden
8. Wir erwarten
9. Die Bankenkrise beeinflusste

a) diese komplizierte Maschine.
b) unsere eigene Müdigkeit.
c) seinen Mitarbeitern.
d) eine Verbesserung der Situation.
e) den Vertrag bis zum Jahresende.
f) die wirtschaftliche Entwicklung.
g) ein neues Programm.
h) dem Unternehmen.
i) die Toiletten in der ersten Etage.

3) **Der Chef hat für jeden eine Aufgabe. Ergänzen Sie die passenden Verben.**
In welchem Kasus stehen die unterstrichenen Ausdrücke?

vorschlagen · abholen · geben · anrufen · beantworten · mitteilen · überweisen · ~~ausdrucken~~ · bestellen · reparieren · vorbereiten

● Frau Schmidt soll <u>das Preisangebot</u> *ausdrucken*. (*Akkusativ*)

1. Herr Krüger soll <u>den Kunden</u> in Singapur .... (..................)
2. Herr Hermann und Frau Koch sollen <u>die morgige Verhandlung</u> .... (..................)
3. Frau Meier soll <u>dem Chef</u> <u>eine Kopie</u> des Protokolls .... (.............., ...)
4. Herr Veigel soll <u>die ausländischen Gäste</u> vom Flughafen .... (..................)
5. Frau Köpke soll <u>diesen Reklamationsbrief</u> .... (..................)
6. Frau Liebknecht soll <u>uns</u> <u>eine neue Zeitplanung</u> .... (.............., ...)
7. Frau Oldenburg soll <u>den Kuchen</u> für morgen .... (..................)
8. Herr Konrad soll <u>den Mitarbeitern</u> <u>unsere Entscheidung</u> .... (.............., ...)
9. Der Kopierer ist kaputt. Herr Kuhn soll <u>ihn</u> .... (..................)
10. Frau Fischer soll <u>den Betrag</u> so bald wie möglich auf das Konto unseres Lieferanten .... (..................)

4) **Am Telefon**
Markieren Sie das Verb und ergänzen Sie *Sie* bzw. *mich* (Akkusativ)
oder *Ihnen* bzw. *mir* (Dativ).
➤ Seite 120: *Personalpronomen*

⑬

1. □ Klaus Kühn, guten Tag. Könnten Sie *mich* bitte mit Frau Schulze verbinden?

△ Es tut .... leid. Frau Schulze ist nicht im Hause. Kann ich .... vielleicht weiterhelfen?

□ Nein, vielen Dank. .... kann nur Frau Schulze helfen. Es geht um einen Termin.

△ Soll Frau Schulze .... morgen zurückrufen?

□ Ja, das wäre nett. Sie kann .... morgen Vormittag im Büro erreichen.

2. □ Ah, Frau Schulze, schön, dass Sie .... anrufen. Ich möchte .... gerne die neue Firmenpräsentation zeigen. Würde es .... am Dienstag passen?

△ Nein, für diese Woche ist mein Terminkalender voll. Ich kann .... frühestens am Freitag sagen, wann ich in der nächsten Woche Zeit habe.

□ Teilen Sie .... den Termin dann bis Freitag mit, damit ich ihn einplanen kann?

△ Ja, das mache ich. Könnten Sie .... die Präsentation schon mal vorab mailen? Dann kann ich .... noch vorbereiten und .... in unserer Besprechung nächste Woche gleich sagen, was .... gefällt und was nicht.

□ Gut, dann sende ich .... morgen die Präsentation per E-Mail.

△ Ich danke .... und melde .... dann am Freitag wegen des Termins.

B Grammatik

5) Verben mit Dativ und Akkusativ
Stellen Sie Fragen und beantworten Sie diese positiv oder negativ wie im Beispiel.

● empfehlen: du – ich – ein gutes Restaurant (–)
Könntest du mir ein gutes Restaurant empfehlen?
Nein, leider kann ich dir kein gutes Restaurant empfehlen.

1. schicken: du – unsere Praktikantin – eine Postkarte aus New York (+)
....

2. senden: ihr – ich – die Projektbeschreibung (+)
....

3. leihen: du – wir – dein Auto fürs Wochenende (–)
....

4. weiterleiten: du – meine Kollegin – die E-Mail mit der Preisliste (+)
....

5. zeigen: Sie – wir – den neuen Vertrag (–)
....

6. mitbringen: ihr – der Chef – Prospekte von der Messe (+)
....

7. zurückzahlen: du – ich – das geliehene Geld – bis morgen (–)
....

8. erklären: Sie – ich – die Regeln zur Artikelbestimmung (+)
....

9. überlassen: Sie – der neue Mitarbeiter – Ihr Büro – während des Urlaubs (+)
....

6) Markieren Sie die Verben und ergänzen Sie die Nomen im richtigen Kasus.   **14**

ein neues Konzept • ~~der Computer~~ • der Fernseher • die Studienrichtung • der Bauingenieur • der Grundstein •
Bauteile • die Arbeitsabläufe • die Glühbirne • das Fach • der Erfinder • die statische Berechnung • ein Apparat

Wer erfand *den Computer* (0)?

Thomas Edison erfand .... (1), Wladimir Kosmitsch Sworykin
erfand .... (2). Doch wer ist .... (3) des
Computers? Die Antwort lautet: nicht Bill Gates. Es war Konrad Zuse.

Konrad Zuse wurde am 22. Juni 1910 geboren. Nach dem Abitur wechselte er
mehrmals .... (4) und schloss schließlich .... (5)
Bauingenieurwesen an der Technischen Universität Berlin ab. Eine der Hauptauf-
gaben eines Bauingenieurs war und ist .... (6). Diese Berech-
nungen kosteten .... (7) früher sehr viel Arbeit und Mühe. Um Zeit zu sparen, verbesserte Konrad
Zuse die bisherigen Berechnungstabellen und entwickelte .... (8) zur Automatisierung der
Rechenwege. Er baute dafür .... (9) und legte damit .... (10) zu dem, was wir
heute Computer nennen.

Für seinen „Zuse 1" (Z1) verwendete er 1937 noch .... (11) aus Stahl, deren Staub aber
.... (12) der mechanisch funktionierenden Maschine blockierte. Später ersetzte Zuse die Stahltei-
le durch Telefonrelais. Nach dem „Z2" folgte 1941 der legendäre „Z3", der erste frei programmierbare Computer
der Welt.

1.4.2 Verben mit präpositionalem Kasus

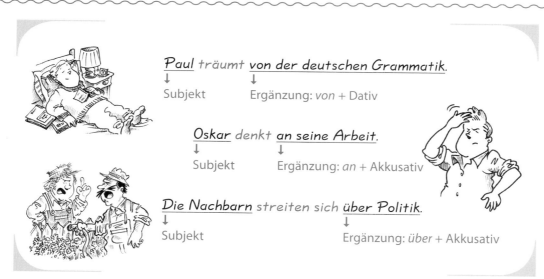

Paul träumt _von der deutschen Grammatik._
↓ Subjekt
↓ Ergänzung: _von_ + Dativ

Oskar denkt _an seine Arbeit._
↓ Subjekt
↓ Ergänzung: _an_ + Akkusativ

Die Nachbarn streiten sich _über Politik._
↓ Subjekt
↓ Ergänzung: _über_ + Akkusativ

▶ **Gebrauch: Das Verb regiert im Satz!**

→ Viele Verben haben eine Ergänzung mit einer Präposition. Die Präposition gehört zum Verb und bestimmt den Kasus: Paul träumt von der deutschen Grammatik. Oskar denkt an seine Arbeit.

→ Zu den Verben mit präpositionaler Ergänzung gehören viele reflexive Verben: Die Nachbarn streiten sich über Politik.

→ Einige Verben haben Ergänzungen mit und ohne Präposition: Ich danke <u>dir</u> _(Dativ)_ <u>für die Blumen</u> _(für + Akkusativ)_.

▶ **Formen**

Verben mit Präposition + Dativ _aus, bei, mit, nach, unter, von, vor, zu_	abhängen von anfangen mit sich bedanken bei bestehen aus sich erkundigen nach sich fürchten vor gehören zu leiden unter	Alles hängt vom Wetter ab. Wann fangt ihr mit dem Projekt an? Martin bedankt sich bei seinem Chef. Dieser Roman besteht aus zwei Teilen. Erkundigen Sie sich bitte nach günstigen Flugverbindungen. Manche Kinder fürchten sich vor der Dunkelheit. Kaffee kochen gehört nicht zu meinen Aufgaben. Heutzutage leiden viele Menschen unter Panikattacken.
Verben mit Präposition + Akkusativ _für, gegen, über, um_	sich ärgern über sich bewerben um sich interessieren für sich wehren gegen	Frau Müller ärgert sich über ihren Chef. Robert bewirbt sich um ein Stipendium. Interessierst du dich für Computerspiele? Die Bürger wehren sich gegen die Maßnahmen der Regierung.
Verben mit Präposition + Dativ oder Akkusativ _an, auf, in_	denken an + Akk. teilnehmen an + Dativ achten auf + Akk. bestehen auf + Dativ sich verlieben in + Akk. bestehen in + Dativ	Frau Müller denkt auch nachts an ihre Arbeit. Wer nimmt an der Besprechung teil? Achten Sie besonders auf die Großschreibung. Wir bestehen auf der Einhaltung der Sicherheitsregeln. Marie hat sich in ihren Friseur verliebt. Das Problem besteht in der Zusammensetzung der Materialien.
Verben mit Präposition + Gleichsetzungskasus _als_	sehen/ansehen als + Akk. bezeichnen als + Akk. arbeiten als + Nom. gelten als + Nom.	Ich sehe dich nicht als Versager! Die Presse bezeichnete ihn als den wahren Sieger. Herr Lampe arbeitet als Lehrer an einem Gymnasium. Professor Müller gilt als Experte auf diesem Gebiet.

> Seite 243: Übersicht _Verben mit präpositionalem Kasus_

■ Aussage- und Fragesätze

Aussagesätze

Paul träumt <u>von der deutschen Grammatik</u>.
Oskar denkt <u>an seine Arbeit</u>.

Paul träumt <u>davon</u>, dass er die deutsche Grammatik versteht.
<u>Davon</u> träume ich nie!

→ Pronominaladverb: *da + von*

Oskar denkt <u>daran</u>, dass er morgen wieder arbeiten muss.

→ Pronominaladverb: *da + r + an*
  Die Präposition beginnt mit einem Vokal.

Fragesätze

Paul träumt <u>von der deutschen Grammatik</u>.
<u>Wovon</u> träumt Paul?

→ Frage nach einer Sache: *wo* + Präposition

Paul träumt <u>von schönen Frauen</u>.
<u>Von wem</u> träumt Paul?

→ Frage nach einer Person: Präposition + Fragewort

Oskar denkt <u>an seine Arbeit</u>.
<u>Woran</u> denkt Oskar?

→ Frage nach einer Sache: *wo + r* + Präposition
  Die Präposition beginnt mit einem Vokal.

▶ Hinweise: Aussagesätze

→ Wenn das Präpositionalobjekt zu einem *dass*-Satz oder einem Infinitivsatz erweitert wird, steht im Hauptsatz
  ein „Platzhalter", gebildet aus *da/dar* + Präposition: davon, daran.

  Paul träumt <u>davon</u>, dass er die deutsche Grammatik versteht.
  Oskar denkt <u>daran</u>, dass er morgen wieder arbeiten muss.
  Die Pronominaladverbien können bei einigen Verben weggelassen werden.

→ Wenn der Kontext deutlich ist, kann anstelle des Präpositionalobjekts auch ein Pronominaladverb stehen.

  Träumst du auch von der deutschen Grammatik?
  Nein, <u>davon</u> träume ich nie.
  ▸ bei Sachen: *da/dar* + Präposition

  Träumst du manchmal von deinem Chef?
  Ja, <u>von ihm</u> träume ich öfter. Das sind aber Albträume!
  ▸ bei Personen: Präposition + Personalpronomen

▶ Hinweise: Fragesätze

→ Auch bei Fragen muss man zwischen Fragen nach Personen und Sachen unterscheiden.
  Bei Fragen nach Personen steht die Präposition vor dem Fragepronomen: von wem.
  Bei einer Sache wird die Präposition mit *wo-/wor-* verbunden: wovon, woran.

→ Bei Verben mit *als* lautet die Frage: Als was?
  Als was hat er dich bezeichnet? Als was arbeitet er?

▶ **Satzbau**

I.	II.	III.
Ich	danke	**dir für die Blumen.**
Ich	freue	**mich über die Blumen.**

▸ Bei mehreren Ergänzungen steht der direkte Kasus vor dem präpositionalen Kasus.

■ ■ ■ Übungen

1) Was ist in diesem Sommer passiert? Bilden Sie Sätze im Perfekt.

● Karl – sich verlieben – italienisches Mädchen   *Karl hat sich in ein italienisches Mädchen verliebt.*

1. ich – beginnen – Praktikum   ....

2. Petra – arbeiten – Kellnerin   ....

3. Friedrich – teilnehmen – Segelwettkampf   ....

4. Nora – sich bewerben – neue Stelle   ....

5. David – sich vorbereiten – Sprachprüfung   ....

6. Ilona – sich erholen – Bürostress   ....

7. wir – lachen – Urlaubsfotos   ....

8. Leopold und Sabine – warten – tagelang – Handwerker *(Pl.)*   ....

2) Wie heißen die Fragen?

● *Worauf wartet ihr?*　　　Wir warten auf das Ergebnis.
　Auf wen wartet ihr?　　　Wir warten auf die Handwerker.

1. ....?　Die Meteorologen haben vor Unwetter gewarnt.

2. ....?　Frau Müller hat sich bei der Praktikantin bedankt.

3. ....?　Der Trainer hat sich für einen neuen Mittelstürmer entschieden.

4. ....?　Wir rechnen mit deiner Hilfe.

5. ....?　Das Problem besteht in den knappen finanziellen Mitteln.

6. ....?　Wir denken über notwendige Veränderungen nach.

7. ....?　Die Firmenleitung hat sich gegen Vorwürfe von Mitarbeitern gewehrt.

8. ....?　Sie diskutierte lange mit den Vertretern des Betriebsrates.

9. ....?　Die Idee stammt von einem schwedischen Wissenschaftler.

10. ....?　Wir warten noch immer auf eine Antwort.

3) Stellen Sie Fragen und ergänzen Sie die Antwort mit der richtigen Präposition und Artikelendung.

● *Worüber*　habt ihr gesprochen?　　–　*Über* unsere Urlaubspläne.

1. .... geht es in diesem Bericht?　–　............... d........ neusten Forschungsergebnisse.

2. .... denkst du?　–　............... d........ Abgabetermin meiner Diplomarbeit.

3. .... hast du dich beschwert?　–　............... d........ Vorstand.

4. .... hast du dich bei Klara bedankt?　–　............... ihr........ Hilfe beim Protokollschreiben.

5. .... hat sich Frau Müller so aufgeregt?　–　............... d........ neue Steuerregelung.

6. .... denkst du gerade nach?　–　............... dein........ Vorschlag.

7. .... haben Sie sich gestritten?　–　............... mein........ Nachbarin.

8. .... interessiert sich der Chef?　–　Nur .... d........ Erfolg.

9. .... hast du Olaf gratuliert?　–　............... sein........ Beförderung.

10. .... ging es in dem Vortrag?　–　............... d........ neuen Strategien.

4) Rund um die Liebe
Ergänzen Sie in den nachfolgenden Zeitungsartikeln die Präpositionen und Artikel bzw. Artikelendungen.

a) **Cyber-Hochzeit** 15

für • i̶n̶ • zum • unter • über *(2 x)* • als • zur

In Deutschland gibt es ca. zwei Millionen Menschen, die sich über das Internet *in* ihr**en** heutigen Partner oder ihr**e** heutige Partnerin verliebt haben. Nach einer Online-Liebe müsste logischerweise nun eine virtuelle Hochzeit folgen. Und tatsächlich: Es gibt Cyber-Kirchen, wo man sich online das Jawort geben kann. Das Brautpaar kann sogar die Verwandtschaft .... schönsten Tag im Leben einladen: Die Gäste verfolgen die Zeremonie an ihrem Computer und können dem Paar per E-Card .... Hochzeit gratulieren. Die Trauungsurkunde kann man sich am eigenen PC ausdrucken. Sollte die Ehe nicht funktionieren, muss man nicht lange .... d....... Situation leiden. Man klickt einfach auf den Knopf „Scheidung" und die Website erklärt das Pärchen für geschieden, das gemeinsame Konto wird gelöscht.

Diese Art der Trauung löst gemischte Gefühle aus: Manche Leute regen sich .... d....... Möglichkeit einer Cyber-Hochzeit auf, denn sie halten sie .... ein....... Geschmacklosigkeit, andere freuen sich .... d....... Angebot: Sie sehen die Cyber-Hochzeit .... ein....... Gelegenheit, vor ihrer richtigen Hochzeit eine „Generalprobe" durchzuführen.

b) **Über Verliebte und Zwangsneurotiker** 16

auf • z̶u̶ • um • in • mit *(3 x)*

Eine Studie ist *zu* ein......... überraschenden Ergebnis gekommen: Bei Verliebten sinkt der Serotoninspiegel ähnlich wie bei Zwangsneurotikern .... 40 Prozent! Amerikanische Psychologen erklären diesen Umstand .... d......... Tatsache, dass sich Frischverliebte, genauso wie Zwangsneurotiker, stundenlang .... ein......... einzigen Sache beschäftigen: .... d......... geliebten Person. Wenn man sich .... jemanden verliebt, wird man also tatsächlich ein wenig „verrückt". Sobald jedoch die romantischen Gefühle nachlassen, steigt auch der Serotoninpegel wieder .... d......... Normalwert an.

5) Jetlag
a) **Neue Software gegen Jetlag**
Ergänzen Sie die Verben und die Präpositionen im folgenden Artikel.

Jetlag – wer kennt ihn nicht? Wenn die innere Uhr und die neue Ortszeit nicht mehr synchron laufen, *geraten* die natürlichen Rhythmen des Körpers in ein großes Durcheinander *(geraten)*. Menschen, die über mehrere Zeitzonen fliegen, ... nach der Landung oft .... Schlafstörungen und haben andere körperliche und psychische Beschwerden *(leiden)*.

Das Fachmagazin Computational Biology .... eine Software, die Langstreckenfliegern helfen soll, sich schneller und besser .... die neue Ortszeit .... *(berichten, anpassen)*. Das Programm .... einem mathematischen Modell der inneren Uhr .... und wurde von amerikanischen Forschern entwickelt *(ausgehen)*.

Der Nutzer gibt bestimmte Daten ein und das Programm errechnet einen Zeitplan für die optimale Tageseinteilung. Es .... sich dabei .... den Arbeitszeiten und festen Terminen des Nutzers *(orientieren)*. So kann sich der Reisende möglichst schnell .... den neuen Rhythmus .... *(umstellen)*.

b) **Ergänzen Sie die fehlenden Pronominaladverbien (da-/dar- + Präposition).**

● Reisende beklagen sich oft *darüber*, dass nach einem langen Flug körperliche Beschwerden auftreten.

1. Menschen können zum Beispiel .... leiden, dass sie nicht mehr schlafen können.
2. Bereiten Sie sich mental .... vor, dass Ihr Körper Zeit zur Umstellung braucht.
3. Sorgen Sie ...., dass Sie sich nach dem Flug ausruhen können.
4. Verzichten Sie ...., Schlafmittel einzunehmen.
5. Die Stärke des Jetlags hängt auch .... ab, ob man nach Osten oder nach Westen fliegt.
6. Sie sollten .... rechnen, dass Sie bei einem Flug nach Osten mehr Probleme bekommen.

6) **Geben Sie einer Kollegin/einem Kollegen Ratschläge wie im Beispiel.**

● Frau Müller hat mir bei der Übersetzung geholfen. *(sich bedanken)*
 Du solltest dich dafür bedanken.

1. Die Fußballmannschaft hat mal wieder verloren. *(sich nicht ärgern)*
 ....

2. Die Firma hat einen finanziellen Engpass. *(sich keine Sorgen machen)*
 ....

3. Die Direktion will die Urlaubstage der Mitarbeiter kürzen. *(kämpfen)*
 ....

4. Es gibt eine neue Regelung zur Geheimhaltung der Forschungsergebnisse. *(nicht verstoßen)*
 ....

5. Der Chef hat mich gefragt, ob ich das neue Projekt leiten möchte. *(gut nachdenken)*
 ....

6. Als Projektleiter muss man manchmal zwölf Stunden am Tag arbeiten. *(sich gewöhnen)*
 ....

7) **Angst im Alltag**
 Markieren Sie die Verben bzw. Wendungen mit präpositionalem Objekt.　(17)
 Ergänzen Sie die fehlenden Präpositionen oder Pronominaladverbien.

Jeder Mensch <u>fürchtet</u> sich *vor* (0) irgendetwas: Die einen fürchten sich .... (1)
Tieren, die anderen .... (2) engen Räumen oder .... (3) bestimmten Menschen.
Normalerweise braucht man sich .... (4) keine Sorgen zu machen.

Wenn die Angst jedoch das Leben bestimmt und .... (5) großen Einschränkungen oder
.... (6) sozialer Isolation führt, muss die Angst .... (7) Phobie bezeichnet werden.
In diesen Fällen sollte man sich .... (8) professionelle Hilfe bemühen.

Aber was genau versteht man .... (9) einer Phobie? Phobien gehören .... (10) Gruppe der neurotischen
Störungen. Diese Störungen werden in der Psychologie .... (11) ungewöhnliche oder übertriebene Reaktionen
auf alltägliche Situationen, Objekte, Personen oder Tätigkeiten beschrieben. Sie gehören .... (12) den sogenannten Angststörungen. Generell leiden mehr Frauen als Männer .... (13) Phobien. .... (14) Phobien kann
man sich nur durch aktive Auseinandersetzung wehren. Das bedeutet, dass in vielen Fällen therapeutische Hilfe
nötig ist.

Grundsätzlich können Phobien .... (15) zwei große Gruppen gegliedert werden: soziale Phobien und spezi-
fische Phobien. Ein Mensch, der .... (16) einer sozialen Phobie leidet, hat starke Angst .... (17) Situationen,
in denen er im Mittelpunkt steht. Eine typische Situation ist das Halten eines Vortrags vor Publikum. Manchmal
lässt sich diese Form der Angst .... (18) mangelndes Selbstbewusstsein zurückführen. Wenn sich die Ängste
.... (19) ganz bestimmte Objekte oder besondere Situationen beschränken, z. B. Tierarten, Krankheiten oder
Höhe, spricht man .... (20) spezifischen Phobien. Sie stellen die größte Gruppe der Phobien dar. Manche dieser
Ängste wirken vielleicht auf den ersten Blick lächerlich, doch für die Betroffenen sind sie oft .... (21) enormem
Leidensdruck verbunden. So wurden zum Beispiel Fälle von Angst .... (22) sich selbst, Angst .... (23)
Schwiegereltern oder Angst .... (24) schönen Frauen beobachtet.

Grundsätzlich aber gilt beim Thema Angst: Wer sich .... (25) seinen Ängsten auseinandersetzt, kann in den
meisten Fällen .... (26) therapeutische Hilfe verzichten. So bekommt man zumindest keine Angst .... (27)
Psychiatern.

1.4.3   Verben mit lokalen Ergänzungen

Hast du das Bier in den Kühlschrank gestellt?
  ↓   ↓   ↓
Subjekt   Akkusativ-   Lokalangabe
      ergänzung   im Akkusativ

Das Bier steht schon lange im Kühlschrank.
  ↓   ↓
Subjekt   Lokalangabe
                     im Dativ

▶ **Gebrauch: Das Verb regiert im Satz!**

→ Einige Verben haben eine lokale Ergänzung. Das kann eine Richtungsangabe *(wohin?)* oder eine Ortsangabe *(wo?)* sein: Hast du das Bier in den Kühlschrank gestellt? Ja, es steht schon lange im Kühlschrank.

▶ **Formen**

wo? + Dativ		wohin? + Akkusativ	
stehen:	ich stehe – ich stand – ich habe gestanden Ich stehe an der Wand.	stellen:	ich stelle – ich stellte – ich habe gestellt Ich stelle den Stuhl an die Wand.
liegen:	ich liege – ich lag – ich habe gelegen Ich liege im Bett.	legen:	ich lege – ich legte – ich habe gelegt Ich lege das Buch auf den Tisch.
sitzen:	ich sitze – ich saß – ich habe gesessen Ich sitze auf dem Stuhl.	setzen:	ich setze – ich setzte – ich habe gesetzt Ich setze mich auf den Stuhl.
hängen:	die Jacke hängt – die Jacke hing – die Jacke hat gehangen Die Jacke hängt an der Garderobe.	hängen:	ich hänge – ich hängte – ich habe gehängt Ich hänge die Jacke an die Garderobe.
stecken:	der Schlüssel steckt – der Schlüssel steckte – der Schlüssel hat gesteckt Der Schlüssel steckt im Schloss.	stecken:	ich stecke – ich steckte – ich habe gesteckt Ich habe den Schlüssel in das Schloss gesteckt.

▶ **Hinweise**

→ *Stehen, liegen* und *sitzen* sind unregelmäßige Verben. Sie treten in der Regel mit einer lokalen Ergänzung im Dativ auf.

→ *Stellen, legen* und *setzen* sind regelmäßige Verben. Sie stehen immer mit einem Akkusativ und haben eine lokale Ergänzung im Akkusativ.

→ *Hängen* kann regelmäßig oder unregelmäßig sein. Wenn es mit einem Akkusativ gebraucht wird, ist es regelmäßig und hat die lokale Ergänzung im Akkusativ.

→ *Stecken* ist immer regelmäßig und kann mit oder ohne Akkusativobjekt stehen. Die lokale Ergänzung ist im Dativ oder Akkusativ.

→ Sogenannte Wechselpräpositionen *(an – auf – hinter – in – neben – über – unter – vor – zwischen)* können mit dem Dativ oder dem Akkusativ auftreten (▶ Seite 159).

▶ **Satzbau**

I.	II.	III.
Ich	stelle	den Stuhl an die Wand.

▸ Bei Ergänzungen mit Akkusativ und Lokalangabe steht die Akkusativergänzung vor der lokalen Ergänzung.

■ ■ ■ Übungen

1) **Gustavs Zimmer**

a) **Beschreiben Sie die Position von acht Gegenständen. Benutzen Sie** *stehen, liegen, hängen* **oder** *stecken.*

● *Die Vase steht auf dem Tisch.*

b) **Räumen Sie das Zimmer um.** *Stellen, legen, hängen* **oder** *stecken* **Sie die Gegenstände an einen anderen Platz.**

● *Ich stelle die Vase auf die Kommode.*

2) **Frau Friedrich (□) und Herr Friedrich (△) packen den Koffer für ihren Urlaub. (18) Lesen Sie den folgenden Dialog und ergänzen Sie die Präpositionen, die Artikelendungen und die angegebenen Verben in der richtigen Form.**

□ Liebling, wo sind meine Schuhe?

△ Na dort, wo sie immer sind. Sie *stehen im* Schuhschrank *(stehen)*.

□ Seltsam, ich bin mir sicher, dass ich sie gestern schon .... d....... Koffer .... habe *(tun)*.
Und meinen neuen Mantel, hast du den auch irgendwo gesehen?

△ Der wird sicher noch .... Schrank ...., wo er immer .... *(hängen 2 x)*.

□ Nein, ... Schrank .... er nicht *(sein)*. Dort habe ich ihn schon gesucht.

△ Vielleicht hast du ihn gestern .... Büro .... lassen *(liegen)*?

□ Ach du Schreck, mein Mantel .... noch bei Frau Müller .... Büro *(liegen)*! Ich habe mich gestern von ihr verabschiedet und dabei habe ich den Mantel .... d....... Stuhl .... *(legen)*. Und mein Reisepass .... mein........ Manteltasche *(stecken)*! Was machen wir denn jetzt, Liebling?

△ Wir? Du musst jetzt schnell .... d....... Firma .... und den Mantel holen *(fahren)*. Und ich packe weiter den Koffer.

□ Gut, dann denke bitte daran, meine Sachen ordentlich .... d....... Koffer zu .... und keine Falten in meine Blusen zu machen *(legen)*. Die Kopfschmerztabletten musst du .... d....... Seitentasche ...., damit ich sie schnell finde, wenn ich sie brauche *(stecken)*.

△ Wenn du so weitermachst, werden keine Tabletten mehr übrig bleiben, dann habe ich sie nämlich alle selbst genommen.

1.5 Passiv
1.5.1 Vorgangspassiv

Die Wäsche wird gewaschen.

Die elektrische Waschmaschine wurde 1901 entwickelt.

▶ **Gebrauch**

→ Im Passivsatz steht die Handlung im Vordergrund, nicht die handelnde Person.
   Aktiv: Otto wäscht seine Wäsche.
   Passiv: Die Wäsche wird gewaschen.

→ Man findet das Passiv oft
   ▸ in beschreibenden Texten: 1901 wurde die elektrische Waschmaschine entwickelt.
                                              Die Schalter wurden an der Vorderseite angebracht.
   ▸ in Nachrichten: Gegen den Minister wurde ein Verfahren eingeleitet.
   ▸ in verallgemeinernden Aussagen: Die Zeugnisse werden am Schuljahresende überreicht.
   ▸ in der Behörden- und Juristensprache: Sie werden gebeten, innerhalb von vier Wochen Ihre
                                              Stellungnahme einzureichen.

■ Vorgangspassiv ohne Modalverben

Franz wird untersucht.
      ↓   ↓
   werden   Partizip II

▶ **Formen**

	Präsens		Präteritum		Perfekt		Plusquamperfekt		Futur I	
ich	werde		wurde		bin		war		werde	
du	wirst		wurdest		bist		warst		wirst	
er/sie/es	wird	untersucht	wurde	untersucht	ist	untersucht	war	untersucht	wird	untersucht
wir	werden		wurden		sind	worden	waren	worden	werden	werden
ihr	werdet		wurdet		seid		wart		werdet	
sie/Sie	werden		wurden		sind		waren		werden	

▶ **Hinweise**

→ Das Passiv wird mit dem Hilfsverb *werden* und dem **Partizip II** gebildet: Franz wird untersucht.

→ Passiv Perfekt und Passiv Plusquamperfekt werden immer mit *sein* und dem **verkürzten Partizip** *worden* gebildet.
Ich bin eingeladen **worden**. Ich war eingeladen **worden**.
(Achtung: Das Partizip II von *werden* als Vollverb im Aktivsatz ist *geworden*: Ich bin krank geworden.)

→ Einige Verben können **kein Passiv bilden**. Das sind unter anderem

    ▸ *haben* und *sein* als Vollverben: Ich habe Angst. Ich bin morgen nicht da.

    ▸ Verben der Zustandsveränderung: Die Blume verblüht. Der Patient ist gestorben.

    ▸ unpersönliche Verben des Geschehens: Es regnet. Es ist etwas passiert.

    ▸ Verben in modalverbähnlicher Verwendung: Ich bleibe sitzen. Peter lernt schwimmen.

▶ **Umformung: Aktiv – Passiv**

Aktiv	Passiv
Otto **wäscht** die Wäsche.	Die Wäsche **wird gewaschen**.
Ein Journalist **interviewt** den Minister.	Der Minister **wird** von dem Journalisten **interviewt**.
Mücken **übertragen** die Krankheit Malaria.	Die Krankheit Malaria **wird** durch Mücken **übertragen**.

→ Die Akkusativergänzung des Aktivsatzes wird zum Subjekt (Nominativ) im Passivsatz.

→ Man kann das Subjekt des Aktivsatzes in den Passivsatz übernehmen, wenn man es besonders betonen möchte. Dabei stehen Personen, Institutionen und Gegenstände in der Regel mit *von* + Dativ.
Bei Vorgängen oder Überträgern/Überbringern verwenden wir *durch* + Akkusativ.

Aktiv	Passiv
Die Mitarbeiter haben lange über die Gehaltserhöhung diskutiert.	**Es** wurde lange über die Gehaltserhöhung diskutiert. **Über die Gehaltserhöhung** wurde lange diskutiert.

▸ Wenn es im Passivsatz kein Subjekt gibt, steht *es* oder ein anderes Satzglied an Position I.

▶ **Satzbau: Hauptsatz**

	I.	II.	III.	Satzende
Aussagesatz im Präsens	Franz	**wird**	heute	**untersucht.**
Aussagesatz im Präteritum	Franz	**wurde**	gestern	**untersucht.**
Aussagesatz im Perfekt	Franz	**ist**	gestern	**untersucht worden.**

▶ **Satzbau: Nebensatz**

	Hauptsatz	Nebensatz	*Satzende*
Nebensatz im Präsens	Ich weiß nicht,	wann Franz	**untersucht wird.**
Nebensatz im Präteritum	Ich weiß nicht,	wann Franz	**untersucht wurde.**
Nebensatz im Perfekt	Ich weiß nicht,	wann Franz	**untersucht worden ist.**

■■■ Übungen

1) **Ein nützliches Gerät – die Waschmaschine**
Lesen Sie den folgenden Text und markieren Sie alle Passivformen.

Wäschewaschen bedeutete jahrhundertelang harte Arbeit, meist für Frauen. An sogenannten Waschtagen wurde die schmutzige Kleidung in Seifenlauge eingeweicht, gerieben, gespült und ausgewrungen. Der früheste bekannte Hinweis auf eine Maschine, die den Frauen die Arbeit abnehmen sollte, stammt aus dem Jahr 1677. In einem Tagebuch des Engländers Sir Johann Hoskyns wurden Notizen über eine Erfindung gefunden, mit der „das feinste Leinen gewaschen und dabei nicht beschädigt wird".

Eine genauere Beschreibung einer Waschmaschine ist erst im Jahre 1752 im Londoner „The Gentleman's Magazine" veröffentlicht worden. Hierbei handelte es sich um einen mechanisch zu bedienenden Wäschestampfer. Auf Umwegen erfuhr der Regensburger Pastor Jacob Christian Schäffer von dieser Konstruktion und baute sie nach. Diese „bequeme und höchst vorteilhafte Waschmaschine" wurde ein Riesenerfolg. Fast einhundert Jahre lang ist sie in kaum veränderter Form gebaut worden.

Ende des 19. Jahrhunderts revolutionierte die allgemeine Mechanisierung das tägliche Leben. Allerlei nützliche Geräte wie die Geschirrspülmaschine oder der Staubsauger hielten Einzug in den Haushalt. 1901 wurde die erste elektrische Waschmaschine von dem Amerikaner Alva J. Fisher erfunden.

2) **Wissenswertes**

a) **Ergänzen Sie die passenden Verben im Passiv Präsens.**

stehlen • ziehen • ~~ausrichten~~ • werfen • ermitteln • beeinflussen • veröffentlichen • katapultieren

1. Seit dem Jahr 2000 *wird* in der finnischen Stadt Savonlinna regelmäßig eine Weltmeisterschaft im Handyweitwurf *ausgerichtet*. Nach finnischen Wettkampfregeln .... das Mobiltelefon mit Akku, nach deutschen Wettkampfregeln ohne Akku ....

2. In Deutschland .... jedes Jahr 13 Millionen Zähne .... , 400 000 Fahrräder .... und 100 000 neue Bücher ....

3. Im Gebäude Taipeh 101 in Taiwan fahren die schnellsten Aufzüge der Welt. Besucher .... mit einer Spitzengeschwindigkeit von etwa 60 km/h auf das Aussichtsdeck im 89. Stock ....

4. Weltweit gibt es mehr als 260 Atomuhren. Mithilfe dieser besonders exakten Zeitmesser .... vom Büro für Maß und Gewicht in Paris die Internationale Atomzeit ....

5. Die Qualität von Träumen .... von Gerüchen .... – das haben Wissenschaftler jetzt herausgefunden. Angenehme Düfte erzeugen positive, unangenehme eher negative Träume.

b) **Ergänzen Sie die passenden Verben im Passiv Präteritum.**

errichten • ~~aufstellen~~ • nehmen • speichern • entscheiden • setzen • aufnehmen • geheim halten

1. Die erste Parkuhr der Welt *wurde* am 16. Juli 1935 in Oklahoma City, USA, *aufgestellt*. Europas erste Parkuhren .... 1952 in Basel in Betrieb ....

2. Bereits im 16. Jahrhundert .... von den Bewohnern der jemenitischen Stadt Schibam Hochhäuser aus Holz und Lehm .... Die Gebäude hatten eine Höhe von 30 Metern.

3. „In the Mood" von Glenn Miller und das Kinderlied „Baa Baa Black Sheep" waren die ersten Lieder, die von einem Computer .... Sie .... 1951 mit einem Rechner .... , der so groß war wie ein Zimmer.

4. Der Wettbewerb um das höchste Gebäude der Welt .... 1930 mit einer List .... : Die Dachkonstruktion aus Stahlbögen des Chrysler Buildings in New York .... bis zuletzt streng .... Der 56 Meter hohe, an einem geheimen Ort montierte Stahlaufbau .... in nur eineinhalb Stunden als Ganzes auf das Dach .... Die Konkurrenz, die Erbauer der „Bank of Manhattan", hatte keine Zeit mehr zu reagieren.

3) **Was ist letzte Woche alles passiert?**
a) Bilden Sie Sätze im Passiv Präteritum.
b) Formulieren Sie Fragen im Passiv Perfekt wie im Beispiel.

● der Fernsehmoderator – verhaften *(warum)*
   a) *Der Fernsehmoderator wurde verhaftet.*
   b) *Weißt du, warum der Fernsehmoderator verhaftet worden ist?*

1. die Bundesgartenschau – eröffnen *(wann)*
   a) ....
   b) ....

2. der Stürmer – beim Endspiel – im Strafraum – foulen *(von wem)*
   a) ....
   b) ....

3. die Sparpläne der Regierung – kritisieren *(von wem)*
   a) ....
   b) ....

4. die Friedensgespräche – abbrechen *(wann)*
   a) ....
   b) ....

5. viele Banken – im Bereich der Kundenberatung – testen *(welche Banken)*
   a) ....
   b) ....

6. das Denkmal auf dem Augustusplatz – zerstören *(von wem)*
   a) ....
   b) ....

7. der Spitzenmanager – entlassen *(warum)*
   a) ....
   b) ....

8. ein Bild von Kandinsky – aus dem Museum – entwenden *(welches Bild)*
   a) ....
   b) ....

4) **Die erste Fußballweltmeisterschaft**
   Ergänzen Sie die Verben im Passiv in der angegebenen Zeitform. (19)

Nachdem die olympischen Fußballturniere 1924 in Paris und 1928 in Amsterdam einen regelrechten Zuschauerboom ausgelöst hatten, *wurde* im Mai 1929 auf dem Kongress des Fußballweltverbandes FIFA in Barcelona *beschlossen* (beschließen, Präteritum), die erste Weltmeisterschaft im Sommer 1930 in Uruguay zu veranstalten.

Uruguay war damals zweifacher Fußballolympiasieger, und dem kleinen Land, das auch die „Südamerikanische Schweiz" .... (nennen, Präteritum), ging es wirtschaftlich blendend. Im Gegensatz dazu .... die meisten europäischen Länder von der damaligen Weltwirtschaftskrise .... (plagen, Präteritum) und sagten deshalb die WM-Teilnahme ab. Die lange Anreise mit dem Schiff – Linienflüge .... noch nicht .... (erfinden, Plusquamperfekt) – war ihnen zu kostspielig. Aus Europa wagten nur Jugoslawien, Rumänien, Belgien und Frankreich das WM-Abenteuer. Neben den Europäern .... die Mannschaften aus Argentinien, Brasilien, Uruguay, Bolivien, Chile, Paraguay, Peru, den USA und Mexiko von ihren nationalen Fußballverbänden zur Weltmeisterschaft .... (anmelden, Präteritum). Insgesamt waren 13 Länder am Start. Alle Spiele fanden in Montevideo statt. Zum Schutz des einzigen Schiedsrichters .... hinter jedes Tor ein Leibwächter .... (stellen, Präteritum). Außerdem .... beim Einlass ins Stadion strenge Kontrollen .... (durchführen, Präteritum). Dabei .... 1 600 Revolver .... (sicherstellen, Perfekt). In einem hochklassigen Endspiel gewann Uruguay gegen Argentinien mit 4 : 2 und wurde erster Fußballweltmeister.

5) *Worden* oder *geworden*? Ergänzen Sie.

1. Wann ist die Durchführung einer Fußball-WM beschlossen ....?
2. Wie viele Mannschaften sind zur ersten Weltmeisterschaft von ihren Verbänden angemeldet ....?
3. Wer ist 1930 Fußballweltmeister ....?
4. Wie viele Spieler sind bei der letzten Weltmeisterschaft verletzt ....?
5. Der Bundestrainer ist vor dem Halbfinale krank ....
6. Von wem ist der Pokal überreicht ....?
7. Die Weltmeisterschaft ist ein großer Zuschauererfolg ....

6) **Geheime Bankdaten aus der Schweiz**
Formen Sie die Aktivsätze in Passivsätze im Perfekt um. Das Subjekt des Aktivsatzes wird nicht übernommen.

● In einer Schweizer Bank hat jemand geheime Bankdaten gestohlen.
In einer Schweizer Bank sind geheime Bankdaten gestohlen worden.

1. Der Unbekannte hat die Finanzdaten auf eine CD gebrannt.
....

2. Er hat die CD dem deutschen Finanzministerium zum Kauf angeboten.
....

3. Das Finanzministerium hat über den Ankauf der geheimen Daten beraten.
....

4. Der Finanzminister hat für die CD zwei Millionen Euro geboten.
....

5. Man hat den Betrag umgehend überwiesen.
....

6. Das Ministerium hat die CD mit den Namen von deutschen Steuersündern der Staatsanwaltschaft übergeben.
....

7. Die Staatsanwaltschaft hat gegen 2 000 Bürger Anklage wegen Steuerbetrugs erhoben.
....

8. Gestern hat die Polizei die ersten Verdächtigen verhaftet.
....

■ Vorgangspassiv mit Modalverben

Franz muss untersucht werden.

↓ ↓ ↓

müssen Partizip II Infinitiv von *werden*

▶ **Formen: Präsens und Präteritum** (oft gebraucht)

	Präsens		Präteritum	
ich	muss		musste	
du	musst		musstest	
er/sie/es	muss	untersucht werden	musste	untersucht werden
wir	müssen		mussten	
ihr	müsst		musstet	
sie/Sie	müssen		mussten	

▶ **Formen: Perfekt, Plusquamperfekt und Futur I** (selten gebraucht)

		Perfekt		Plusquamperfekt		Futur I
ich	habe		hatte		werde	
du	hast		hattest		wirst	
er/sie/es	hat	untersucht werden müssen	hatte	untersucht werden müssen	wird	untersucht werden müssen
wir	haben		hatten		werden	
ihr	habt		hattet		werdet	
sie/Sie	haben		hatten		werden	

▸ Das Passiv mit Modalverben wird im Perfekt und Plusquamperfekt immer mit *haben* gebildet. Nach dem Partizip II stehen *werden* und das Modalverb im Infinitiv: Franz hat untersucht werden müssen.

▶ **Satzbau: Hauptsatz**

	I.	II.	III.	Satzende
Aussagesatz im Präsens	Franz	**muss**	heute	untersucht werden.
Aussagesatz im Präteritum	Franz	**musste**	gestern	untersucht werden.
Aussagesatz im Perfekt	Franz	**hat**	gestern	untersucht werden müssen.

▶ **Satzbau: Nebensatz**

	Hauptsatz	Nebensatz	*Satzende*
Nebensatz im Präsens	Ich weiß nicht,	wann Franz	untersucht werden muss.
Nebensatz im Präteritum	Ich weiß nicht,	wann Franz	untersucht werden musste.
Nebensatz im Perfekt	Ich weiß nicht,	wann Franz	hat untersucht werden müssen.

■ ■ ■ Übungen

7) **So wird eine Hochzeit organisiert!**
   Bilden Sie Sätze wie im Beispiel.

● der Termin: festlegen   *Zuerst muss der Termin festgelegt werden.*

1. die Gästeliste: zusammenstellen
   Dann …

2. die Einladungskarten: entwerfen, drucken und an die Gäste verschicken

3. der Saal: reservieren

4. das Orchester und der Hochzeitsfotograf: buchen

5. die Hochzeitstorte: bestellen

6. die Menübestellung: diskutieren

7. das Hochzeitskleid: nähen

8. der Brautstrauß: auswählen und kaufen

9. für ausreichend Getränke: sorgen

8) **Im Büro gibt es viel zu tun.**
Bilden Sie Fragen und antworten Sie. Achten Sie auf die Zeitformen in den Beispielsätzen.

● die Einladung – verschicken • Frau Müller – krank
  □ *Ist die Einladung schon verschickt worden?*
  △ *Nein, die Einladung konnte noch nicht verschickt werden. Frau Müller ist krank.*
  □ *Die Einladung muss aber heute noch verschickt werden.*

1. die Unterlagen – kopieren • Kopierer – kaputt
   □ ....
   △ ....
   □ ....

2. die Dokumente – ausdrucken • Drucker – auch kaputt
   □ ....
   △ ....
   □ ....

3. die Tagungsgebühren – überweisen • Onlinebanking – nicht funktionieren
   □ ....
   △ ....
   □ ....

4. der Informatiker – benachrichtigen • er – nicht da
   □ ....
   △ ....
   □ ....

5. die Eingangstür – reparieren • Hausmeister – im Urlaub
   □ ....
   △ ....
   □ ....

6. das Sicherheitssystem – überprüfen • Strom – ausgefallen
   □ ....
   △ ....
   □ ....

9) **Herr Meier und Herr Müller sind Nachbarn. Sie streiten sich mal wieder über Politik.**
Formulieren Sie Sätze mit a) *nicht dürfen* **und b)** *müssen* **wie im Beispiel.**

● Ausbau des Flughafens – stoppen
  a) *Der Ausbau des Flughafens* <u>*darf nicht gestoppt werden*</u>.
  b) *Ich bin aber der Meinung, dass der Ausbau des Flughafens* <u>*gestoppt werden muss*</u>.

1. Banken – für Krise – finanziell verantwortlich machen
   a) ....
   b) ....

2. Parkgebühren in der Innenstadt – erhöhen
   a) ....
   b) ....

3. Bundeswehr – verkleinern
   a) ....
   b) ....

4. Steuern für Geringverdiener – senken
   a) ....
   b) ....

5. Kinderbetreuung – ausbauen
   a) ....
   b) ....

6. Studiengebühren – abschaffen
   a) ....
   b) ....

1.5.2 Zustandspassiv

Vorher:

Die Wäsche *wird gewaschen*.
Die Wäsche *wurde gewaschen*.
Die Wäsche *ist gewaschen worden*.

→ Vorgangspassiv

Nachher:

Die Wäsche *ist frisch gewaschen*.
   ↓   ↓
   sein   Partizip II

→ Zustandspassiv

▶ **Gebrauch**

→ Das Zustandspassiv beschreibt das Ergebnis einer vorausgegangenen abgeschlossenen Handlung.
Die Wäsche ist gewaschen.

▶ **Formen: Gegenwart (Präsens)**

	sein		**Partizip II**
Die Wäsche	ist	frisch	gewaschen.

▶ **Formen: Vergangenheit (Präteritum)**

	sein		**Partizip II**
Die Wäsche	war	frisch	gewaschen.

▶ **Formen: Zukunft (Futur I)**

	werden		**Partizip II + Infinitiv von *sein***
Die Wäsche	wird	frisch	gewaschen sein.

▶ **Hinweise**

→ Das Zustandspassiv wird mit dem **Hilfsverb** *sein* und dem **Partizip II** gebildet.
Die Wäsche ist gewaschen.

→ Zum Ausdruck der Vergangenheit verwendet man die Form des Präteritums.
Jetzt hast du alles wieder schmutzig gemacht! Die Wäsche war frisch gewaschen!

■ ■ ■ **Übungen**

1) **Noch ein nützliches Gerät – die Geschirrspülmaschine**
Markieren Sie im folgenden Text alle Passivformen, die Vorgänge und Zustände beschreiben.

Man mag es kaum glauben, aber bereits zum Ende des 19. Jahrhunderts <u>wurden</u> in Amerika die ersten Vorläufer unserer heutigen Spülmaschine <u>entwickelt</u>. Die reiche Amerikanerin Josephine Cochrane beschwerte sich oft bei ihren Bediensteten, weil beim Spülen so viel Geschirr zerbrochen ist. Selbst wollte sie natürlich nicht abwaschen und so entwarf sie das erste Gerät für den Abwasch.

Das Prinzip einer Geschirrspülmaschine besteht grundsätzlich darin, dass schmutziges Geschirr mit Wasser und Spülmittel hygienisch sauber gereinigt wird. Dies geschieht heutzutage mithilfe eines elektrischen Antriebes, mit dem ein vollautomatischer Spülvorgang gewährleistet werden kann. →

Zuerst muss das Geschirr in die Spülmaschine gestellt und das entsprechende Reinigungsmittel eingefüllt werden. Danach wählt der Verbraucher das geeignete Spülprogramm. Der Spülvorgang wird mit den außen angebrachten Steuerungsmodulen gestartet.

Während des Waschvorgangs werden die Speisereste abgelöst und anschließend wird das saubere Geschirr getrocknet. Danach ist der Spülvorgang beendet. Beim anschließenden Öffnen der Geschirrspülmaschine dringt heiße Luft nach außen. Es ist ratsam, das Geschirr erst einmal abkühlen zu lassen, bevor es entnommen und in die Schränke zurückgestellt wird.

2) **Der Chef hat mal wieder ein paar Fragen bzw. Aufträge an seine Sekretärin.**
Formulieren Sie Fragen mit *wann* und antworten Sie wie im Beispiel.

● die Plätze im Restaurant – reservieren
Wann reservieren Sie die Plätze im Restaurant?   *Die Plätze sind schon reserviert.*

1. die Flugtickets nach Wien – buchen
Wann .... ?   ....

2. die Rechnung für den Beratungsservice – schreiben
.... ?   ....

3. die Tagungsgebühr – überweisen
.... ?   ....

4. die neuen Drucker – bestellen
.... ?   ....

5. die E-Mail von Frau Krause – beantworten
.... ?   ....

6. die Farbpatrone in meinem Drucker – auswechseln
.... ?   ....

7. die Tür zum Konferenzzimmer – abschließen
.... ?   ....

8. den Brief an die Kunden in Spanien – übersetzen
.... ?   ....

3) **Aus einem Polizeiprotokoll. Bilden Sie Sätze im Zustandspassiv in der Vergangenheit.**
So sah das Museum nach dem Einbruch aus:

● die Eingangstür – schließen
Die Eingangstür war geschlossen.

1. die Fensterscheiben im Erdgeschoss – zerbrechen
....

2. die Vorhänge – herunterreißen
....

3. die Alarmanlage – ausschalten
....

4. das Glas der Vitrinen – zerschlagen
....

5. die Vitrinen – leer räumen
....

6. die antiken Möbel in den Ausstellungsräumen – umkippen
....

7. alle mittelalterlichen Schmuckstücke – stehlen
....

8. die Überwachungskameras – beschädigen
....

1.5.3 Passiv-Ersatzformen

Aktiv:
Man kann diese Aufgabe leicht lösen.

Vorgangspassiv:
Diese Aufgabe kann leicht gelöst werden.

Passiv-Ersatzformen:

Diese Aufgabe lässt sich leicht lösen.
↓ ↓
sich lassen Infinitiv

Diese Aufgabe ist leicht zu lösen.
↓ ↓
sein zu + Infinitiv

Diese Aufgabe ist leicht lösbar.
↓ ↓
sein Adjektiv auf *-bar*

▶ **Gebrauch**

→ Passiv-Ersatzformen umschreiben Passivkonstruktionen. Sie stehen im Aktiv und werden (vor allem in der mündlichen Kommunikation) häufiger verwendet als das Passiv.

→ Passiv-Ersatzformen haben in der Regel eine modale Funktion. Sie können eine Möglichkeit, eine Notwendigkeit, eine Empfehlung, einen Auftrag oder ein Verbot ausdrücken.

  ▸ **Möglichkeit/Unmöglichkeit**
    Die Aufgabe **lässt sich** (nicht) **lösen**.
    Die Aufgabe **ist** (nicht) **zu lösen**.
    Die Aufgabe **ist** (nicht) **lösbar**.   →   Die Aufgabe **kann** (nicht) gelöst werden.
    Der Diamant **ist unverkäuflich**.   →   Der Diamant **kann nicht** verkauft werden.

  ▸ **Notwendigkeit/Auftrag/Empfehlung**
    Die Tür **ist** abends **abzuschließen**.   →   Die Tür **muss/soll/sollte** abends abgeschlossen werden.

  ▸ **Verbot/Empfehlung**
    Die Nebenwirkungen des Medikaments   →   Die Nebenwirkungen des Medikaments
    sind nicht zu unterschätzen.   **dürfen/sollten nicht** unterschätzt werden.

→ Man kann auch aus stilistischen Gründen auf Passiv-Ersatzformen zurückgreifen, z. B. wenn man in einem Text eine Anhäufung von Passivkonstruktionen vermeiden möchte.

▶ **Formen von *lassen***

		II		Satzende
Präsens	Die Aufgabe	lässt	sich leicht	lösen.
Präteritum	Die Aufgabe	ließ	sich leicht	lösen.
Perfekt	Die Aufgabe	hat	sich leicht	lösen lassen.

➤ Seite 50: *Modalverbähnliche Verben*

▶ **Formen mit *sein***

		II		Satzende
Präsens	Die Aufgabe Die Aufgabe	ist	leicht leicht lösbar.	zu lösen.
Präteritum	Die Aufgabe Die Aufgabe	war	leicht leicht lösbar.	zu lösen.
Perfekt	Die Aufgabe Die Aufgabe	ist	leicht leicht lösbar	zu lösen gewesen. gewesen.

■ ■ ■ **Übungen**

1) **Wie entstand das Internet?**
   Markieren Sie in dem folgenden Text alle Passiv- und Passiv-Ersatzformen.

Mitte der 1950er-Jahre bestand die Welt aus zwei Machtbereichen: dem amerikanischen und dem sowjetischen. Das Denken der Politiker und Militärstrategen <u>wurde</u> durch den Kalten Krieg <u>bestimmt</u> und Wissenschaft und Forschung spielten im Wettstreit der Ideologien eine wichtige Rolle. Nachdem der erste Satellit, der legendäre „Sputnik", im Oktober 1957 von der UdSSR erfolgreich in die Erdumlaufbahn befördert worden war, war der Technologievorsprung der Sowjets für die ganze Welt sichtbar. Das löste in den USA den sogenannten Sputnik-Schock aus. Als militärisch-wissenschaftliche „Gegenoffensive" wurde die ARPA (Advanced Research Projects Agency) gegründet, eine in das Verteidigungsministerium integrierte Forschungsbehörde. Es sollten nun gezielt wissenschaftliche Projekte und Technologien gefördert werden, deren Ergebnisse eines Tages auch militärisch einsetzbar sind.

Immer mehr Institute und Universitäten beteiligten sich an gemeinsamen Projekten und suchten nach neuen Möglichkeiten der wissenschaftlichen Kommunikation und des schnelleren Datenaustauschs. Da sich die Computerkapazitäten der Forschungseinrichtungen nicht so einfach ausbauen ließen, musste die Nutzung vorhandener Computerressourcen optimiert werden. Das war nur zu bewältigen, indem eine ganz neue Technik der Datenübertragung erarbeitet wurde.

Ende der 1960er-Jahre entstand ein neuartiges Computernetzwerk, das ARPANET: Am 29. Oktober 1969 verbanden Wissenschaftler zwei kühlschrankgroße Computer mithilfe einer Telefonleitung. Die Buchstaben wurden mühsam von Bildschirm zu Bildschirm übermittelt, parallel dazu verständigten sich die Computertechniker am Telefon. Für die Rechner der damaligen Zeit war die Aufgabe am Anfang nahezu unlösbar: Sie stürzten regelmäßig ab. Durch die Forscher Paul Baran und Donald Watts Davies konnte später eine neue dezentrale Netzstruktur entwickelt werden. 1982 wurde das ARPANET auf TCP/IP-Standard umgestellt. Diese Software regulierte den Austausch von Daten und sorgte wie eine Art Klebstoff für die Verbindung der Netzwerke untereinander.

Anfang der 1990er-Jahre schlug am europäischen Kernforschungslabor CERN die Geburtsstunde des World Wide Web, dessen Vater der britische Informatiker Tim Berners-Lee ist. Das WWW ist eine als Hypertext aufgebaute Vernetzung von Daten und Inhalten. Hypertext bedeutet, dass auf unzähligen Computern gespeicherte Daten durch logische Verknüpfung mittels sogenannter Links abrufbar sind. Als 1993 der erste Webbrowser zum kostenlosen Herunterladen angeboten wurde, war der Siegeszug des Internets nicht mehr aufzuhalten.

2) **Bilden Sie Sätze mit Passiv-Ersatzformen wie im Beispiel.**

● Die Tür kann nicht geöffnet werden.

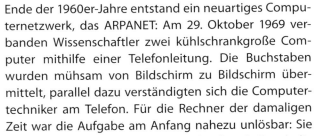

a) *Die Tür lässt sich nicht öffnen.*
b) *Die Tür ist nicht zu öffnen.*

1. Dieser Bürostuhl kann nicht verstellt werden.

   a) ....
   b) ....

2. Die Situation im Land kann nicht überschaut werden.

   a) ....
   b) ....

3. Das Dokument kann nur schwer gelesen werden.

   a) ....
   b) ....

4. Der Schaden kann schnell repariert werden.

   a) ....
   b) ....

5. Der neue DVD-Spieler kann sehr einfach programmiert werden.

   a) ....
   b) ....

3) Formulieren Sie die Sätze a) im Passiv und b) mit *sein* + Adjektiv wie im Beispiel.

● Man kann das Wasser trinken.
  a) *Das Wasser kann getrunken werden.*   b) *Das Wasser ist trinkbar.*

1. Man kann den Schrank abschließen.
   a) ....   b) ....

2. Man kann den Stoff waschen.
   a) ....   b) ....

3. Man kann die Wohnung sofort beziehen.
   a) ....   b) ....

4. Man kann die Bananen schon essen.
   a) ....   b) ....

5. Man kann das Gerät auch im Straßenverkehr einsetzen.
   a) ....   b) ....

6. Man kann das Ziel im Moment nicht erreichen.
   a) ....   b) ....

7. Man kann die Töne nicht hören.
   a) ....   b) ....

8. Man kann die Dokumente nicht verwenden.
   a) ....   b) ....

4) Formulieren Sie Sätze mit *sein* + Infinitiv mit *zu* wie im Beispiel.

● Alle Teilnehmer müssen registriert werden.
  Alle Teilnehmer sind zu registrieren.

1. Vorträge müssen bis zum 13. August eingereicht werden.
   ....

2. Die Kommunikationsprobleme müssen sofort gelöst werden.
   ....

3. Notwendige Veränderungen müssen innerhalb von vier Wochen in die Dokumente eingearbeitet werden.
   ....

4. Alle Unterlagen müssen ins Englische übersetzt werden.
   ....

5. Die Richtigkeit der Daten muss noch überprüft werden.
   ....

6. Die Tagungsergebnisse dürfen ohne Genehmigung nicht veröffentlicht werden.
   ....

7. Die Hotelzimmer müssen am Abreisetag bis 11.00 Uhr geräumt werden.
   ....

5) Beenden Sie die Definitionen wie im Beispiel.
Verwenden Sie <u>eine</u> passende Passiv-Ersatzform.

● Unverkäuflich ist ein Gegenstand, der *sich nicht verkaufen lässt/der nicht zu verkaufen ist.*

1. Unlösbar ist eine Aufgabe, die ....

2. Unerreichbar ist ein Mensch, der ....

3. Unbezahlbar ist ein Auto, das ....

4. Unzerstörbar ist ein Material, das ....

5. Unerträglich ist eine Musik, die ....

6. Unsichtbar sind Märchenfiguren, die ....

7. Unvermeidlich ist eine Auseinandersetzung, die ....

1.6 Modi
1.6.1 Imperativ

Iss mehr Obst und Gemüse!

Gesund leben

Arbeitet nicht so viel!

Treiben Sie regelmäßig Sport!

▶ **Gebrauch**

→ Mit dem Imperativ formuliert man Ratschläge, Bitten, Aufforderungen, Anweisungen oder Warnungen.
  ▸ Ratschlag: Treiben Sie regelmäßig Sport!
  ▸ Bitte: Kopieren Sie bitte für alle die Tagesordnung!
  ▸ Aufforderung: Ruf doch endlich mal im Reisebüro an!
  ▸ Anweisung: Drücken Sie im Notfall den roten Knopf neben der Tür!
  ▸ Warnung: Mach das nicht noch mal!

▶ **Formen**

	du	ihr	Sie
Verben ohne Vokalwechsel	Mach weiter! *(du machst)*	Macht weiter! *(ihr macht)*	Machen Sie weiter! *(Sie machen)*
Verben auf -d/-t/-n/-m	Arbeite weniger! *(du arbeitest)*	Arbeitet weniger! *(ihr arbeitet)*	Arbeiten Sie weniger! *(Sie arbeiten)*
Verben auf -ieren	Studiere mehr! *(du studierst)*	Studiert mehr! *(ihr studiert)*	Studieren Sie mehr! *(Sie studieren)*
Verben mit Vokalwechsel	Iss gesund! *(du isst)* Fahr langsamer! *(du fährst)*	Esst gesund! *(ihr esst)* Fahrt langsamer! *(ihr fahrt)*	Essen Sie gesund! *(Sie essen)* Fahren Sie langsamer! *(Sie fahren)*
trennbare Verben	Komm mit! *(du kommst mit)*	Kommt mit! *(ihr kommt mit)*	Kommen Sie mit! *(Sie kommen mit)*
Sonderformen: sein	Sei pünktlich! *(du bist)*	Seid pünktlich! *(ihr seid)*	Seien Sie pünktlich! *(Sie sind)*
haben	Hab keine Angst! *(du hast)*	Habt keine Angst! *(ihr habt)*	Haben Sie keine Angst! *(Sie haben)*

▶ **Hinweise**

→ Eine Aufforderung richtet sich immer an eine oder mehrere Personen: informell: *du* bzw. *ihr*, formell: *Sie*.
→ Bei der Anrede mit *du* fällt das Personalpronomen und die Endung *-st* weg.
  du machst → Mach! • du arbeitest → Arbeite nicht so viel!
→ Einige Verben enden in der 2. Person Singular auf *-e*: du studierst → Studiere fleißiger!
→ Bei Verben mit Vokalwechsel im Präsens gibt es in der 2. Person Singular keinen Umlaut.
  du fährst → Fahr langsamer!
→ Bei der Anrede mit *ihr* fällt nur das Personalpronomen weg. Die Verbform bleibt unverändert.
  ihr esst → Esst langsamer! • ihr arbeitet → Arbeitet nicht so viel!
→ Die Verben *sein* und *haben* haben Sonderformen.
  du bist → Sei leise! • Sie sind → Seien Sie bitte still! • du hast → Hab keine Angst!

▶ **Satzbau**

I.	II.	Satzende
Iss	mehr Obst.	
Komm	bitte	mit!

■ ■ ■ **Übungen**

1) **Das Unternehmen Technikus hat in einer Umfrage ermittelt, was seine Kunden am meisten stört. Geben Sie der Firmenleitung Ratschläge, wie die Zufriedenheit der Kunden wieder erhöht werden kann.**

● Die Bedienungsanleitungen sind unverständlich. *(allgemein verständliche Bedienungsanleitungen – schreiben)*
  Schreiben Sie allgemein verständliche Bedienungsanleitungen!

1. Die Tasten der Geräte sind zu klein. *(vergrößern)*
   ....

2. Viele Verkäufer sind fachlich inkompetent. *(Mitarbeiter – besser ausbilden)*
   ....

3. Der Kundendienst ist nie erreichbar. *(mehr Mitarbeiter – für Kundenbetreuung – einsetzen)*
   ....

4. Die Geräte haben zu viele Funktionen. *(reduzieren)*
   ....

5. Das Design der Geräte wirkt unmodern. *(verbessern)*
   ....

6. Persönliche Daten sind nicht geschützt. *(für besseren Schutz – sorgen)*
   ....

2) **Besser Sprachen lernen**
   Formulieren Sie Tipps zum Sprachenlernen in der 2. Person Singular.

● neue Wörter – mit Interesse und Konzentration – lernen
  Lerne neue Wörter mit Interesse und Konzentration!

1. die Wörter – innerhalb von 20 Minuten – wiederholen
   ....

2. die Vokabeln – direkt vor dem Schlafen – noch einmal – lesen
   ....

3. seinen Lerntyp – kennen
   ....

4. beim Lernen – auf den eigenen Biorhythmus – achten
   ....

5. seine besten Lernzeiten – herausfinden
   ....

6. Lieder in der Zielsprache – hören
   ....

7. jede Gelegenheit – nutzen ▪ die neue Sprache zu sprechen
   ....

3) **Ihre Freunde fahren nach Wien. Geben Sie ihnen einige Tipps, was sie dort machen sollen.**

● mit öffentlichen Verkehrsmitteln fahren   *Fahrt mit öffentlichen Verkehrsmitteln!*
1. sich eine Vorstellung in der Staatsoper anschauen   ....
2. den Prater besuchen   ....
3. in einem schönen Café ein Stück Sachertorte essen   ....
4. das Hundertwasserhaus bewundern   ....
5. an einer Stadtrundfahrt teilnehmen   ....
6. im Burgviertel viele Fotos machen   ....
7. den Rundumblick vom Donauturm genießen   ....
8. das Schloss Schönbrunn besichtigen und
   im Schlosspark spazieren gehen   ....

1.6.2 Konjunktiv II

Könnte ich bitte Frau Kümmel sprechen?
Würden Sie mich mit der Personalabteilung verbinden?

Ich wäre gern Astronaut.
Dann würde ich zum Mond fliegen.

▶ **Gebrauch**

→ Den Konjunktiv II verwenden wir zum Ausdruck von besonderer Höflichkeit, zur Formulierung von Vorschlägen oder zur Meinungsäußerung.

  ▸ höfliche Frage: Könnte ich bitte Frau Kümmel sprechen?
  ▸ höfliche Aufforderung: Würdest du bitte das Fenster öffnen?
  ▸ Vorschlag: Wir sollten mit der Entscheidung noch warten.
  ▸ Meinungsäußerung: Ich würde mir das (an deiner Stelle) noch einmal überlegen.

→ Außerdem dient der Konjunktiv II zum Ausdruck von irrealen Sachverhalten.

  ▸ irreale Wünsche: Ich wäre gern Astronaut. Wäre ich doch Astronaut!
  ▸ irreale Bedingungen: Wenn er Astronaut wäre, würde er zum Mond fliegen.
  ▸ verpasste Gelegenheiten: Fast/Beinahe hätte ich fünf Millionen Euro gewonnen.
  ▸ irreale Vergleiche: Er tut so, als ob er mich nicht sehen würde/als würde er mich nicht sehen.

▶ **Formen: Gegenwart – „klassische" Konjunktivformen**

	haben und *sein*				Modalverben				einige unregel-mäßige Verben	
	haben		sein		können		sollen		gehen	
	Indikativ	Konj. II	Indikativ	Konj. II	Indikativ	Konj. II	Indikativ	Konj. II	Indikativ	Konj. II
ich	habe	hätte	bin	wäre	kann	könnte	soll	sollte	gehe	ginge
du	hast	hättest	bist	wär(e)st	kannst	könntest	sollst	solltest	gehst	gingest
er/sie/es	hat	hätte	ist	wäre	kann	könnte	soll	sollte	geht	ginge
wir	haben	hätten	sind	wären	können	könnten	sollen	sollten	gehen	gingen
ihr	habt	hättet	seid	wär(e)t	könnt	könntet	sollt	solltet	geht	ginget
sie/Sie	haben	hätten	sind	wären	können	könnten	sollen	sollten	gehen	gingen

▶ **Hinweise**

→ Die Gegenwartsform des Konjunktivs II wird aus der **Stammform des Präteritums** und den **Endungen** *-e/-est/-e* (Singular) und *-en/-et/-en* (Plural) gebildet.
Die Vokale a, o und u bilden einen Umlaut: hatte → hätte • konnte → könnte.
Ausnahmen: sollte → sollte • wollte → wollte

→ Diese „klassischen" Konjunktivformen verwenden wir bei

  ▸ *haben* und *sein*: ich hätte, ich wäre
  ▸ den Modalverben: ich könnte, ich dürfte, ich müsste, ich wollte, ich sollte
  ▸ einigen wenigen unregelmäßigen Verben: ich ginge, ich käme, ich wüsste, ich schliefe, ich bliebe, ich bräuchte.
  Die unregelmäßigen Verben können den Konjunktiv II auch mit *würde* + Infinitiv bilden.
  ich ginge = ich würde gehen

▶ **Formen: Gegenwart – Umschreibung mit *würde***

	unregelmäßige Verben		regelmäßige Verben	
	fliegen		**öffnen**	
	Indikativ	Konjunktiv II	Indikativ	Konjunktiv II
ich	fliege	würde	öffne	würde
du	fliegst	würdest	öffnest	würdest
er/sie/es	fliegt	würde (fliegen)	öffnet	würde (öffnen)
wir	fliegen	würden	öffnen	würden
ihr	fliegt	würdet	öffnet	würdet
sie/Sie	fliegen	würden	öffnen	würden

▶ **Hinweise**

→ Alle regelmäßigen und die meisten unregelmäßigen Verben bilden den Konjunktiv II mit *würde* und dem Infinitiv.
Otto würde gern zum Mond fliegen. Würdest du bitte das Fenster öffnen?

▶ **Formen: Vergangenheit**

	Verben mit dem Hilfsverb *sein*		Verben mit dem Hilfsverb *haben*	
	fliegen		**öffnen**	
	Indikativ	Konjunktiv II	Indikativ	Konjunktiv II
ich	bin	wäre	habe	hätte
du	bist	wär(e)st	hast	hättest
er/sie/es	ist (geflogen)	wäre (geflogen)	hat (geöffnet)	hätte (geöffnet)
wir	sind	wären	haben	hätten
ihr	seid	wär(e)t	habt	hättet
sie/Sie	sind	wären	haben	hätten

▶ **Hinweise**

→ Im Konjunktiv II gibt es nur eine Vergangenheitsform. Sie wird gebildet aus der Konjunktiv II-Form von *haben* und *sein* (*wäre* oder *hätte*) und dem Partizip II.
Otto wäre gern mit Neil Armstrong zum Mond geflogen.
Hier ist es so warm. Hättest du doch das Fenster geöffnet!
Ich hätte gern im Lotto gewonnen.

▶ **Satzbau**

	I.	II.	III.	Satzende
Aussagesatz in der Gegenwart	Otto	wäre	gern Astronaut.	
	Er	würde	gern zum Mond	fliegen.
	Ich	würde	gern im Lotto	gewinnen.
Aussagesatz in der Vergangenheit	Otto	wäre	gern Astronaut	gewesen.
	Er	wäre	gern zum Mond	geflogen.
	Ich	hätte	gern im Lotto	gewonnen.

■ Höfliche Bitten und Fragen

Der Chef hat einige Aufträge für Klaus.

Herr Mitschke, hätten Sie einen Moment Zeit?

Könnten Sie mal meinen Drucker reparieren?

Würden Sie das Dokument dann noch ausdrucken und kopieren?

Das wäre nett.

■ ■ ■ Übungen

1) **Formulieren Sie zu jedem Bild Aufforderungen und Bitten. Verwenden Sie den Konjunktiv II.**

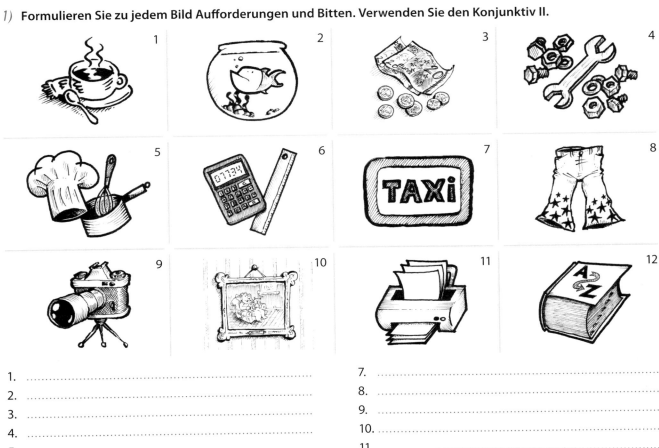

1. ....
2. ....
3. ....
4. ....
5. ....
6. ....

7. ....
8. ....
9. ....
10. ....
11. ....
12. ....

2) **Im Sprachkurs. Formulieren Sie höfliche Fragen mit *könnten*.**

● den Satz – wiederholen – Sie – bitte   *Könnten Sie bitte den Satz wiederholen?*

1. Sie – bitte – etwas lauter – sprechen   ....
2. wir – morgen – etwas eher – anfangen   ....
3. die Grammatikregel – noch einmal – erklären – Sie   ....
4. Sie – ein paar Übungen im Internet – empfehlen – mir   ....
5. wir – mal eine Kaffeepause – machen   ....
6. ihr – mal aufhören – so laut zu quatschen   ....

3) **Sie planen eine Party und möchten alles perfekt organisieren.**
Formulieren Sie Bitten an Ihre Freunde mit *würden*, damit diesmal nichts schiefgeht.

● Klaus hat einen gut sortierten Weinkeller. *(ein paar Flaschen Wein – mitbringen)*
  Klaus, würdest du bitte ein paar Flaschen Wein mitbringen?

1. Fritz kommt auf jede Party mit seinem Hund. *(Hund – zu Hause – lassen)*
   ....

2. Lisa verspätet sich immer. *(pünktlich – kommen)*
   ....

3. Martina kann sehr gut kochen. *(Essensvorbereitung – helfen)*
   ....

4. Karl ist meistens schon betrunken, wenn er kommt. *(vorher – nichts trinken)*
   ....

5. Edith kann tolle Reden halten. *(eine kleine Ansprache – vorbereiten)*
   ....

6. Otto redet bei jeder Party nur über seine Arbeit. *(nicht – über Arbeit – sprechen)*
   ....

7. Edwin trägt mit Vorliebe seine ältesten Sachen. *(modernere Kleidung – anziehen)*
   ....

4) **Ergänzen Sie in dem folgenden Telefongespräch die passenden Verben im Konjunktiv II.** (20)

können *(2 x)* · müssen · informieren · gehen · haben *(2 x)* · sein

□ Soliplex, guten Tag.
△ Ja, guten Tag, Heike Müller hier, *könnte* (0) ich bitte Frau Grönemeier sprechen?
□ Frau Grönemeier. Einen Moment bitte, ich verbinde Sie.

□ Grönemeier.
△ Guten Tag, Frau Grönemeier, hier ist Heike Müller.
□ Ah, guten Tag, Frau Müller. Wie geht es Ihnen?
△ Danke gut. .... (1) Sie einen Moment Zeit für mich?
□ Gerne. Was kann ich für Sie tun?
△ Ich .... (2) eine kleine Bitte. Sie haben mir doch gestern die Dokumente für Herrn Fleischer geschickt. Ich glaube, da fehlt Teil vier. .... (3) Sie vielleicht noch mal nachschauen, ob Sie Teil vier wirklich mitgeschickt haben?
□ Einen Moment bitte ... Ja, Sie haben recht. Ich habe Ihnen nur die Teile eins bis drei geschickt. Ich sehe aber, dass mir Teil vier noch gar nicht vorliegt. Da .... (4) ich gleich noch mal in der Rechtsabteilung nachfragen.
△ Also, wenn das heute noch .... (5), ... (6) das prima. Wir brauchen die Unterlagen bis übermorgen.
□ Ich kümmere mich sofort darum, Frau Müller.
△ Danke. Wenn es irgendwelche Probleme gibt, ... Sie mich dann sofort .... (7)?
□ Ich melde mich auf jeden Fall heute noch bei Ihnen.
△ Vielen Dank, Frau Grönemeier, bis später.

5) **Aus Telefongesprächen. Sagen Sie es höflicher. Verwenden Sie den Konjunktiv II.**

● Können Sie mir helfen?   *Könnten Sie mir helfen?*
1. Können Sie Frau Meier etwas ausrichten?   ....
2. Rufen Sie mich morgen zurück.   ....
3. Ich will gern mit Ihnen einen Termin vereinbaren. ....
4. Ist Ihnen Montag recht?   ....
5. Können Sie bei mir im Büro vorbeikommen? ....
6. Buchstabieren Sie Ihren Namen.   ....
7. Halten Sie mich auf dem Laufenden.   ....
8. Senden Sie mir die Unterlagen so schnell wie möglich. ....

Vorschläge und Meinungsäußerungen

Klaus arbeitet zu viel.

Klaus ist abends ganz erschöpft.

Empfehlungen und nachträgliche Feststellungen mit Modalverben:

Klaus, du solltest weniger arbeiten.

Du hättest weniger arbeiten sollen.
Du hättest nicht so viel arbeiten dürfen.

Du müsstest mal eine Pause machen.

Du hättest mal eine Pause machen müssen.

Empfehlungen und nachträgliche Feststellungen ohne Modalverben:

Es wäre besser,
wenn du weniger arbeiten würdest.

Es wäre besser gewesen,
wenn du weniger gearbeitet hättest.

Andere Meinungsäußerungen:

Ich (an deiner Stelle) würde nicht
so viel arbeiten.

Ich hätte nicht so viel gearbeitet (wie Klaus).

▶ **Hinweise**

→ Bei Empfehlungen und nachträglichen Feststellungen mit Modalverben wird die Vergangenheitsform immer mit *haben* gebildet. Verb und Modalverb stehen im Infinitiv.
Klaus hätte weniger arbeiten sollen.   ➤ Seite 40: *Modalverben*

→ Bei Empfehlungen und nachträglichen Feststellungen mit Konditionalsätzen wird in beiden Satzteilen der Konjunktiv II verwendet.
Es wäre besser, wenn du weniger arbeiten würdest.

▶ **Satzbau: Empfehlungen und nachträgliche Feststellungen mit Modalverben**

	I.	II.	III.	Satzende
Gegenwart	Klaus Du	sollte müsstest	weniger mal eine Pause	arbeiten. machen.
Vergangenheit	Klaus Du	hätte hättest	weniger mal eine Pause	arbeiten sollen. machen müssen.

▸ Der Infinitiv des Modalverbs steht in der Vergangenheit an letzter Stelle.

▶ **Satzbau: Empfehlungen und nachträgliche Feststellungen mit Konditionalsätzen**

	Hauptsatz	Nebensatz	*Satzende*
Gegenwart	Es wäre besser,	wenn du weniger	arbeiten würdest.
Vergangenheit	Es wäre besser gewesen,	wenn du weniger	gearbeitet hättest.

Grammatik

■ ■ ■ Übungen

6) Birgit ist nicht glücklich. Sie würden alles anders machen als Birgit. Sagen Sie Ihre Meinung. Bilden Sie Sätze im Konjunktiv II wie im Beispiel.

● Birgit wohnt noch in ihrer alten Wohnung.
(eine neue Wohnung – mieten)
    Ich würde eine neue Wohnung mieten.

1. Die Wände in ihrer Wohnung sind dunkel.
(weiß – streichen)
....

2. Einige Möbel sind auch kaputt.
(neue Möbel – kaufen)
....

3. Sie hat keinen Kontakt zu ihren Nachbarn.
(die Nachbarn – mal einladen)
....

4. Sie hat sich in einen Kollegen verliebt.
(einen Freund – außerhalb der Firma – suchen)
....

5. Sie arbeitet bis spät abends.
(die Arbeitszeiten – einhalten)
....

6. Sie fühlt sich im Büro überfordert.
(um neue Aufgaben – bitten)
....

7. Sie ernährt sich ungesund.
(seine Ernährung – umstellen)
....

8. Sie lebt sehr sparsam.
(mehr Geld für schöne Dinge – ausgeben)
....

7) Formulieren Sie a) Vorschläge, b) nachträgliche Kritik mit *sollte* und c) nachträgliche Kritik mit *Es wäre besser gewesen, wenn …*

● Zwei Kollegen haben keine Informationen bekommen. *(Frau Müller – mal die Adressen im E-Mail-Verteiler überprüfen)*
  a) *Frau Müller <u>sollte</u> mal die Adressen im E-Mail-Verteiler <u>überprüfen</u>.*
  b) *Frau Müller <u>hätte</u> mal die Adressen im E-Mail-Verteiler <u>überprüfen sollen</u>.*
  c) *Es <u>wäre besser gewesen, wenn</u> Frau Müller mal die Adressen im E-Mail-Verteiler <u>überprüft hätte</u>.*

1. Die Teamsitzung findet zu einem sehr ungünstigen Termin statt.
(wir – die Teamsitzung – auf einen anderen Zeitpunkt – verschieben)
  a) ....
  b) ....
  c) ....

2. In deinem Büro herrscht ein furchtbares Chaos! *(du – aufräumen)*
  a) ....
  b) ....
  c) ....

3. Deine Fahrtkostenabrechnung stimmt nicht. *(du – sie – noch mal – kontrollieren)*
  a) ....
  b) ....
  c) ....

4. Gerd hat Probleme mit dem Chef. *(er – in Ruhe – mit dem Chef – reden)*
  a) ....
  b) ....
  c) ....

5. Die Dokumente sind vertraulich. *(du – die Dokumente – in einen abschließbaren Schrank – legen)*
  a) ....
  b) ....
  c) ....

6. Die Arbeitsaufgaben sind ungerecht verteilt. *(der Projektleiter – die Aufgaben – gerechter verteilen)*
  a) ....
  b) ....
  c) ....

■ Irreale Wünsche, Bedingungen und Vergleiche

Franz ist krank.
Er wäre gern wieder gesund.
Wäre er doch wieder gesund!

Wenn Claudia Geld *hätte*,
würde sie sich ein Auto *kaufen*.

Frau Müller sieht aus,
als *könnte* sie ein bisschen
Erholung *gebrauchen*.

▶ **Hinweise**

→ Irreale Bedingungen werden mithilfe von Nebensätzen formuliert.
   Wenn Claudia Geld hätte, würde sie sich ein Auto kaufen.
   In beiden Teilsätzen wird der Konjunktiv II verwendet.

→ Irreale Vergleichssätze können Haupt- oder Nebensätze sein.
   Frau Müller sieht aus, als könnte sie ein bisschen Erholung gebrauchen. (Hauptsatz)
   Frau Müller sieht aus, als ob sie ein bisschen Erholung gebrauchen könnte. (Nebensatz)
   Nur der Vergleichssatz steht im Konjunktiv II.

→ Irreale Wünsche, Bedingungen und Vergleiche können auch mit Modalverben formuliert werden.
   Wenn Claudia Geld hätte, könnte sie sich ein Auto kaufen.
   Wenn Claudia besser Englisch sprechen könnte, würde sie im Ausland studieren.

▶ **Satzbau: Konditionalsätze ohne Modalverben**

	Nebensatz	*Satzende*	Hauptsatz
Gegenwart	Wenn ich im Lotto	**gewinnen würde,**	wäre ich reich.
Vergangenheit	Wenn ich im Lotto	**gewonnen hätte,**	hätte ich mir diese Villa gekauft.

▸ Wenn die Aussage mit dem Nebensatz beginnt, steht im nachfolgenden Hauptsatz das konjugierte Verb direkt hinter dem Komma.

▶ **Satzbau: Konditionalsätze mit Modalverben**

	Nebensatz	*Satzende*	Hauptsatz
Gegenwart	Wenn Claudia im Lotto Wenn Claudia besser Englisch	**gewinnen würde,** **sprechen könnte,**	könnte sie sich ein Auto kaufen. würde sie im Ausland studieren.
Vergangenheit	Wenn Claudia im Lotto Wenn Claudia besser Englisch	**gewonnen hätte,** **hätte sprechen können,**	hätte sie sich ein Auto kaufen können. hätte sie im Ausland studiert.

▸ In der Vergangenheit steht der Infinitiv des Modalverbs im Hauptsatz und im Nebensatz an letzter Stelle.

■ ■ ■ **Übungen**

8) **Auf dieser Reise geht einiges schief.**
   Formulieren Sie irreale Wunschsätze in der Vergangenheit wie im Beispiel.

> die Fahrräder mitnehmen · sich über die Öffnungszeiten informieren · am Hotelpool bleiben · mit dem Zug fahren ·
> sich für ein anderes Hotel entscheiden · das Insektenspray einpacken · ein kälteres Urlaubsland aussuchen · schon
> gestern Nachmittag Karten reservieren · seine neue Kamera nicht vergessen · sich beim Kofferpacken besser kon-
> zentrieren · ein spannenderes Buch kaufen · nicht so lange in der Sonne liegen

● Auf der Fahrt in den Urlaub standen wir in einem
50 Kilometer langen Stau. *(wir)*   *Wären wir doch mit dem Zug gefahren!*
1. Das Hotelzimmer ist klein, dunkel und schmutzig. *(ich)*
2. Den weiten Weg vom Hotel zum Strand mussten wir laufen. *(wir)*
3. Am Strand sind zu viele Leute. *(wir)*
4. Es ist viel zu heiß. *(ihr)*
5. Kathrin hat Sonnenbrand. *(sie)*
6. Erich hat keine Sportschuhe und keine Badehose mitgenommen. *(er)*
7. Der Urlaubskrimi ist langweilig. *(ich)*
8. Es gibt hier viele Mücken. *(du)*
9. Das Museum ist seit 15 Minuten geschlossen. *(wir)*
10. Für die Kinovorstellung sind alle Karten ausverkauft. *(ihr)*
11. Hier könnte man so viele schöne Fotos machen. *(du)*

9) **Träume, Träume, Träume**

a) **Maria träumt von einer anderen Wohnung. Was sagt sie?**
   Bilden Sie Konditionalsätze wie im Beispiel.

● einen Garten haben – eigenes Gemüse anpflanzen können
Wenn ich einen Garten hätte, könnte ich mein eigenes Gemüse anpflanzen.
1. größere Fenster haben – das Wohnzimmer viel heller sein

2. in der Nähe von Geschäften wohnen – mit den schweren Taschen nicht 15 Minuten laufen müssen

3. ein Esszimmer haben – die Freunde regelmäßig zum Essen einladen können

4. eine Terrasse haben – sich im Sommer sonnen können

5. mehr verdienen – sich neue Möbel kaufen können

6. die Preise in der Stadt niedriger sein – sich ein kleines Häuschen leisten können

b) **Der kleine Fritz träumt oft von Rittern.**
   Deshalb hat er ein Buch gelesen, in dem er viel über Ritter erfahren hat.
   Formulieren Sie Konditionalsätze in der Vergangenheit wie im Beispiel.

Wenn Fritz als Ritter im Mittelalter gelebt hätte, ...
● einen angesehenen Beruf ausüben   *hätte er einen angesehenen Beruf ausgeübt.*
1. zuerst den Beruf des Ritters erlernen müssen
2. mit sieben Jahren als Page in die Lehre gehen müssen
3. dort zunächst Unterricht in gutem Benehmen erhalten
4. dann Kämpfen und Fechten lernen müssen
5. Lesen und Schreiben nicht zu lernen brauchen
6. im Alter von 21 Jahren den Ritterschlag bekommen
7. die Aufgaben eines Ritters immer gut ausführen müssen
8. zum Beispiel immer die Wahrheit sagen müssen
9. nicht geldgierig sein dürfen
10. die Armen und Schwachen verteidigen müssen

10) Was wäre wenn …?
Bilden Sie irreale Konditionalsätze in der Vergangenheit.

● ich: zu Hause bleiben – sich das Fußballspiel anschauen können
Wenn ich gestern zu Hause geblieben wäre, hätte ich mir das Fußballspiel anschauen können.

1. du: einen Kollegen fragen – bestimmt jemand helfen können

....

2. wir: nicht ins Kino gehen – sich auf die Sprachprüfung vorbereiten können

....

3. du: nicht so stur sein – sich nicht wieder mit den Nachbarn streiten

....

4. Dr. König: sich für die Konferenz nicht im letzten Moment anmelden –
seine interessanten Forschungsergebnisse nicht präsentieren können

....

5. Frau Kümmel: die Unterlagen nicht noch mal kontrollieren – den Fehler nicht finden

....

6. du: mit mir übers Wochenende ans Meer fahren – sich gut erholen können

....

11) Fast/Beinahe wäre/hätte …
Bilden Sie Sätze wie im Beispiel.

● Der Film fand große Anerkennung. *(einen Oscar bekommen)* *Fast hätte er einen Oscar bekommen.*
1. Ich habe meinen Chef geärgert. *(mich rauswerfen)* ....
2. Peter liebte als Kind Tiere über alles. *(Zoodirektor werden)* ....
3. Ich war auf der Autofahrt sehr müde. *(einen Unfall verursachen)* ....
4. Marie war so lange im Duty-free-Shop. *(ihren Flug verpassen)* ....
5. Ein Triebwerk fiel aus. *(das Flugzeug abstürzen)* ....
6. Die Polizei war dem Mörder schon auf der Spur. *(ihn verhaften)* ....
7. Die Praktikantin hat die falsche Taste gedrückt.
(die Festplatte formatieren) ....
8. Du hast die Pflanzen lange nicht gegossen.
(die Pflanzen vertrocknen)

12) Schwierige Kollegen
Bilden Sie irreale Vergleichssätze.

● Frau Lorenz tut so, … *(unsere Probleme – völlig unwichtig sein)*
als wären unsere Probleme völlig unwichtig.
1. Herr Vetter tut mal wieder so, … *(er – alles wissen)*

....

2. Frau Heinrich benimmt sich, … *(die Firma – ihr gehören)*

....

3. Herr Lange redet mit mir, … *(ich – ein Berufsanfänger sein)*

....

4. Herr Köpke führt sich auf, … *(er – der Chef sein)*

....

5. Herr Dietrich sieht aus, … *(er – nachts nicht schlafen können)*

....

6. Herr Schmidt spielt sich so auf, … *(er – etwas von Computern verstehen)*

....

7. Frau Vogel tut so, … *(sie – die ganze Arbeit alleine machen)*

....

8. Herr Schreiber benimmt sich, … *(er – gar nicht zum Team gehören)*

....

1.6.3 Konjunktiv I – Die indirekte Rede

Der Minister gab heute Vormittag eine Pressekonferenz.

Er sagte, er sei erschüttert über die tragischen Ereignisse auf der Megaparty. Die Verantwortlichen müssten Konsequenzen ziehen. Er werde sich persönlich für unbürokratische Hilfe für die Opfer einsetzen. Außerdem plane er eine Änderung der gesetzlichen Vorschriften.

▶ **Gebrauch**

→ Aussagen von anderen Personen kann man in der direkten Rede (als wörtliches Zitat) oder in der indirekten Rede wiedergeben. Das gilt auch für Informationen aus wissenschaftlichen und journalistischen Texten oder öffentlichen Bekanntmachungen. Die indirekte Rede ermöglicht eine Verkürzung oder Objektivierung der Aussage.
  Im offiziellen Sprachgebrauch, z. B. in den Nachrichten, wird dafür der Konjunktiv I verwendet.
  Der Minister sagte, **er sei erschüttert**.

→ Die Wiedergabe von Meinungen und Äußerungen wird in der Regel ergänzt von
  ▸ Verben wie: Herr/Frau X meinte/sagte/antwortete/fragte/erwiderte/betonte/teilte mit …
  ▸ Wendungen wie: Herr/Frau X war der Meinung/Ansicht/Auffassung, dass …
                                Wissenschaftlichen Untersuchungen zufolge … /Nach neuesten Erkenntnissen …

→ In der Umgangssprache, im täglichen Leben entscheiden sich viele entweder für den Indikativ oder den Konjunktiv II.
  Paul sagte, er kommt nicht. *(Indikativ)*
  Susi sagte, sie müsste die Zahlen noch mal überprüfen. *(Konjunktiv II)*

▶ **Formen: Gegenwart**

	alle regelmäßigen und viele unregelmäßige Verben		Modalverben		*haben*		*sein*
	Konjunktiv I	Ersatzform im Konjunktiv II	Konjunktiv I	Ersatzform im Konj. II	Konjunktiv I	Ersatzform im Konj. II	Konjunktiv I
ich	plane	würde planen	müsse	müsste	habe	hätte	sei
du	planest	würdest planen	müssest	müsstet	habest	hättest	sei(e)st
er/sie/es	plane	würde planen	müsse	müsste	habe	hätte	sei
wir	planen	würden planen	müssen	müssten	haben	hätten	seien
ihr	planet	würdet planen	müsset	müsstet	habet	hättet	sei(e)t
sie/Sie	planen	würden planen	müssen	müssten	haben	hätten	seien

▶ **Hinweise**

→ Die Gegenwartsform des Konjunktivs I wird aus der **Stammform des Präsens** und den **Endungen** *-e/-est/-e* (Singular) und *-en/-et/-en* (Plural) gebildet.

→ Die am häufigsten verwendeten Formen sind die 3. Person Singular und die 3. Person Plural.

→ Wenn der Konjunktiv I mit dem Indikativ identisch ist, ersetzt man ihn durch den Konjunktiv II.
  Der Minister sagte, **die Verantwortlichen müssen Konsequenzen ziehen.**
  → Der Minister sagte, **die Verantwortlichen müssten Konsequenzen ziehen.**

→ Die Formen des Konjunktivs I in der 2. Person Singular und der 2. Person Plural werden kaum verwendet und gelten als veraltet. Auch sie werden durch den Konjunktiv II ersetzt.

→ Bei der Wiedergabe von Aussagen vollzieht sich ein **Perspektivenwechsel**.
  Der Minister sagte: „**Ich bin** erschüttert."
  → Der Minister sagte, **er sei** erschüttert.

▶ **Formen: Vergangenheit**

	Verben mit dem Hilfsverb *sein*			Verben mit dem Hilfsverb *haben*				
	fliegen			**planen**			**mit Modalverb**	
	Indikativ Perfekt		Konjunktiv I	Indikativ Perfekt	Konj. I* bzw. Ersatzform im Konj. II		Konj. I* bzw. Ersatzform im Konjunktiv II	
ich	bin		sei	habe	hätte		hätte	
du	bist		sei(e)st	hast	hättest		hättest	
er/sie/es	ist	geflogen	sei	hat	habe*	geplant	habe*	planen müssen
wir	sind		seien	haben	hätten		hätten	
ihr	seid		sei(e)t	habt	hättet		hättet	
sie/Sie	sind		seien	haben	hätten		hätten	

▶ **Hinweise**

→ Im Konjunktiv I gibt es nur eine Vergangenheitsform. Sie wird gebildet aus der **Konjunktiv I-Form** von *haben* oder *sein* (*habe/hätte* oder *sei*) und dem **Partizip II**.
Der Minister habe eine Änderung der gesetzlichen Vorschriften geplant.
Er sei deswegen zu Gesprächen nach Berlin geflogen.

▶ **Satzbau: Hauptsatz – Hauptsatz**

	Hauptsatz	**Hauptsatz**
Gegenwart	Der Minister sagte,	er **plane** eine Änderung der Vorschriften. er **fliege** deswegen zu Gesprächen nach Berlin.
Vergangenheit	Der Minister sagte,	er **habe** eine Änderung der Vorschriften **geplant**. er **sei** deswegen zu Gesprächen nach Berlin **geflogen**.

▶ **Satzbau: Hauptsatz – Nebensatz**

	Hauptsatz	**Nebensatz**	*Satzende*
Gegenwart	Der Minister sagte,	dass er eine Änderung der Vorschriften dass er deswegen zu Gesprächen nach Berlin	**plane.** **fliege.**
Vergangenheit	Der Minister sagte,	dass er eine Änderung der Vorschriften dass er deswegen zu Gesprächen nach Berlin	**geplant habe.** **geflogen sei.**

■ ■ ■ **Übungen**

1) **Lesen Sie die folgenden Nachrichten und markieren Sie die Formen des Konjunktivs I.**

a) **Preissenkungen für Elektrizität werden offenbar nicht weitergegeben**

Deutsche Stromkunden zahlen allein in diesem Jahr eine Milliarde Euro zu viel für gelieferte Elektrizität – das ist das Ergebnis einer gerade veröffentlichten Studie. Den Untersuchungen zufolge seien die Preise an der Leipziger Strombörse seit 2008 um 30 bis 40 Prozent gesunken. Doch diese Preissenkungen hätten die Konzerne nicht an ihre Kunden weitergegeben. Bei einem Absatz von rund 131 Milliarden Kilowattstunden in Deutschland ergebe sich daraus eine Summe von einer Milliarde Euro, die direkt in die Taschen der Energiekonzerne fließen würde.

Eine Sprecherin der Partei „Die Grünen" sagte in einem Interview, dass es endlich Zeit werde, dass auch die Bürger von den stark gefallenen Einkaufspreisen profitieren würden. Auch die Bereitschaft der Kunden, den Stromanbieter zu wechseln, müsse sich noch verbessern. Denn wenn es einen gut funktionierenden Wettbewerb gebe, könnten sich die Stromkonzerne ihre jetzige Preispolitik nicht mehr leisten.

b) **Mückenmassaker in Taiwan**

Bzzzzz...

Im Sommer sind sie bei uns eine Plage und können selbst die schönsten Abende im Garten verderben: die Mücken. In anderen Teilen der Welt übertragen die stechenden Insekten auch Krankheiten wie Malaria. Darum ist es verständlich, dass die kleinen Tierchen nirgendwo auf der Welt besonders beliebt sind. So auch in Taiwan, wo die Medien über den folgenden Fall berichteten: Ein Unternehmen für Insektenfallen habe demjenigen, der die meisten Mücken tötet, ein Preisgeld in Höhe von 2 300 Euro versprochen. 73 Insektenjäger hätten sich daraufhin an die Arbeit gemacht. Am Ende sei der Sieg eindeutig ausgefallen: Frau Huang Yu-yen habe vier Millionen Mücken getötet, 1,5 Kilogramm schwer sei ihre Beute gewesen. Der Zweitplatzierte habe nicht einmal halb so viele tote Mücken vorweisen können. Die Firma wolle nun das Guinnessbuch der Rekorde anschreiben, damit die Siegerin als größte Mückentöterin der Welt einen würdigen Platz in dem Buch finde.

2) **Lesen Sie die folgenden Nachrichten und ergänzen Sie die Verben im Konjunktiv I.**

a) **Der Mann im Hintergrund** 21

Um ins Fernsehen zu kommen, gibt es viele Möglichkeiten: Man lernt viel, arbeitet hart oder wird Nachrichtensprecher. Aber es geht noch einfacher: Immer, wenn auf der britischen Insel ein Ereignis so groß ist, dass es im Fernsehen live übertragen wird, steht eine Person unübersehbar im Hintergrund: Paul Yarrow. Er ist aber kein Reporter, Politiker oder Experte. Er steht mit seinem schmutzig grauen Pullover, seinen wirren Haaren und dem kräftigen Körperbau immer so da, dass es dem Kameramann nicht möglich ist, ihn herauszuschneiden. Nun hatte er Gelegenheit, sein Treiben in der „Daily Mail" zu erläutern.

Es .... (geben) einfach zu viele schöne Menschen im Fernsehen, dagegen .... (wollen) er etwas unternehmen, meinte der Brite. Selbst bei Straßeninterviews .... die Journalisten lieber eine besser aussehende Person .... (fragen), obwohl er, Paul Yarrow, doch wirklich etwas zu sagen .... (haben). Mit dieser Meinung .... (ist) er nicht alleine, fügte er hinzu. Er .... (hat) inzwischen eine eigene Fangruppe und .... (werden) sich für weniger attraktive Menschen im Fernsehen stark machen.

b) **Das Tintenfisch-Orakel** 22

Nach der bitteren Niederlage der deutschen Fußballer im WM-Halbfinale 2010 war der Schuldige schnell gefunden: ein Tintenfisch namens Paul aus dem Aquarium „Sea Life" in Oberhausen. Er hatte die Niederlage vorhergesagt. Mitarbeiter des Aquariums befürchteten schon, dass einige deutsche Fans ihn .... (entführen), um ihn zu verspeisen. Ganz anders war die Reaktion der Spanier. Sie verehrten den Tintenfisch, denn auch ihnen hatte er etwas prophezeit: den Weltmeistertitel. So war es nur konsequent, dass spanische Geschäftsleute Paul für 30 000 Euro nach Galicien locken wollten. Die Geschäftsleute versicherten, dass Paul in Spanien ein ruhiges Leben führen .... (dürfen) und nur einmal im Jahr als Maskottchen für ein Gastronomiefest dienen .... (werden). Obwohl gekochter Tintenfisch in der galicischen Küche eine Delikatesse .... (ist),

.... sie Paul niemals in einen Kochtopf .... (werfen). Mit der Begründung, Paul .... (ist) unverkäuflich und .... (vertragen) wegen seines hohen Alters auch keine Reisen mehr, wurde das Angebot abgelehnt. Doch die Spanier gaben nicht auf: Sie ernannten den Oktopus kurzerhand zum Ehrenbürger der Stadt Carballiños. Mit der Anerkennung .... (wollen) sich die von der Tintenfisch-Verarbeitung lebende Ortschaft dafür bedanken, dass „Pulpo Paul" den WM-Sieg Spaniens richtig .... (vorhersagen/Vergangenheit), sagte der Bürgermeister Manuel Pazos. Er kam persönlich nach Oberhausen und brachte Paul die Urkunde als Ehrenbürger. Leider konnte Paul seinen Ruhm nicht lange genießen: Er starb Ende Oktober 2010. Heute erinnert ein Denkmal im Oberhausener Aquarium an die wundersamen Fähigkeiten des Orakels.

3) **Immer das Gleiche!**
Geben Sie die Aussagen des Regierungssprechers im Konjunktiv I wieder. Bilden Sie *dass*-Sätze wie im Beispiel.

● Es gibt in diesem Jahr keine Steuererhöhungen.
Der Regierungssprecher sagte, *dass es in diesem Jahr keine Steuererhöhungen gebe.*

1. Die Bekämpfung der Arbeitslosigkeit ist Hauptaufgabe der Regierung.
Er sagte weiterhin, ...

2. Die Anzahl der Arbeitsplätze steigt schon jetzt.
Er betonte, ...

3. Die Opposition blockiert die Hilfe für arme Familien.
Er meinte, ...

4. Die Währungskrise ist bald überwunden.
Er sagte außerdem, ...

5. Die Banken handeln jetzt verantwortungsvoll.
Er war davon überzeugt, ...

6. Die Wirtschaft befindet sich im Aufschwung.
Er betonte stolz, ...

7. Die Beziehungen zwischen den EU-Staaten sind sehr gut.
Er teilte mit, ...

8. Europa hat jetzt eine gemeinsame und funktionsfähige Außenpolitik.
Er verkündete, ...

4) **Skandale in der Politik**
Geben Sie die Kommentare der Politiker in der indirekten Rede wieder. Achten Sie auf die Zeitformen.

a) **Kommentar 1**

Es gibt Berichte, dass einige große Energieunternehmen Beamte im Wirtschaftsministerium bestochen haben sollen. Der zuständige Minister wurde heute zu diesem Thema befragt.

Er sagte dazu:

„Ich habe von den Vorwürfen nichts gewusst. Ich habe diese Gerüchte heute zum ersten Mal gehört. Ich bin mir sicher, dass es sich um böswillige Unterstellungen der Opposition handelt. Das Ministerium hat immer mit allen Energieunternehmen vertrauensvoll zusammengearbeitet und die politischen Entscheidungen auch durchgesetzt. Die Regierung hat in den letzten Jahren erfolgreich gearbeitet und das hat sich auf das Leben der Bürgerinnen und Bürger positiv ausgewirkt."

Der Minister sagte, er habe ... .

....

....

b) **Kommentar 2**

Auch in der XYZ-Partei gibt es eine Krise. Ein Waffenhändler soll der Partei viel Geld gespendet haben. Der Schatzmeister der Partei sagte dazu:

„Die Partei hat niemals Geld von Herrn Hunkel bekommen. Der Parteivorsitzende hat sich auch niemals mit Herrn Hunkel getroffen. Die Finanzierung der Partei ist absolut legal, das kann jeder nachprüfen."

Der Schatzmeister erklärte, ...

....

....

1.7 Nomen-Verb-Verbindungen

Heute war mal wieder Pressekonferenz.

Zur Sprache kam unter anderem das Thema Steuererhöhung. Mit seinen Vorschlägen war der Minister in letzter Zeit auf heftige Kritik gestoßen.

Die Journalisten stellten die Frage, ob eine Steuererhöhung positive Auswirkungen auf die ökonomische Entwicklung habe.

Der Minister brachte seinen Optimismus zum Ausdruck und erklärte seine Vorschläge in allen Einzelheiten.

▶ **Gebrauch**

→ Im **offiziellen, formelleren Sprachgebrauch**, z. B. in der Sprache der Wissenschaft, der Ämter oder der Politik, werden gerne Kombinationen aus einem Nomen und einem Verb verwendet.
Das Thema Steuererhöhung kam zur Sprache.
Die Vorschläge des Ministers stießen auf Kritik.
Diese Verbindungen geben der Sprache einen **offizielleren Charakter**.

→ Auch in der Umgangssprache werden manchmal Nomen-Verb-Verbindungen gebraucht.
Kann ich dir mal eine Frage stellen?
Meine Kollegin hat mich im Stich gelassen.

→ Bei Nomen-Verb-Verbindungen beschreibt das Nomen die Handlung, das Verb verliert seine eigentliche Bedeutung. Oft lassen sich Nomen-Verb-Verbindungen durch einfache Verben ersetzen.
eine Frage stellen → fragen · Kritik üben → kritisieren

→ Nomen-Verb-Verbindungen können aktivische oder passivische Bedeutung haben.
ein Thema zur Sprache bringen – ein Thema ansprechen/besprechen
ein Thema kommt zur Sprache – ein Thema wird angesprochen/besprochen

▶ **Formen**

	Nomen-Verb-Verbindung	einfaches Verb/Bedeutung
aktivisch	etwas zur Sprache bringen	etwas ansprechen/besprechen
	eine Frage stellen	fragen
	Auswirkungen auf jemanden/etwas haben	sich auf jemanden/etwas auswirken
	etwas zum Ausdruck bringen	etwas ausdrücken
	Kritik an jemandem/etwas üben	jemanden/etwas kritisieren
	etwas zur Verfügung stellen	etwas bereitstellen/anbieten
passivisch	zur Sprache kommen	besprochen werden
	auf Kritik stoßen	kritisiert werden
	zur Verfügung stehen	gebraucht werden können

➢ Seite 248: Übersicht *Nomen-Verb-Verbindungen*

▶ **Satzbau**

	I.	II.	III.	Satzende
Aussagesatz	Die Opposition	übt	am Vorschlag des Ministers	Kritik.

■ ■ ■ **Übungen**

1) **Welche Nomen passen? Ordnen Sie zu.**

eine Forderung · Hilfe · Beachtung · einen Hinweis · Widerstand · einen Antrag · eine Auswahl · eine Vereinbarung · Verständnis · einen Auftrag · die Erlaubnis · eine Frage · Gesellschaft · Maßnahmen · eine Lösung

1. Was kann man stellen?	a) *eine Forderung*	b)	c) ....
2. Was kann man leisten?	a)	b)	c) ....
3. Was kann man treffen?	a)	b)	c) ....
4. Was kann man finden?	a)	b)	c) ....
5. Was kann man geben?	a)	b)	c) ....

2) **Suchen Sie die passenden Nomen-Verb-Verbindungen aus Übung 1.**

● Hast du endlich mehr Gehalt gefordert? – Nein, ich habe noch keine *Forderung gestellt.*

1. Hast du schon dein Visum beantragt? – Nein, ich habe noch keinen ....

2. Kannst du mich begleiten? – Tut mir leid. Ich kann dir im Moment leider keine ....

3. Darfst du jetzt mit den vertraulichen Dokumenten arbeiten? – Ja, der Chef hat mir endlich die ....
   ....

4. Ist das Problem jetzt gelöst? – Ja, wir haben eine gute ....

5. Habt ihr mit dem Kunden schon einen Preis vereinbart? – Ja, wir haben bereits eine ....
   ....

6. Konnte dir der Projektleiter weiterhelfen? – Ja, er hat mir einen wichtigen ....

7. Tut der Chef etwas zur Verbesserung des Arbeitsklimas? – Nein, er hat noch
   keine ....

8. Hat schon jemand deinen Artikel über die Ameisen beachtet? – Ja, der Artikel hat schon
   sehr viel ....

9. Habt ihr die Farben für die neuen Produkte schon ausgewählt? – Nein, wir haben noch
   keine ....

10. Hat der Chef auf die Frage nach der Terminverschiebung verständnisvoll reagiert? – Nein,
    wir haben bei ihm kein ....

3) **Otto leitet heute die Teamsitzung.**
    Formulieren Sie seine Aussagen um. Sagen Sie es formeller.

● Ich möchte Sie alle zur heutigen Teamsitzung herzlich begrüßen. *(willkommen heißen)*
  Ich möchte Sie alle herzlich willkommen heißen.

1. Folgende Tagesordnungspunkte werden heute besprochen. *(zur Diskussion stehen)*
   ....

2. Ich möchte außerdem noch über den Punkt Arbeitszeit diskutieren. *(zur Diskussion stellen)*
   ....

3. Wann werden die Mitarbeiter über die geplante Arbeitszeitverlängerung informiert? *(in Kenntnis setzen)*
   ....

4. Können wir die Bezahlung der Überstunden beanspruchen? *(einen Anspruch haben auf)*
   ....

5. Frau Müller, könnten Sie mal die zuständigen Kollegen in München anrufen und fragen, ob sie uns die entsprechenden Dokumente geben? *(sich in Verbindung setzen mit/zur Verfügung stellen)*
   ....
   ....

6. Wer von Ihnen ist dafür, dass die Anzahl der Urlaubstage unbedingt erhöht werden muss? *(den Standpunkt vertreten)*
   ....

7. Will noch jemand über ein bestimmtes Thema sprechen? *(zur Sprache bringen)*
   ....

8. Wer möchte zuerst reden? *(das Wort ergreifen)*
   ....

4) Der Direktor sagt auch etwas auf der Teamsitzung. Vereinfachen Sie seine Aussagen.

a) Bilden Sie Aktivsätze wie im Beispiel.

beeinflussen • lernen • ~~meinen~~ • informieren • sich mehr anstrengen • konkurrieren mit • laufen • sich entscheiden • wichtig sein

● Ich <u>bin der Ansicht</u>, dass wir noch mehr Produkte verkaufen können.
Ich meine, dass wir noch mehr Produkte verkaufen können.

1. Wir <u>stehen in Konkurrenz zu</u> großen Unternehmen aus Asien.
   ....

2. Wir müssen im Bereich Marketing noch <u>größere Anstrengungen unternehmen</u>.
   ....

3. Wir können durch gezielte Werbung <u>Einfluss auf</u> die Verkaufszahlen <u>nehmen</u>.
   ....

4. Auch die Verpackung <u>spielt</u> für den Verkauf <u>eine große Rolle</u>.
   ....

5. Hier müssen wir noch <u>eine Entscheidung</u> für ein neues Konzept <u>treffen</u>.
   ....

6. Wir müssen <u>die Lehren</u> aus unseren Fehlern <u>ziehen</u>.
   ....

7. Die neuen Produktionsanlagen <u>sind</u> seit fünf Wochen in <u>Betrieb</u>.
   ....

8. Frau Müller, <u>halten</u> Sie mich bitte <u>auf dem Laufenden</u>, wenn es Probleme gibt.
   ....

b) Bilden Sie Passivsätze wie im Beispiel.

abgeschlossen werden • besprochen werden • ~~berücksichtigt werden~~ • abgelehnt werden • kritisiert werden von • nicht entschieden werden

Ich möchte Sie noch kurz über die Ergebnisse der Vorstandssitzung informieren:

● Die Vorschläge zur Verbesserung der Arbeitseffektivität <u>fanden Berücksichtigung</u>.
Die Vorschläge zur Verbesserung der Arbeitseffektivität <u>wurden berücksichtigt</u>.

1. Die Forderung der Gewerkschaft nach Lohnerhöhung <u>stieß auf Ablehnung</u>.
   ....

2. Die Verhandlungen mit der Firma UFO <u>fanden</u> endlich <u>ihren Abschluss</u>.
   ....

3. Die Qualität des Essens in der Kantine <u>stieß bei</u> vielen Mitarbeitern <u>auf Kritik</u>.
   ....

4. Es <u>kamen</u> auch noch andere Themen wie die Neubesetzung der Abteilungsleitung <u>zur Sprache</u>.
   ....

5. Es <u>kam</u> allerdings <u>zu keiner Entscheidung</u>, wer die Abteilung übernimmt.
   ....

5) Ergänzen Sie in der folgenden Zeitungsmeldung die passenden Nomen.

Antrag • Kritik • Beschluss • Bemühungen • Sprache • Konsequenzen

Bierbecher gegen Schiedsrichter
Der Hamburger Fußballklub FC St. Pauli muss beim nächsten Bundesligaeinsatz ohne Publikum spielen. Diesen .... (1) fasste das Sportgericht des Deutschen Fußballbundes, nachdem ein St. Pauli-Fan einen Schiedsrichter mit einem vollen Bierbecher beworfen hatte. Das Gericht zog mit dieser Entscheidung die .... (2) aus dem aggressiven Verhalten der Fans.

Der Fußballklub übte an dem Urteil heftige .... (3) und stellte einen .... (4) auf eine weitere mündliche Verhandlung. Im nachfolgenden Berufungsverfahren kam auch die jahrelange Arbeit mit den Fans zur .... (5). Der Klub konnte beweisen, dass er in den letzten Jahren besondere .... (6) in der Fanbetreuung unternommen hat. Das Sportgericht hob nun das Urteil gegen den FC St. Pauli wieder auf.

2 Nomen und Artikel

2.1 Genus

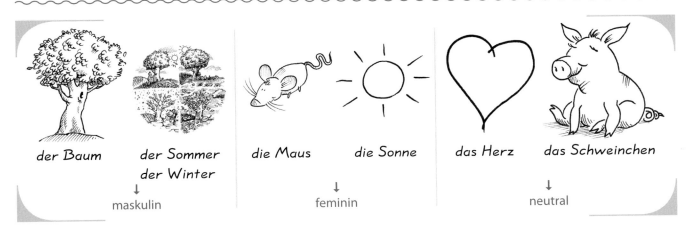

der Baum   der Sommer / der Winter   die Maus   die Sonne   das Herz   das Schweinchen

↓ maskulin   ↓ feminin   ↓ neutral

▶ **Gebrauch**

→ Nomen spielen in der Kommunikation eine wichtige Rolle für die Vermittlung von Inhalten. Jedes Nomen hat ein festes Genus.
Wir unterscheiden maskuline, feminine und neutrale Nomen. Man erkennt das Genus am Artikel: der, die, das.

▶ **Hinweise**

→ Warum ist *der Baum* maskulin, *die Maus* feminin und *das Herz* neutral? Das wissen wir nicht. Dafür gibt es keine Regeln. Am besten ist es, Nomen immer mit dem Artikel zusammen zu lernen.

→ Aber: Bei einigen Nomen gibt es Regeln, z. B.:

der Sommer	Jahreszeiten, Monate und Tage sind immer maskulin.
die Sonne	Viele Nomen, die auf *-e* enden, sind feminin.
das Schweinchen *(kleines Schwein)*	Alle Nomen auf *-chen* und *-lein* sind neutral.

→ Es gibt einige wenige Nomen mit verschiedenem Genus je nach Bedeutung, z. B.:

der Band *(ein Buch)*	–	das Band *(ein Streifen aus Stoff)*
der Erbe *(Person, die erbt)*	–	das Erbe *(Hinterlassenschaft wie Geld, Haus)*
der Gehalt *(Inhalt, Anteil)*	–	das Gehalt *(Lohn)*
der Leiter *(Chef)*	–	die Leiter *(kleine Treppe, z. B. für den Haushalt)*
der See *(Binnengewässer)*	–	die See *(Meer)*

▶ **Einige Regeln**

maskulin

▸ männliche Personen und Berufe	der Mann, der Koch
▸ Zeit: Tage, Monate, Jahreszeiten	der Dienstag, der März, der Sommer
▸ viele Nomen zum Thema Wetter	der Sturm, der Schnee
▸ alkoholische Getränke	der Wein, der Wodka (aber: das Bier)
▸ alle Nomen auf *-and* und *-ant*	der Doktorand, der Praktikant
▸ alle Nomen auf *-ent*	der Student
▸ viele Nomen auf *-et*	der Planet (aber: das Paket)
▸ alle Nomen auf *-eur*	der Ingenieur
▸ alle Nomen auf *-ismus*	der Kapitalismus
▸ alle Nomen auf *-ist*	der Pianist
▸ alle Nomen auf *-or*	der Motor
▸ alle Nomen auf *-ling*	der Liebling
▸ alle Geräte und viele Nomen auf *-er*	der Computer (aber: die Nummer, das Fenster)
▸ viele Nomen, die vom Verb kommen und keine Endung haben	der Besuch (von: besuchen) der Brauch (von: brauchen)

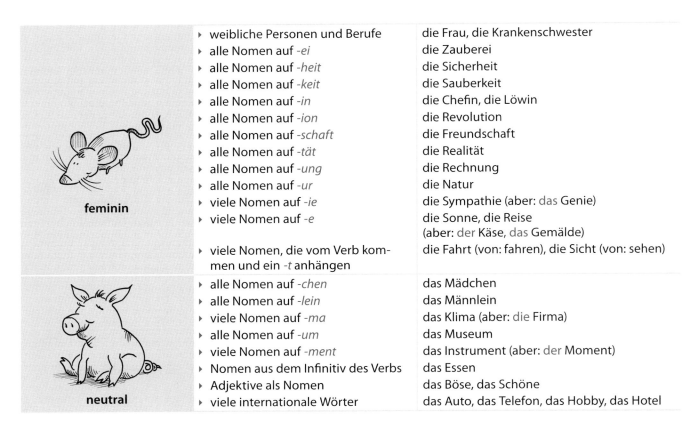

feminin		
	▸ weibliche Personen und Berufe	die Frau, die Krankenschwester
	▸ alle Nomen auf -ei	die Zauberei
	▸ alle Nomen auf -heit	die Sicherheit
	▸ alle Nomen auf -keit	die Sauberkeit
	▸ alle Nomen auf -in	die Chefin, die Löwin
	▸ alle Nomen auf -ion	die Revolution
	▸ alle Nomen auf -schaft	die Freundschaft
	▸ alle Nomen auf -tät	die Realität
	▸ alle Nomen auf -ung	die Rechnung
	▸ alle Nomen auf -ur	die Natur
	▸ viele Nomen auf -ie	die Sympathie (aber: das Genie)
	▸ viele Nomen auf -e	die Sonne, die Reise (aber: der Käse, das Gemälde)
	▸ viele Nomen, die vom Verb kommen und ein -t anhängen	die Fahrt (von: fahren), die Sicht (von: sehen)

neutral		
	▸ alle Nomen auf -chen	das Mädchen
	▸ alle Nomen auf -lein	das Männlein
	▸ viele Nomen auf -ma	das Klima (aber: die Firma)
	▸ alle Nomen auf -um	das Museum
	▸ viele Nomen auf -ment	das Instrument (aber: der Moment)
	▸ Nomen aus dem Infinitiv des Verbs	das Essen
	▸ Adjektive als Nomen	das Böse, das Schöne
	▸ viele internationale Wörter	das Auto, das Telefon, das Hobby, das Hotel

■ ■ ■ Übungen

1) **Ordnen Sie die Wörter nach Artikel. Nennen Sie auch die Regel.**

~~Regen~~ • Montag • Entscheidung • September • Onkel • Schnee • Anfang • Suppe • Monument • Kanadierin • Revolution • Sinfonie • Besuch • Kultur • Foto • Hotel • Whisky • Direktor • Publikum • Gesellschaft • Tageszeitung • Märchen • Konditorei • Koch • Zufriedenheit • Sauberkeit • Nationalität • Kino • Kaninchen • Lehrling • Thema • Fräulein • Sicht • Terrorismus • Demonstrant • Regisseur

der	die	das
Regen (Nomen zu „Wetter")		

2) Finden Sie den richtigen Artikel. Benutzen Sie die Regeln oder das Wörterbuch.

a) Lernen und Studieren

die Schule	.... Universität	.... Klasse	.... Gruppe
.... Unterricht	.... Seminar	.... Vorlesung	.... Bibliothek
.... Lehrbuch	.... Student	.... Schülerin	.... Nachschlagewerk
.... Studium	.... Fach	.... Lernen	.... Mensa
.... Kopierer	.... Kopie	.... Dozent	.... Professorin
.... Assistent	.... Mitschrift	.... Semester	.... Wohnheim
.... Prüfung	.... Klausur	.... Kurs	.... Vorbereitung
.... Forschung	.... Promotion	.... Abschluss	.... Arbeit
.... Vortrag	.... Auftrag	.... Aufgabe	.... Präsentation

b) Arbeit

.... Firma	.... Büro	.... Bleistift	.... Unternehmen
.... Drucker	.... Computer	.... Handy	.... Dienstwagen
.... Kennwort	.... Ordner	.... Laptop	.... Kugelschreiber
.... Papier	.... Chefin	.... Dokument	.... Hausmeister
.... Protokoll	.... Mitarbeiter	.... Gespräch	.... Besprechung
.... Bewerbung	.... Stelle	.... Gehalt	.... Steuererklärung
.... Kündigung	.... Arbeitszeit	.... Verwaltung	.... Abrechnung
.... Kantine	.... Direktor	.... Sitzung	.... Weiterbildung
.... Labor	.... Versuch	.... Konferenz	.... Urlaub

c) Verkehr

.... Bus	.... Zug	.... Auto	.... U-Bahn
.... Bahnhof	.... Stau	.... Garage	.... Verkehrsampel
.... Reise	.... Fahrkarte	.... Busfahrer	.... Kontrolleurin
.... Fahrplan	.... Haltestelle	.... Flugzeit	.... Verkehrsverbindung
.... Gleis	.... Verspätung	.... Unfall	.... Rastplatz
.... Ankunft	.... Fähre	.... Hafen	.... Informationsschalter

3) Künstliche Intelligenz?

(23)

Ergänzen Sie den richtigen Artikel. Orientieren Sie sich an den Regeln zur Genusbestimmung.
Schlagen Sie unbekannte Wörter im Wörterbuch nach.

.... künstliche Intelligenz erobert unseren Alltag. Wen wundert es da, dass auch .... Bekleidungsindustrie an diesem Trend teilnimmt? Ziemlich neu auf dem Markt sind sogenannte „Smart Clothes". Damit bezeichnet man .... Kombination von Kleidung mit Mikroelektronik. Bei dieser Mischung entstehen die interessantesten Produkte: .... wärmende Mäntelchen, ... leuchtende Jacke, ... Mobiltelefon im Handschuh oder .... Multimedia-Lederhose. Neben Unterhaltungselektronik spielt zunehmend auch .... medizinische Anwendung von Kleidung eine Rolle. Zum Beispiel kann .... integrierte GPS-Sender in einer Jacke bei einem Skiunfall .... lebensrettende Signal senden. Auch .... Schutz unserer Haut vor Sonnenstrahlen gewinnt an Bedeutung. .... Europäische Kommission entwickelt gerade einen Standard für UV-Schutzkleidung.

Doch .... Mensch will sich nicht nur vor Sonnenstrahlen schützen. .... Regen, ... Schnee, ... Wind, ... Kälte, ... Wärme: Dies alles sind Ärgernisse im Alltag, gegen die wir uns mit entsprechender Kleidung wappnen wollen. Dank besonders strapazierfähigem Gewebe kann Kleidung auch Schutz vor mechanischen Einflüssen bieten: .... Anzug eines Fechters ist stichfest, ... Weste eines Polizisten ist schusssicher.

.... neueste Entwicklung heißt: .... Nachbau der Natur. So entstanden nach dem „Hai-Haut-Prinzip" besondere Schwimmanzüge, die für ständig neue Weltrekorde sorgen. Bei ihnen konnte .... Reibungswiderstand im Wasser mit speziellen Oberflächenbehandlungen gesenkt werden. Jüngst erregte der wasserabweisende Pelz der Wasserjagdspinne .... Aufmerksamkeit der Textilforscher. .... feine Haarstruktur der Spinne sorgt für ein Luftpolster und .... Körper wird nicht mehr nass. Einige Wissenschaftler sehen die Zukunft der Textilien im Vorbild der Spinnenfäden. Sie sind extrem stabil, reißfest und dabei ganz leicht. Doch allein .... Produktion der Superfäden bereitet noch große Schwierigkeiten. .... Natur lässt sich ihre Geheimnisse eben doch nicht so leicht entreißen.

4) **Seltsame Paare**
Finden Sie den richtigen Artikel. Benutzen Sie, wenn nötig, das Wörterbuch.

1. *die* Gabel – .... Löffel
2. .... Frau – .... Mädchen
3. .... Auto – .... Wagen
4. .... Nordsee – .... Meer
5. .... Rhein – .... Donau
6. .... Datum – .... Termin
7. .... Zimmer – .... Raum
8. .... Gerät – .... Apparat

9. .... Tag – .... Nacht
10. .... Sonne – .... Mond
11. .... Regen – .... Gewitter
12. .... Freude – .... Ärger
13. .... Liebe – .... Hass
14. .... E-Mail – .... Brief
15. .... Arm – .... Bein
16. .... Tasse – .... Teller

■ Komposita (Zusammengesetzte Nomen)

Nomen + Nomen:

der Wein + <u>das</u> Glas = <u>das</u> Weinglas
der Wein + <u>die</u> Flasche = <u>die</u> Weinflasche
der Wein + der Keller + <u>der</u> Schlüssel = <u>der</u> Weinkellerschlüssel

Nomen + s + Nomen:

die Liebe + <u>die</u> Erklärung = <u>die</u> Liebe<u>s</u>erklärung
die Heirat + <u>der</u> Antrag = <u>der</u> Heirat<u>s</u>antrag
das Glück + <u>das</u> Gefühl = <u>das</u> Glück<u>s</u>gefühl

▶ **Hinweise**

→ Bei zusammengesetzten Nomen richtet sich das Genus nach dem letzten Nomen.

→ Bei manchen Komposita steht zwischen den beiden Nomen ein *-s-* („Fugen-s"), z. B. bei
  ▸ femininen Nomen auf *-tät, -heit, -keit, -schaft, -ung, -ion*: Freundschaftsdienst, Entwicklungshilfe
  ▸ Nomen auf *-ling* und *-tum*: Lieblingsgericht, Wachstumsbranche
  ▸ Nomen vom Infinitiv des Verbs: Schlafenszeit, Verhaltensregeln
  ▸ maskulinen Nomen wie *Verkehr, Beruf, Unterricht, Urlaub, Einkauf*: das Verkehrsmittel, der Berufswunsch, das Unterrichtsfach, die Urlaubszeit, der Einkaufswagen
  ▸ femininen Nomen wie *Arbeit, Liebe, Heirat, Hochzeit*: das Arbeitsleben, die Liebeserklärung, der Heiratsantrag, das Hochzeitsessen
  ▸ neutralen Nomen wie *Geschäft, Glück, Gefühl*: die Geschäftswelt, das Glückskind, die Gefühlsentscheidung

➤ Seite 110: Weitere zusammengesetzte Nomen: *Wortbildung*

■ ■ ■ Übungen

5) **Was passt? Bilden Sie möglichst viele Komposita. Manchmal gibt es mehrere Möglichkeiten.**

Kaffee · Büro · Auto · Zimmer · Mond · Kunst · Geld · Zeit · Reise · Macht · Stadt · Computer

Schlüssel · Führung · Tasse · Landung · Galerie · Punkt · Automat · Klammer · Dokument · Missbrauch · Programm · Schein

die Kaffeetasse, ...

....

....

6) Das Geschäft mit Computerspielen

a) Lesen Sie den folgenden Text und markieren Sie die zusammengesetzten Nomen.

Kaum ein anderer Zweig der Medienwirtschaft wächst schneller als das Geschäft mit Computerspielen, sogar die Kinoindustrie ist abgehängt. Derzeit trifft sich die Branche in Köln zur „Gamescom", Europas größter Spielemesse. Die Computerhersteller und Spieleentwickler haben viele neue Projekte im Gepäck.

Selbst während der Finanzkrise konnte die Computerspielbranche Rekordabsätze melden. Allein im Jahr 2010 machte die PC- und Konsolenspielindustrie weltweit einen Umsatz von rund 41 Milliarden Euro. Zum Vergleich: Die Kinobranche verkaufte im selben Jahr weltweit Eintrittskarten für weniger als 30 Milliarden US-Dollar (23,3 Milliarden Euro).

Auch bei neuen Entwicklungen in der IT-Branche gelten Computerspiele als Innovationsmotor und bestimmen die Entwicklungsrichtung. So sind neue Computer immer an die neuesten Spiele angepasst und Chiphersteller entwickeln nicht zuletzt wegen der immer höheren Systemanforderungen von PC-Spielen ihre Prozessoren weiter. Wenn man nur Textverarbeitungsprogramme zum Laufen bringen will, braucht man sicherlich nicht den neuesten Rechner, sagen die Experten.

Für die Zukunft prognostiziert die Beraterfirma Pricewaterhouse Coopers der weltweiten Spielbranche jährliche Umsätze in Höhe von 67 Milliarden Euro. Damit wäre sie nach dem Geschäft mit der Internetwerbung der am schnellsten wachsende Bereich der Unterhaltungsindustrie.

Deutschland ist im europaweiten Vergleich der drittwichtigste Markt für Computerspiele, nur Briten und Franzosen spielen noch mehr.

b) Nennen Sie die Komposita aus dem Text mit Artikel im Nominativ Singular und in Einzelteilen, wie im Beispiel:

das Computerspiel: der Computer, das Spiel; ...

7) Bilden Sie Komposita und ergänzen Sie die Artikel. Achten Sie auf das *Fugen-s*, wenn nötig.

a) Arbeit und Beruf

●	.... Abteilung	+	.... Besprechung	=	*die Abteilungsbesprechung*
1.	.... Entwicklung	+	.... Prozess	=	....
2.	.... Sicherheit	+	.... Kontrolle	=	....
3.	.... Sitzung	+	.... Protokoll	=	....
4.	.... Problem	+	.... Lösung	=	....
5.	.... Arbeit	+	.... Vertrag	=	....
6.	.... Termin	+	.... Vereinbarung	=	....
7.	.... Produkt	+	.... Präsentation	=	....
8.	.... Personal	+	.... Abteilung	=	....
9.	.... Fach	+	.... Kompetenz	=	....
10.	.... Beruf	+	.... Wunsch	=	....

b) Alltägliches

1.	.... Glück	+	.... Gefühl	=	....
2.	.... Essen	+	.... Einladung	=	....
3.	.... Liebe	+	.... Geständnis	=	....
4.	.... Verlobung	+	.... Ring	=	....
5.	.... Hochzeit	+	.... Feier	=	....
6.	.... Ehe	+	.... Krise	=	....
7.	.... Kommunikation	+	.... Problem	=	....
8.	.... Gefühl	+	.... Chaos	=	....
9.	.... Scheidung	+	.... Anwalt	=	....
10.	.... Wohnung	+	.... Suche	=	....

2.2 Numerus: Plural

eine Maus
↓
Singular

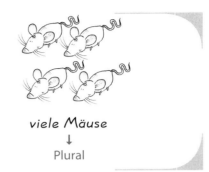

viele Mäuse
↓
Plural

▶ **Formen**

Pluralendung	Singular	Plural	
– **(+ Umlaut)**	das Zimmer der Kuchen das Mädchen der Apfel der Vater	die Zimmer die Kuchen die Mädchen die Äpfel die Väter	vor allem maskuline und neutrale Nomen mit den Endungen: *-er, -el, -en* und neutrale Nomen auf *-chen* und *-lein* Einige Pluralformen bekommen einen Umlaut *(ä, ö, ü, äu)*.
-e **(+ Umlaut)**	der Brief das Gerät der Ball die Maus die Kuh	die Briefe die Geräte die Bälle die Mäuse die Kühe	viele maskuline und neutrale Nomen, viele einsilbige Nomen Viele maskuline und alle femininen Nomen bilden den Plural mit Umlaut *(ä, ö, ü, äu)*.
-er **(+ Umlaut)**	das Bild das Rad der Mann der Wald	die Bilder die Räder die Männer die Wälder	viele neutrale und einige maskuline Nomen Die Pluralformen bekommen einen Umlaut *(ä, ö, ü, äu)*.
-(e)n	die Tasse die Wohnung der Student der Kollege das Museum die Firma das Konto	die Tassen die Wohnungen die Studenten die Kollegen die Museen die Firmen die Konten	sehr viele feminine Nomen maskuline Nomen der n-Deklination Bei einigen Nomen auf *-um, -o* oder *-a* entfällt die Singularen- dung vor der Pluralendung *-en*.
-s	das Auto das Hobby das Taxi das Hotel	die Autos die Hobbys die Taxis die Hotels	viele Fremdwörter viele Wörter, die auf einen Vokal enden

▶ **Hinweise**

→ Der bestimmte Artikel im Plural ist immer die.

→ Wenn maskuline oder neutrale Nomen als **Maß-, Mengen- oder Währungseinheit** gebraucht werden, sind die Singularform und die Pluralform identisch.
  ein Kilogramm – zehn Kilogramm, ein Stück Seife – zehn Stück Seife, ein Euro – zehn Euro
  Feminine Nomen als **Maß- oder Mengenangabe** erhalten eine Pluralform.
  Fritz trank eine Tasse Tee, Susi drei Tasse**n** Kaffee.

→ Einige Nomen gibt es **nur im Singular**: das Alter, der Ärger, die Butter, der Frieden, das Gepäck, die Gesundheit, der Hass, der Honig, das Internet, die Milch, das Obst, der Schnee, der Schmuck, der Stahl, der Verkehr.

→ Einige Nomen gibt es **nur im Plural**: die Eltern, die Ferien, die Geschwister, die Gliedmaßen, die Leute, die Möbel, die Finanzen, die Kosten, die Spaghetti.

■ ■ ■ Übungen

1) **Sänger Bruno hat mit seinen Liedern sehr viel Geld verdient. Er ist jetzt Millionär und Geschäftsmann.**

Er hat 60 *Millionen*   *(Million)* Euro auf verschiedenen .... *(Bankkonto)*,

5 .... *(Luxusauto)*,

2 .... *(Flugzeug)*,

3 .... *(Jacht)*,

4 .... *(Villa)*,

2 .... *(Penthouse-Wohnung)*,

20 .... *(Gemälde)* von modernen Künstlern,

70 .... *(Anzug)* der besten Modedesigner,

10 teure .... *(Armbanduhr)*,

2 .... *(Musikproduktionsfirma)*,

9 .... *(Assistent)*,

2 .... *(Leibwächter)*,

5 .... *(Freundin)*,

3 .... *(geschiedene Ehefrau)*,

6 .... *(Kind)*.

2) **Frau Andersen soll ein Treffen mit Geschäftspartnern vorbereiten.**
Ergänzen Sie in der folgenden E-Mail die Nomen im Plural.

> Liebe Frau Andersen,
>
> würden Sie bitte für die Verhandlung mit unseren chinesischen Geschäftspartnern folgende *Produkte (Produkt)*
> mit unserem Firmenlogo auf die .... *(Tisch)* legen:
> 10 .... *(Ordner)*, 10 .... *(Kugelschreiber)*, 10 .... *(Bleistift)*,
> 10 .... *(Notizblock)* und 10 .... *(Schlüsselanhänger)*.
> Bitte organisieren Sie außerdem: 3 .... *(Kanne)* Kaffee und eine Kanne Tee,
> 15 .... *(Tasse und Teller)*, 3 ....
> .... *(Kännchen mit Milch)*, 10 .... *(Flasche)* Mineralwasser,
> 15 .... *(Glas)*, 20 belegte .... *(Brötchen)*.
> Herzlichen Dank!
> Tanja Hartung

3) **Sonderangebote im Kaufhaus. Ergänzen Sie die Nomen im Plural.**

● Im Rahmen unserer Sommerschlussverkaufs-Aktion finden Sie bei uns die tollsten *Angebote (Angebot)*.

1. Suchen Sie modische .... *(Kleidungsstück)* für den Herbst? Bei uns sind Sie genau richtig! Alle
.... *(Rock)* und .... *(Hose)* in unserer Damenmode-Abteilung kosten jetzt 15 % weniger.

2. Mädchen aufgepasst! Wir zeigen die schönsten .... *(Bikini)* im Hawaii-Look.

3. Ob Sie elegante .... *(Abendschuh)* oder bequeme .... *(Sandale)* brauchen, in unserer
Schuhabteilung finden Sie bestimmt, was Sie suchen. Schauen Sie mal rein!

4. Natürlich haben wir auch an die .... *(Herr)* gedacht: In unserer neuen Kollektion finden Sie
.... *(Hemd)*, ... *(T-Shirt)* und .... *(Jacke)* in modischen Farben!

5. Die mit neuen Materialien beschichteten .... *(Topf)* und .... *(Pfanne)* in unserer
Haushaltsabteilung müssen Sie einfach mal ausprobieren! Unsere .... *(Mitarbeiter)* verraten Ihnen
auch geheime .... *(Kochrezept)* internationaler .... *(Spitzenkoch)*.

6. Auf unsere hochwertigen .... *(Elektrogerät)* gewähren wir jetzt einen Rabatt von 30 %.

4) Umfrageergebnisse zu zwischenmenschlichen Beziehungen
Welches Nomen passt? Benutzen Sie im Text den Plural.

a) **Online-Dating**

- der Computerfreak
- ~~der Mensch~~
- die Million
- der Single
- die Untersuchung
- die Beziehung
- die Diskothek
- die Kneipe
- der Kennlern-Platz
- das Medium

„Ich habe keine Ahnung." – So antworten viele *Menschen* auf die Frage, ob Online-Dating ihrer Meinung nach funktioniert. Mittlerweile gibt es jedoch einige zuverlässige .... von Singlebörsen, die bestätigen, dass Online-Dating nicht die Lieblingsbeschäftigung obskurer ...., sondern eine ganz normale Art des Kennenlernens ist.

Immer mehr .... nehmen an der Online-Partnersuche teil. In Deutschland hat sich die Zahl von unter 250 000 im Jahr 2000 auf jetzt rund sieben .... erhöht.

Dass diese Art der Partnersuche immer beliebter wird, ist teils damit zu erklären, dass sie seit 2002 in allen bedeutenden .... (z. B. Radio, Fernsehen, Internet) als modern und trendy dargestellt wird. Inzwischen steht das Internet nach dem Arbeitsplatz und dem Freundeskreis auf dem dritten Rang der wichtigsten .... Das heißt: Es entstehen heutzutage mehr .... im Internet als in .... und ....

b) **Männer lügen doppelt so oft wie Frauen**

der Schnaps · die Lüge · der Grund · das Gefühl · der Einkauf · das Bier

Laut einer britischen Umfrage lügen Männer im Schnitt 42-mal pro Woche. Das sind zusammen mehr als 2 000 .... im Jahr. Frauen lügen nur halb so oft. Sie haben, so hat die Untersuchung ergeben, auch andere .... für das Sagen der Unwahrheit. Bei Frauen geht es oft um ...., bei Männern um die Anzahl der getrunkenen .... oder .... Am meisten lügen beide Geschlechter aber über ihre ....

5) Ergänzen Sie die Nomen im Plural.

Das Wunder der Handtasche

Wer die .... *(Grund)* dafür finden will, warum Frauen zu ihren Handtaschen ein besonderes Verhältnis haben, muss in die Taschen der .... *(Dame)* hineinschauen. Das schreibt jedenfalls der französische Soziologe Jean-Claude Kaufmann in seinem Buch über die für Männer unbegreifliche Beziehung: Frau – Handtasche.

Fest steht, dass eine Handtasche nicht einfach ein Stück Stoff oder Leder ist: Eine Handtasche hat eine Seele. Und die Seele der Tasche liegt, so der Autor, in dem Sammelsurium, das Frauen täglich mit sich herumtragen: Das können sehr nützliche .... *(Ding)* wie .... *(Geldschein)*, ... *(Schlüssel)*, ... *(Kopfschmerztablette)* oder .... *(Lippenstift)* sein. Aber auch .... *(Muschel)*, ... *(Stein)*, alte .... *(Brief)*,

kleine .... *(Stofftier)* und .... *(Foto)* sind in manchen Frauenhandtaschen zu finden. Der Anteil der scheinbar nutzlosen .... *(Gegenstand)*, die Frauen so mit sich führen und die sie offensichtlich an wichtige .... *(Moment)* ihres Lebens erinnern, beträgt nach .... *(Untersuchung)* des Soziologen ca. 80 Prozent.

Der Umstand, dass Frauen und ihre Handtaschen unzertrennlich sind, kann übrigens für Männer auch .... *(Vorteil)* haben. Zur Grundausstattung der weiblichen Handtasche gehören nämlich auch .... *(Taschentuch)*. Sollte nun ein Mann aus irgendeinem Grund mal weinen müssen, braucht er sich keine .... *(Gedanke)* zu machen: Zum Trocknen der .... *(Träne)* befindet sich bestimmt ein weibliches Wesen mit seinem Wunderbeutel in der Nähe.

B Grammatik

2.3 Kasus

Der Gemüsehändler gibt der Frau den Apfel.
↓ ↓ ↓
Nominativ Dativ Akkusativ

Die Frau geht gerne zum Stand des Gemüsehändlers.
↓
Genitiv

▶ **Hinweise**

→ Mithilfe des Kasus kann man die **Funktion der Satzglieder im Satz** erkennen.
Der Gemüsehändler *(Subjekt)* gibt **der Frau** *(Dativobjekt, oft Adressat)* **den Apfel** *(Akkusativobjekt)*.

→ Das **Genitivattribut** kann ein Besitzverhältnis oder eine Zugehörigkeit, einen Täter oder Urheber, ein Produkt oder eine Eigenschaft bezeichnen. Das Genitivattribut ist meistens nachgestellt.
Die Frau geht gerne zum Stand des Gemüsehändlers. *(Besitzverhältnis)*
Der Gesang der Vögel beeindruckte alle. *(Täter)*
Der Autor des Romans weist alle Plagiatsvorwürfe zurück. *(Produkt)*
Das sind Produkte minderer Qualität. *(Eigenschaft)*
Bei Namen steht das Genitivattribut vor dem Bezugswort. Ottos Drucker ist kaputt.

■ Wer oder was bestimmt den Kasus?

A Verben

▶ **Das Verb regiert im Satz!**

→ **Verben mit direktem Kasus** ➤ Seite 56
Das Verb bestimmt den Kasus.
Der Hausmeister schreibt dem Chef eine E-Mail. → Verb mit direktem Kasus: Nominativ, Dativ, Akkusativ

→ **Verben mit präpositionalem Kasus** ➤ Seite 60
Das Verb bestimmt die Präposition und die Präposition bestimmt den Kasus.
Die Kollegen reden über das Projekt. → Verb mit präpositionalem Kasus: Nominativ, *über* + Akkusativ

B Adjektive mit *sein*

Einige Adjektive können im prädikativen Gebrauch mit dem Verb *sein* einen direkten oder einen präpositionalen Kasus bestimmen.
Mir ist kalt. → direkter Kasus — Dativ
Ich bin wirklich böse auf dich. → präpositionaler Kasus — Nominativ, *auf* + Akkusativ ➤ Seite 145

C Präpositionen in freien Angaben (z. B. lokale, temporale oder modale Angaben)

Nach einer Präposition folgt immer ein bestimmter Kasus. Das kann ein Akkusativ, Dativ oder Genitiv sein.
Wir kommen zu dir. → Lokalangabe — *zu* + Dativ
Wir kommen nach dem Abendessen. → Temporalangabe — *nach* + Dativ
Wir kommen mit dem Auto. → Modalangabe — *mit* + Dativ
Wir kommen ohne die Kinder. → Modalangabe — *ohne* + Akkusativ
Wir kommen trotz des schlechten Wetters. → Konzessivangabe — *trotz* + Genitiv ➤ Seite 153 ff.

D Nomen mit Genitivattribut

Das ist das Büro meines Chefs. → Angabe einer Zugehörigkeit im Genitiv

■ Deklination der Nomen

Kasus	maskulin		feminin		neutral		Plural	
	Singular							
Nominativ	der		die		das		die	
Akkusativ	den	Baum	die	Maus	das	Auto	die	Bücher
Dativ	dem		der		dem		den	Büchern
Genitiv	des	Baumes	der		des	Autos	der	Bücher

▶ **Hinweise**

→ Den Kasus erkennt man hauptsächlich an der Endung des Artikels.

→ Im Genitiv Singular bekommen maskuline und neutrale Nomen die Endung -(e)s: der Baum – des Baum**es**, der Kuchen – des Kuchen**s**, das Auto – des Auto**s**.

→ Im Dativ Plural bekommen die Nomen die Endung -n: die Bäume – den Bäume**n**, die Mäuse – den Mäuse**n**, die Bücher – den Büche**rn**.
Ausnahme: Nomen mit der Pluralendung -s: die Autos – den Autos

■ ■ ■ Übungen

1) **In welchem Kasus stehen die unterstrichenen Nomen?**

● Der Chef hat <u>den Termin</u> verschoben.   *Akkusativ*

1. Die Maßnahmen dienen <u>der Schulung</u> <u>des Kollegiums</u>. ....

2. Kennst du <u>den neuen Direktor</u>? ....

3. Kopieren Sie bitte <u>die Unterlagen</u> für <u>die Besprechung</u>? ....

4. Die Ministerin will jetzt <u>die künftige Bundeskanzlerin</u> werden. ....

5. <u>Der Mann</u> wollte <u>die Kinder</u> nur beschützen. ....

6. Dieses pompöse Bauwerk ist <u>das Schloss</u> <u>des ehemaligen Königs</u> von Sachsen. ....

7. Folgen Sie <u>dem Mann</u> in <u>dem Taxi</u>. ....

8. Die meisten Menschen glauben an <u>die Liebe</u> auf <u>den ersten Blick</u>. ....

9. Schlafforscher empfehlen <u>den Menschen</u> <u>eine Schlafzeit</u> von sieben bis acht Stunden. ....

10. Schlafstörungen beeinflussen <u>das Wohlbefinden</u> <u>der Menschen</u>. ....

2) **Frau und Herr Schwarz streiten sich.**

a) **Ergänzen Sie die Nomen im Akkusativ.**

Frau Schwarz: Du hast wieder vergessen,

● *den Tisch*   abzuräumen *(der Tisch)*,

1. ....   abzuspülen *(das Geschirr)*,

2. ....   von der Post abzuholen *(das Paket)*,

3. ....   anzurufen *(der Monteur)*,

4. ....   zu füttern *(die Katze)*,

5. ....   auszuschalten *(der Fernseher)*,

6. ....   zu schließen *(das Fenster)*,

7. ....   runterzubringen *(der Müll)* und

8. ....   zu bezahlen *(die Rechnung)*.

b) **Ergänzen Sie die Nomen im Dativ und Akkusativ.**

Herr Schwarz: Und du hast

1. .... nicht zurückgegeben *(die Nachbarin, der Staubsauger)*,
2. .... mit der Wasserleitung nicht gemeldet *(der Hausmeister, das Problem)*,
3. .... nicht überwiesen *(die Reinigungsfirma, das Geld)*,
4. .... nicht gezeigt *(die Gäste, die Urlaubsfotos)*,
5. .... verschwiegen *(meine Mutter, deine Gehaltserhöhung)*,
6. .... nicht erklärt *(die Kinder, die Grammatikregeln)*.

3) **Bilden Sie Sätze im Präsens.**

● aufräumen – der Schreibtisch – ich
   Ich räume den Schreibtisch auf.

1. du – wann – die E-Mail – beantworten?
   ....

2. der Chef – danken – die Rezeptionistin
   ....

3. begründen – die Anhebung – die Preise – der Direktor
   ....

4. Karl – helfen – die Kolleginnen – gerne
   ....

5. du – immer – kritisieren – der Hausmeister – müssen?
   ....

6. das Essen – schmecken – die Kollegen – nicht
   ....

7. mitteilen – der Abteilungsleiter – der Zeitpunkt – die Verhandlung – die Assistentin
   ....

8. der Manager – die Ergebnisse – die Marktuntersuchung – präsentieren
   ....

9. die Verwaltungsleiterin – der Fehler – der Chef – nicht – bemerken
   ....

10. übernehmen – die Praktikantin – die Vorbereitung – die Sitzung
    ....

4) **Betriebsrundgang mit dem neuen Mitarbeiter**
    Ergänzen Sie die Nomen im Genitiv.

Hier sehen Sie den Empfangsbereich *der Firma (die Firma)*. Auf der linken Seite .... *(der Gang)* geht es zur Kantine .... *(die Mitarbeiter, Pl.)*. Gleich daneben liegt die Kantine .... *(das Management)*, die auch für diverse Geschäftsessen genutzt wird. Der Küchenchef .... *(die Management-Kantine)* ist neu. Einige Gäste hatten sich negativ über die Qualität .... *(das Essen)* geäußert. Auf der rechten Seite befinden sich die Zimmer .... *(die Verwaltung)*. In der Verwaltung wird der gesamte Zahlungsverkehr .... *(das Unternehmen)* abgewickelt.

In der ersten Etage finden Sie die Verhandlungsräume .... *(die Verkaufsabteilung)*. Gleich hier vorn ist das Zimmer .... *(der Abteilungsleiter)*, daneben, in dem kleinen Zimmer, sitzt die Sekretärin .... *(der Chef)*, Frau Müller. Und das hier ist .... *(Frau Müller)* berühmte Kaffeemaschine – hier schmeckt der Kaffee besser als aus den großen Automaten, die neben den Fahrstühlen stehen. Soll ich Frau Müller mal fragen, ob sie uns zur Stärkung einen Kaffee macht?

■ Besondere maskuline Nomen: Die n-Deklination

▶ **Formen**

Kasus	Singular maskulin		Plural	
Nominativ	der	Kollege	die	
Akkusativ	den		die	Kollegen
Dativ	dem	Kollegen	den	
Genitiv	des		der	

▶ **Hinweise**

→ Einige maskuline Nomen haben eine besondere Endung: Sie enden außer im Nominativ Singular immer auf *-n*.
Dazu gehören

▸ viele maskuline Nomen auf *-e*, z. B.:
der Kollege, der Junge, der Kunde, der Experte, der Hase, der Löwe, der Zeuge

▸ Angehörige bestimmter Nationalitäten auf *-e*:
der Brite, der Bulgare, der Chinese, der Däne, der Finne, der Franzose, der Grieche, der Pole, der Russe, der Schwede usw.

▸ alle maskulinen Nomen auf *-and, -ant, -ent, -ist*:
der Doktorand, der Diamant, der Praktikant, der Patient, der Journalist, der Polizist
(Endung in Singular und Plural: *-en*)

▸ maskuline Nomen aus dem Griechischen, oft Berufsbezeichnungen:
der Biologe, der Demokrat, der Diplomat, der Fotograf, der Architekt, der Philosoph, der Monarch, der Soldat, der Katholik, der Satellit

▸ Nomen wie: der Nachbar, der Bauer
der Fürst, der Graf, der Prinz, der Held, der Mensch (Endung in Singular und Plural: *-en*)
der Herr (Endung im Plural: *-en*)

▸ Ausnahmen: Einige maskuline Nomen bilden den Genitiv zusätzlich mit *-s*.
der Buchstabe (des Buchstabens), der Gedanke (des Gedankens), der Name (des Namens)
Gleiches gilt für das neutrale Nomen: das Herz (des Herzens).

■ ■ ■ Übungen

5) **Welche Nomen gehören nicht zur n-Deklination? Markieren Sie die Nomen.**

● der Graf – der Fürst – der Prinz – <u>der König</u>
1. der Mann – der Herr – der Junge – der Bube
2. der Kollege – der Kunde – der Mitarbeiter – der Praktikant
3. der Biologe – der Philosoph – der Chemiker – der Fotograf
4. der Grieche – der Niederländer – der Schwede – der Franzose
5. der Musiker – der Pianist – der Komponist – der Musikproduzent
6. der Hase – der Igel – der Löwe – der Elefant
7. der Experte – der Anwalt – der Zeuge – der Polizist
8. der Name – der Gedanke – das Wort – das Herz

6) **Was passt? Kombinieren Sie. Setzen Sie die Ergänzungen in den richtigen Kasus.**

● Susanne liebt jetzt *einen Franzosen.*
1. Der Arzt hilft ....
2. Das Gericht befragt ....
3. Der Minister antwortet auf die Fragen ....
4. Die ausländischen Gäste sprechen mit ....
5. Bitte unterschreiben Sie hier mit ....
6. Der Verkäufer berät ....

a) der Präsident
b) Ihr Name
c) ein Franzose
d) der Kunde
e) der Patient
f) der Journalist
g) der Zeuge

7) Die arme Frau Müller! Der Chef hat mal wieder einige Aufträge. (24)
Ergänzen Sie die Nomen in der richtigen Form.

☐ Frau Müller, gut, dass Sie noch da sind. Ich habe heute einiges nicht geschafft. Könnten Sie das noch schnell für mich erledigen? Ich muss jetzt ganz schnell weg.

△ Eigentlich wollte ich gerade gehen. Ich habe meiner Schwester versprochen, dass ich heute mit meinem *Neffen (Neffe)* in den Zirkus gehe. Da gibt es einen .... *(Löwe)*, der durch einen brennenden Reifen springt.

☐ Sie können ja auch gleich Feierabend machen, Frau Müller. Sie müssten nur noch den .... *(Lieferant)* in Hamburg anrufen und fragen, wann die Ware kommt. Diesen Termin könnten Sie dann gleich dem .... *(Kunde)* mitteilen. Und sagen Sie bitte dem .... *(Praktikant)*, dass er morgen früh um 8.00 Uhr die Gäste vom Bahnhof abholen soll.

△ Gut, mache ich.

☐ Ach, eins noch, könnten Sie den .... *(Kollege, Pl.)* noch eine E-Mail schicken, dass wir morgen einen .... *(Experte)* zum Thema Rentenversicherung erwarten? Das ist besonders für den .... *(Kollege)* Krause wichtig, der hat mich danach gefragt. Übrigens kommt morgen auch die Firma „Schöner im Büro" mit einem .... *(Innenarchitekt)*. Der .... *(Architekt)* möchte sich mal mein Büro ansehen.

△ Ihr Büro? Ich dachte, ich bekomme neue Büromöbel.

☐ Vielleicht im nächsten Jahr, Frau Müller. Ich empfange ja die .... *(Kunde, Pl.)*, deshalb hat mein Büro Vorrang. So, ich gehe dann mal. Wenn Sie sich ein bisschen beeilen, dann verpassen Sie auch den .... *(Hase)* nicht, der im Zirkus durch den Reifen springt.

△ Es ist ein .... *(Löwe)*, Chef.

8) Wissenswertes über Tiere
Auf welches Tier passt die Beschreibung? Ergänzen Sie die Tiere in der richtigen Form.

Zwergseidenaffe • Bär • Schimpanse • Rabe • Löwe • Elefant

1
Der .... ist groß und kräftig. Das Körpergewicht eines .... variiert zwischen 25 und 800 Kilogramm, er kann bis zu 2,50 Meter groß werden. Der .... ist ein Einzelgänger. Im Spätsommer und Herbst muss sich der .... für seinen Winterschlaf einen Fettvorrat anfressen. Einem .... schmeckt fast alles: Früchte und Pflanzen, Insekten, Fische oder Nagetiere.

2
Der .... steht dem Menschen am nächsten. Er gilt als das intelligenteste Tier. Man kann einem .... tolle Kunststücke beibringen, zum Beispiel kann ein .... geschickt mit Werkzeugen umgehen. Es ist sogar möglich, einen .... bestimmte Zeichen zu lehren und sich auf diese Weise mit ihm zu unterhalten.

3
Der .... gehört zu den Tieren mit dem größten Hunger. Auf dem Speiseplan eines .... stehen täglich 50 bis 100 Kilogramm Laub, Gras, Wurzeln, Rinde und Früchte. Die .... *(Pl.)* verbringen einen Großteil des Tages nur mit Fressen.

4
Nach dem Tiger ist der .... die zweitgrößte Katze und damit das größte Landraubtier Afrikas. Das durchschnittliche Körpergewicht eines ausgewachsenen .... beträgt 225 Kilogramm. Die größten .... *(Pl.)* leben heute im südlichen Afrika, die kleinsten in Asien. Der .... jagt meist bei Dunkelheit. Zu den Beutetieren des .... gehören vor allem Antilopen, Gazellen, Gnus, Büffel und Zebras.

5
Der .... erreicht eine Länge von 12 bis 15 Zentimetern, sein Gewicht beträgt 85 bis 140 Gramm. Er ist damit der kleinste Vertreter seiner Art. Als Schlafplätze dienen dem .... dichte Pflanzen oder Baumhöhlen. Die Nahrung des .... besteht vorwiegend aus Baumsäften und Kleintieren.

6
Der .... ist ein Raubvogel. Er spielt in vielen Märchen und Sagen eine große Rolle. Dem .... wurden in der griechischen und nordischen Mythologie Intelligenz und Weisheit zugeschrieben. Interessanterweise konnten neuere wissenschaftliche Untersuchungen bestätigen, dass der .... der Vogel mit der größten Intelligenz ist. In Experimenten konnten .... *(Pl.)* unglaubliche Fähigkeiten unter Beweis stellen.

2.4 Wortbildung der Nomen

Zusammengesetzte Nomen:

die Weinflasche   (der Wein + die Flasche)

Abgeleitete Nomen:

das Trinken   (von: trinken)
die Verkostung   (von: verkost[en] + -ung)

▶ **Formen**

Man kann Nomen aus verschiedenen Wortarten zusammensetzen oder ableiten.

Komposita (zusammengesetzte Nomen)

Nomen	+ Nomen	der Wein + das Glas	→ das Weinglas	
Verb	+ Nomen	wasch(en) + die Maschine	→ die Waschmaschine	
Adjektiv	+ Nomen	kühl + der Schrank	→ der Kühlschrank	
Präposition	+ Nomen	neben + der Eingang	→ der Nebeneingang	

➤ Seite 100

Abgeleitete Nomen

von Verben und Adjektiven:

vom Infinitiv des Verbs	trinken	→ das Trinken
vom Verbstamm	besuch(en)	→ der Besuch
vom Adjektiv	fern	→ die Ferne

mit Präfix (Vorsilbe):

ge- + Verb	ge- + fühl(en)	→ das Gefühl
miss- + Nomen	miss- + Erfolg	→ der Misserfolg

mit Suffix (Nachsilbe):

Verb + -(a)tion	organis(ieren) + -ation	→ die Organisation	
Verb + -ung	beschreib(en) + -ung	→ die Beschreibung	
Verb + -t	fahr(en) + -t	→ die Fahrt	
Verb + -e	lieb(en) + -e	→ die Liebe	
Verb + -nis	erleb(en) + -nis	→ das Erlebnis	
Verb + -er/-erin	prüf(en) + -er	→ der Prüfer/die Prüferin	
Verb + -ling	lieb(en) + -ling	→ der Liebling	
Verb/Adjektiv + -tum	wachs(en) + -tum	→ das Wachstum	
	reich + -tum	→ der Reichtum	
Verb/Nomen + -schaft	leiden + -schaft	→ die Leidenschaft	
	Freund + -schaft	→ die Freundschaft	
Adjektiv/Nomen + -heit	wahr + -heit	→ die Wahrheit	
	Kind + -heit	→ die Kindheit	
+ -(ig)keit	freundlich + -keit	→ die Freundlichkeit	
	arbeitslos + -igkeit	→ die Arbeitslosigkeit	

▶ **Hinweise**

→ Bei zusammengesetzten Nomen richtet sich das Genus nach dem letzten Nomen.

■ ■ ■ Übungen

1) **Bilden Sie aus den vorgegebenen Wörtern Nomen.**

a) **Verben (manchmal verändert sich der Vokal)**

> prüfen · schießen · lieben · verhandeln · sitzen · bewegen · anmelden · mitteilen · besitzen · einsprechen · beschreiben · lügen · waschen · anlegen · besprechen · werben · bauen · berichten · fließen · beweisen · küssen · reisen

feminine Nomen auf *-ung*	feminine Nomen auf *-e*	maskuline Nomen ohne Endung
die Prüfung, ...	*die Liebe,*	*der Schuss,* ....
....	....	....
....	....	....
....	....	....

b) **Adjektive/Partizipien**

> wahr · einheitlich · arbeitslos · eigen · einfach · tätig · bereit · klar · sorglos · errungen · fähig · sicher

feminine Nomen auf *-heit*	feminine Nomen auf *-(ig)keit*	feminine Nomen auf *-schaft*
die Wahrheit, ...	....	....
....	....	....
....	....	....

2) **Komposita. Was kann man miteinander kombinieren?**
Bilden Sie zusammengesetzte Nomen.

> reisen · frei · lesen · schreiben · groß · klein · bauen · waschen · deutsch

> der Stein · die Tasche · das Buch · die Maschine · der Tisch · der Kurs · die Schreibung · das Unternehmen · die Stadt · die Zeit

die Reisetasche, ...

....

....

3) **Bilden Sie aus den vorgegebenen Wörtern Nomen und ergänzen Sie diese in der richtigen Form im Text.**

Wie viel *Schlaf (schlafen)* **braucht der Mensch?**

Das Statistische Bundesamt kann es belegen: Schlafen ist so zeitaufwendig und wichtig wie ein Hauptberuf. Jeder Deutsche verbringt im Durchschnitt täglich 8,22 Stunden im Bett, nur noch 3,14 Stunden bei der .... *(arbeiten)* und 6 Minuten mit dem .... *(putzen)* seines Autos. Die .... *(erkennen, Pl.)* des Statistischen Bundesamtes decken sich ungefähr mit denen der .... *(schlafen + forschen)*. Der übliche .... *(schlafen)* eines Erwachsenen dauert zwischen 6 und 9,5 Stunden. Nach den .... *(empfehlen, Pl.)* der Schlafmediziner sollten wir nicht mehr und nicht weniger als 7–8 Stunden schlafen, das sei am gesündesten.

Nun gibt es aber verschiedene Schlaftypen, z. B. .... *(kurz + schlafen)* und .... *(lang + schlafen)*. Napoleon schlief angeblich nicht mehr als 4 Stunden, Albert Einstein täglich 14 Stunden. Doch egal, ob wir morgens nur langsam in .... *(gehen)* kommen und dafür abends vor Elan sprühen, wichtig ist, dass wir unseren .... *(schlafen)* als erholsam empfinden. Eine richtige .... *(schlafen + stören)* liegt erst dann vor, wenn wir mindestens dreimal in der Woche .... *(schlafen + Problem, Pl.)* haben, die unser .... *(das Wohl + befinden)* beeinträchtigen.

2.5 Bestimmter, unbestimmter und negativer Artikel

Das ist eine Katze.
↓
unbestimmter Artikel

Die Katze gehört meiner Nachbarin.
↓
bestimmter Artikel

Das ist keine Katze.
↓
negativer Artikel

▶ **Hinweise**

→ Artikelwörter sind Begleiter des Nomens. Sie stehen vor dem Nomen. Man kann die grammatischen Formen des Nomens (Genus, Numerus, Kasus) an der Form des Artikels ablesen.

Bestimmter Artikel

▶ **Formen**

Kasus	Singular						Plural	
	maskulin		feminin		neutral			
Nominativ	der		die		das		die	
Akkusativ	den	Baum	die		das	Auto	die	Bücher
Dativ	dem		der	Maus	dem		den	Büchern
Genitiv	des	Baumes	der		des	Autos	der	Bücher

▶ **Hinweise**

→ Der bestimmte Artikel zeigt an, dass
  ▸ das Nomen schon bekannt ist bzw. genannt wurde: Die Katze gehört meiner Nachbarin.
  ▸ etwas allgemein bekannt ist: die Erde, der Mond.

→ Wie bestimmte Artikel werden auch *diese-, jede- (Sg.), jene-, welche-, alle- (Pl.)* dekliniert.
  Dieses Bild gefällt mir. Jenes Bild finde ich dilettantisch. Welches Bild gefällt dir am besten?
  Jeder Mensch braucht ein Geheimnis. Alle Kinder wollen lesen. ▶ Seite 118: *Demonstrativ- und Frageartikel*

Unbestimmter und negativer Artikel

▶ **Formen**

Kasus	Singular						Plural	
	maskulin		feminin		neutral			
Nominativ	ein kein		eine keine		ein kein		– keine	
Akkusativ	einen keinen	Baum	eine keine		ein kein	Auto	– keine	Bücher
Dativ	einem keinem		einer keiner	Maus	einem keinem		– keinen	Büchern
Genitiv	eines keines	Baumes	einer keiner		eines keines	Autos	– keiner	Bücher

▶ **Hinweise**

→ Im Nominativ maskulin und neutral sowie im Akkusativ neutral haben der unbestimmte und der negative Artikel keine Endung: ein Baum, ein Auto, kein Auto.

→ **Der unbestimmte Artikel** zeigt etwas Neues, Unbekanntes an: Im Keller war **eine** Katze.

→ **Der negative Artikel** signalisiert Verneinung: Es war **keine** Katze, es war eine Maus.

→ Der **unbestimmte Artikel** hat **keine Pluralform**: Vor dem Nomen im Plural steht kein Artikel: In der Küche war eine Maus. In der Küche waren Mäuse.

→ Außerdem **steht kein Artikel** (= „Nullartikel") bei

▸ abstrakten Nomen:	Was ist ␣ Glück?
▸ Materialbenennungen:	Der Ring ist aus ␣ Gold.
▸ Mengenangaben und unbestimmten Mengen:	Zwei Tassen ␣ Kaffee, bitte. Wir brauchen noch ␣ Zwiebeln.
▸ Städten, Kontinenten und den meisten Ländern:	Wir fahren nach ␣ Berlin, ␣ Australien, ␣ Schweden.
▸ Nationalitäten und Berufen:	Ich bin ␣ Italiener. Er ist ␣ Arzt.
▸ vielen festen Verbindungen im Akkusativ; Nomen-Verb-Verbindungen und Redewendungen:	Ich fahre ␣ Auto. Ich habe immer ␣ Pech. Das Gesetz tritt in ␣ Kraft. Kommt ␣ Zeit, kommt ␣ Rat.
▸ Namen und Anreden:	Heute singt ␣ Gustav. Guten Tag, ␣ Frau Müller.
▸ Zeitangaben ohne Präposition:	Wir fahren ␣ Dienstag.

■ ■ ■ Übungen

1) **Gespräche unter Kollegen**
Ergänzen Sie den bestimmten oder unbestimmten Artikel. Achten Sie auf den Kasus.

1. ☐ Ich habe *eine* tolle Idee.

   △ Ist das .... Idee mit .... Neuaufteilung .... Arbeitsbereiche?
   .... Idee hast du doch schon allen erzählt.

2. ☐ Ich habe .... Termin mit Herrn Müller.

   △ Herr Müller ist leider krank geworden. Können wir vielleicht gleich .... anderen Termin vereinbaren?

   ☐ Also, das ist jetzt schon .... zweite Mal, dass .... Termin verschoben wird.
   Ich möchte jetzt .... Termin beim Direktor.

3. ☐ Ich habe mich gestern bei .... anderen Firma beworben.

   △ Gab es denn irgendwo .... freie Stelle?

   ☐ Ja, bei der Firma UHU wurde .... Stelle der Verwaltungsleiterin ausgeschrieben.

   △ Und du meinst, das ist .... richtige Stelle für dich?

4. ☐ Ich habe dem Chef gestern .... E-Mail geschrieben und er hat mir noch nicht geantwortet.

   △ Was stand denn in .... E-Mail?

   ☐ In .... E-Mail stand, dass ich nächste Woche frei haben möchte.

   △ Aber dazu musst du .... Formular ausfüllen.

   ☐ Ich habe .... Formular schon lange ausgefüllt und warte immer noch auf .... Genehmigung.

5. ☐ Heute um 11.00 Uhr ist mal wieder .... Besprechung. Weißt du, worum es in .... Besprechung geht?

   △ Ich nehme an, um das Gleiche wie in .... letzten Besprechung: .... Arbeitszeiten und
   .... Organisation .... Weihnachtsfeier. Du hast doch noch nie .... Weihnachtsfeier organisiert.
   Willst du in diesem Jahr nicht mal .... Weihnachtsfeier organisieren?

   ☐ Ich organisiere immer schon .... Kaffee für .... Besprechungen, das reicht.

2) Aus einem Gespräch mit Kunden
Ergänzen Sie den unbestimmten Artikel.

● Ich möchte Ihnen *ein* Produkt vorstellen.

1. Darf ich Sie zu .... Kaffee einladen?
2. Darf ich Ihnen .... Brötchen anbieten?
3. Ich möchte Ihnen .... Frage stellen.
4. Hätten Sie .... Minute Zeit für mich?
5. Soll ich Ihnen .... Tee holen?
6. Darf ich Ihnen .... Vorschlag machen?
7. Soll ich Ihnen .... Taxi rufen?

3) Mit einem Haartrockner ins Weltall
Ergänzen Sie in der folgenden Zeitungsmeldung den bestimmten oder unbestimmten Artikel.
Achten Sie auf den Kasus. (m = maskulines Nomen, f = feminines Nomen, n = neutrales Nomen, Pl. = Plural)

25

Zwei Dänen testen *eine* selbst gebaute Rakete

Ob .... (1) beiden dänischen Erfinder *(Pl.)* Peter Madsen und Kristian von Bengtson in

.... (2) Geschichte *(f)* .... (3) Raumfahrt *(f)* eingehen werden, ist nicht sicher.

Doch sie gaben sich alle Mühe und investierten 40 000 Euro, um an .... (4) Ziel *(n)*

ihrer Träume zu gelangen. Sie wollten unbedingt .... (5) Rakete *(f)* bauen, die wenig

kostet: Zum Kauf .... (6) Einzelteile *(Pl.)* nahmen sie .... (7) Fahrrad *(n)*.

.... (8) Schrauben *(Pl.)* stammen aus .... (9) Baumarkt *(m)*,

.... (10) Hitzeschild *(n)* besteht aus gewöhnlichem Kork aus

.... (11) Teppichladen *(m)* und gegen .... (12) Vereisung *(f)*

.... (13) Ventile *(Pl.)* kommt .... (14) Haartrockner *(m)* zum Einsatz.

Zum Vergleich: Allein .... (15) Start *(m)* .... (16) Spaceshuttle-Rakete *(f)* kostet umgerechnet rund

390 Millionen Euro.

„Uns ist schon klar, dass .... (17) Leute *(Pl.)* von der NASA denken, wir seien verrückt", sagt Madsen, und

Bengtson ergänzt: „Unsere Rakete ist zweifellos .... (18) einfachste Raumrakete *(f)*, die jemals gebaut wurde."

Die beiden Dänen wünschen sich beim Testflug auf der Ostseeinsel Bornholm .... (19) ersten Erfolg *(m)*.

.... (20) neun Meter lange Konstruktion *(f)* soll bis zu 30 Kilometer in .... (21) Höhe *(f)* geschossen werden

und an Fallschirmen wieder sanft zu Boden gleiten. Soweit die Theorie. „Es kann natürlich sein, dass wir .... (22)

totalen Crash *(m)* erleben", sagen .... (23) Konstrukteure *(Pl.)* und zeigen sich damit realistisch. Sie haben

deshalb erst mal nur .... (24) Stoffpuppe *(f)* in .... (25) Innere *(n)* .... (26) Fluggeräts *(n)* gesetzt.

Langfristig wollen sie dort aber selbst Platz nehmen und .... (27) Blick *(m)* auf .... (28) Erde *(f)* genießen.

4) Frust am Arbeitsplatz

a) Ergänzen Sie den negativen Artikel.

● Meine Meinung spielt hier *keine* Rolle.

1. Ich habe .... Ahnung, warum niemand mehr mit mir spricht.
2. Ich werde zu .... Fest eingeladen.
3. Auf mich nimmt der Chef .... Rücksicht.
4. Ich bekomme .... Unterstützung von meinen Kollegen.
5. Ich darf an .... Projekt mehr mitarbeiten.
6. .... Mensch hört auf mich.
7. In den Sitzungen darf ich .... Fragen stellen.
8. Ich erhalte .... Anrufe von Kunden mehr.

b) **Ergänzen Sie die passenden Nomen mit dem unbestimmten oder negativen Artikel.**

(der) Termin • *(der)* Mensch • ~~*(der)* Vertrag~~ • *(die)* Mittagspause • *(die)* Akte • *(die)* Entscheidung • *(die)* E-Mail • *(die)* Zeit • *(der)* Erfolg

● Die Firma konnte mit den dänischen Kunden *keinen Vertrag* abschließen.

1. Der Personalchef hat heute ein neues Fortbildungsprogramm vorgestellt, aber er hatte damit ....: Das Programm hat niemandem gefallen.

2. Der Chef war nicht in der Sitzung. Ohne ihn konnten wir .... treffen.

3. Ich hatte heute ....: Ich habe den ganzen Tag nur am Computer gegessen.

4. Ich habe heute Vormittag .... vereinbart, der am Nachmittag bestätigt wurde.

5. .... weiß, wo die ausrangierten Computer sind.

6. Ich habe heute leider .... bearbeiten können.

7. Die Sekretärin war heute nur eine Stunde im Büro und hat .... beantwortet.

8. Mein Kollege hatte heute ...., den Lieferanten anzurufen.

5) **Unbestimmter, negativer Artikel oder Nullartikel?**
Ergänzen Sie den unbestimmten oder negativen Artikel, wenn nötig. Kennzeichnen Sie den Nullartikel mit: –.

1. □ Möchtest du noch *einen* Kaffee?
   △ Nein danke, ich trinke jetzt .... Kaffee mehr, ich hätte lieber .... Orangensaft.

2. □ Hast du .... Lust, mit ins Kino zu kommen?
   △ Nein, ich habe .... Lust und .... Zeit. Ich muss noch .... Aufsatz schreiben.

3. □ Du studierst doch .... Jura? Willst du später einmal .... Anwalt werden?
   △ Ich habe noch .... genauen Vorstellungen von meiner zukünftigen Arbeit.
   Vielleicht spezialisiere ich mich und werde .... Steuerberater. Oder ich arbeite als .... Staatsanwalt.

4. □ Otto hat .... neuen Job. Er arbeitet .... Tag und .... Nacht.
   △ Das ist ja interessant. Bei seiner alten Firma hat er überhaupt .... Überstunden gemacht und ist immer pünktlich nach Hause gegangen.

5. □ Du hast ja den ganzen Sommer gearbeitet. Hast du .... Urlaub mehr?
   △ Doch, ich habe noch .... Urlaub, sogar ziemlich viel.
   Ich fliege .... nächsten Samstag für vier Wochen nach .... Australien.

6. □ Der Chef möchte, dass wir .... Weiterbildung zum Thema Teamentwicklung machen?
   △ Also, daran habe ich .... Interesse. Ich halte solche Veranstaltungen für .... Zeitverschwendung.
   Sie haben .... positiven Auswirkungen auf die Zusammenarbeit.

6) **Terminabsage**
Ergänzen Sie den bestimmten oder unbestimmten Artikel, wenn nötig. Kennzeichnen Sie den Nullartikel mit: –.

Lieber .....–..... (0) Herr Müller,

wir hatten für morgen, ... (1) 18. August .... (2) Termin vereinbart. Leider muss ich .... (3) Termin verschieben, denn ich befinde mich noch in .... (4) Paris. .... (5) Verhandlungen hier dauern länger, als ich erwartet habe. Ich hoffe, dass ich .... (6) Mittwoch wieder nach .... (7) Deutschland fliegen kann. Ich werde .... (8) Frau Schneider heute noch bitten, sich mit Ihnen in .... (9) Verbindung zu setzen und .... (10) neuen Termin auszumachen.
Ich hoffe, wir sehen uns .... (11) nächste Woche.

Mit .... (12) freundlichen Grüßen
Frank Stein

2.6 Possessivartikel

Wem gehört dieser Globus?

Der Globus gehört mir.	*Es ist mein Globus.*	(1. Person Singular)
Der Globus gehört dir.	*Es ist dein Globus.*	(2. Person Singular)
Der Globus gehört Frau Müller.	*Es ist ihr Globus.*	(3. Person Singular)
Der Globus gehört dem Chef.	*Es ist sein Globus.*	(3. Person Singular)
Der Globus gehört dem Kind.	*Es ist sein Globus.*	(3. Person Singular)
Der Globus gehört uns.	*Es ist unser Globus.*	(1. Person Plural)
Der Globus gehört euch.	*Es ist euer Globus.*	(2. Person Plural)
Der Globus gehört den Schülern.	*Es ist ihr Globus.*	(3. Person Plural)
Der Globus gehört Ihnen.	*Es ist Ihr Globus.*	(formelle Anrede)

↓
Possessivartikel

▶ **Gebrauch**

→ Possessivartikel bezeichnen einen Besitz oder eine Zugehörigkeit.

▶ **Formen**

Kasus	Singular maskulin		Singular feminin	neutral		Plural	
Nominativ	mein dein	Computer	meine ihre	mein unser		meine eure	Bücher
Akkusativ	meinen deinen	Computer	meine ihre	mein unser	Auto	meine eure	Bücher
Dativ	meinem deinem		meiner ihrer	meinem unserem		meinen euren	Büchern
Genitiv	meines deines	Computers	meiner ihrer	meines unseres	Autos	meiner eurer	Bücher

(Katze steht in der Spalte feminin, Auto in der Spalte neutral.)

▶ **Hinweise**

→ Possessivartikel werden wie unbestimmte Artikel dekliniert.
Im Nominativ maskulin und neutral sowie im Akkusativ neutral haben sie keine Endung: mein Computer, mein Auto, unser Auto.

→ Die 2. Person Plural hat zwei Formen: *euer* (ohne Endung) und *eur-* (vor einer Endung): euer Haus, in eurem Haus.

■ ■ ■ **Übungen**

1) **Ergänzen Sie den Possessivartikel in der richtigen Form.**

1. Sie: *Ihr* Hemd, ... Hose, ... Armbanduhr, ... Ohrringe,
.... Schuhe, ... Jacke und .... Schal gefallen mir sehr gut.

2. ihr: Ich mag .... Küche, ... Terrasse, ... Möbel (Pl.),
.... Sofa, ... Nachttisch und .... Bücherregal.

3. wir: Ich bin mit .... neuen Auto, ... neuen Wohnung,
.... neuen Garten, ... neuen Garage sehr zufrieden.

4. er: Er will .... Wagen, ... Computer, ... Lehrbücher,
.... Briefmarkensammlung und .... Fotoapparat verkaufen.

2) Kurze Dialoge. Schreiben Sie die Antwort wie im Beispiel.

● Womit fahren wir nach Frankreich? *(du – Auto)*   *Mit deinem Auto.*

1. Für wen haben Sie die Blumen gekauft? *(ich – Freundin)* ....

2. Wen ruft Martin gerade an? *(er – Chef)* ....

3. Mit wem hat Laura vorhin gesprochen? *(sie – Tante)* ....

4. Bei wem habt ihr in Berlin übernachtet? *(wir – Freunde)* ....

5. Mit wem gehst du in den Biergarten? *(ich – Kollege)* ....

6. Über wen sprecht ihr? *(du – Mann)* ....

7. Von wem haben Sie die Informationen? *(Sie – Kollegin)* ....

8. Wer hat dir diese E-Mail weitergeleitet? *(ihr – Abteilungsleiter)* ....

3) Aus Briefen und E-Mails
Ergänzen Sie die fehlenden Possessivartikel.
➤ Seite 229: *Groß- und Kleinschreibung bei der persönlichen Anrede in Briefen*

1. Lieber Herr Schönbaum, vielen Dank für *Ihre (Sie)* Anfrage. Anbei senden wir Ihnen .... *(wir)* Angebot.
Das Angebot beinhaltet zwei Übernachtungen für zwei Personen inklusive Frühstück. Außerdem steht Ihnen
.... *(wir)* Wellnessbereich kostenlos zur Verfügung. Sollten Sie einen Parkplatz in .... *(wir)* Tiefgarage
benötigen, bitten wir um rechtzeitige Reservierung. Wir wünschen Ihnen viel Freude bei .... *(Sie)* Aufenthalt in
.... *(wir)* Hotel. Ihr Linden-Hotel.

2. Liebe Katja, das freut mich, dass .... *(du)* neuer Job so interessant ist! .... *(ich)* Arbeit ist eher ein bisschen
langweilig, ich mache eigentlich jeden Tag das Gleiche: E-Mails an .... *(wir)* Kunden schreiben und viel telefonieren. Manchmal möchte .... *(ich)* Chef, dass ich .... *(er)* Aufgaben übernehme, z. B., dass ich .... *(er)*
Termine absage. Gestern durfte ich mit .... *(wir)* Kunden essen gehen, das hat mir wirklich Spaß gemacht. Beim
Gespräch habe ich allerdings bemerkt, dass ich .... *(ich)* Englisch noch verbessern muss. Dein Peter.

3. Liebe Marie, lieber Robert, ich habe mich über .... *(ihr)* Karte aus Bayern sehr gefreut. Hoffentlich war
.... *(ihr)* Hotel so schön wie das Wetter, das Ihr beschrieben habt. Durftet Ihr eigentlich .... *(ihr)* Hund
mitnehmen? In .... *(wir)* Hotel letzten Sommer an der Ostsee waren keine Hunde erlaubt, wir mussten
.... *(wir)* Hund bei Tante Erna abgeben. Als nächstes Haustier kaufe ich mir eine Maus, damit hat man im Urlaub
wenigstens keine Probleme. Eure Tanja.

4) Ergänzen Sie die Possessivartikel im folgenden Bewerbungsschreiben.

Sehr geehrte Frau Liebknecht,

mit großem Interesse habe ich *Ihre* Anzeige vom 15. Mai gelesen und bewerbe mich hiermit als Systementwickler.
.... Unternehmen ist mir aus der einschlägigen Presse schon lange ein Begriff.

Die beschriebenen Anforderungen treffen genau .... Fähigkeiten und ich glaube, alle dafür notwendigen
Kriterien zu erfüllen.

Nach .... Abitur studierte ich an der Ruhr-Universität Bochum Informatik. In dieser Zeit entstand auch ....
Vorliebe für kreative Systementwicklung. Das Informatikstudium schloss ich mit .... Magisterarbeit zu „Benut-
zerfreundlichen Schnittstellen" ab. .... ersten beruflichen Erfahrungen sammelte ich während eines einjähri-
gen Praktikums als Programmierer bei der Firma TopInfo in Bochum. Zu .... Aufgabenbereich gehörte unter
anderem das Testen und Entwickeln von Schnittstellen.

Gerne möchte ich mich mit .... ganzen Kreativität und mit hoher Motivation in .... Unternehmen einbrin-
gen. Sollte .... Bewerbung .... Interesse finden, stehe ich Ihnen jederzeit für ein Vorstellungsgespräch zur
Verfügung.

Mit freundlichen Grüßen
Konrad Meyer

2.7 Demonstrativ- und Frageartikel

☐ *Liebling, ich brauche noch ein neues Kleid.*

△ *Was für ein Kleid brauchst du denn? Du hast doch schon so viele.*

☐ *Ich brauche ein neues Sommerkleid.*

△ *Du weißt doch, ich schenke dir alles, was du willst. Welches Kleid gefällt dir am besten?*

☐ *Dieses Kleid dort, das blaue. Das kostet auch nur die Hälfte.*
  Und ich kann ja auch nicht immer dasselbe Kleid tragen.

Was für ein Kleid …? Welches Kleid …?	→ Frageartikel
ein Sommerkleid	→ unbestimmter Artikel
dieses/das Sommerkleid dort	→ Demonstrativartikel
dasselbe Sommerkleid	→ Demonstrativartikel

▶ **Gebrauch**

→ Der Frageartikel *was für ein-* steht bei der Frage nach der Entscheidung zwischen <u>allgemeinen</u> Möglichkeiten.
Die Antwort darauf erfolgt mit einem unbestimmten Artikel.
Was für eine Bluse möchtest du denn? Eine Baumwollbluse.   ➤ Seite 112: *Deklination des unbestimmten Artikels*

→ Der Frageartikel *welche-* steht bei der Frage nach der Entscheidung zwischen <u>konkreten</u> Möglichkeiten.
Die Antwort darauf erfolgt mit einem Demonstrativartikel oder einem bestimmten Artikel.
Welche Bluse möchtest du denn? Diese/Die Bluse dort.   ➤ Seite 112: *Deklination des bestimmten Artikels*

→ Die Demonstrativartikel *diese-* und *der/die/das* bezeichnen eine bestimmte, schon bekannte Person oder Sache.

→ *Derselbe-/Dieselbe-/Dasselbe-* bezeichnet eine Person oder Sache, die mit einer bereits genannten oder bekannten Person oder Sache identisch ist.

▶ **Formen: Demonstrativartikel *diese-***

Kasus	Singular						Plural	
	maskulin		**feminin**		**neutral**		**Plural**	
Nominativ	dieser		diese		dieses		diese	Schuhe
Akkusativ	diesen	Anzug	diese		dieses	Auto	diese	
Dativ	diesem		dieser	Bluse	diesem		diesen	Schuhen
Genitiv	dieses	Anzugs	dieser		dieses	Autos	dieser	Schuhe

➤ Seite 112: *Deklination des bestimmten Artikels*

▶ **Formen: Demonstrativartikel *derselbe-, dieselbe-, dasselbe-***

Kasus	Singular						Plural	
	maskulin		**feminin**		**neutral**		**Plural**	
Nominativ	derselbe		dieselbe		dasselbe		dieselben	Schuhe
Akkusativ	denselben	Anzug	dieselbe		dasselbe	Auto	dieselben	
Dativ	demselben		derselben	Bluse	demselben		denselben	Schuhen
Genitiv	desselben	Anzugs	derselben		desselben	Autos	derselben	Schuhe

▶ **Hinweise**

→ Die Demonstrativartikel *derselbe-, dieselbe-, dasselbe-* werden im ersten Wortteil wie bestimmte Artikel dekliniert *(der, die, das)*. Die Endung von *-selbe-* entspricht der Deklination der Adjektive (➤ Seite 131).

■ ■ ■ Übungen

1) *Welch-* oder *was für ein-*? Ergänzen Sie die Frageartikel in der richtigen Form.

● *Welches* Hemd möchtest du?   Das blaue.
1. .... Kuchen hast du bestellt?   Den Käsekuchen.
2. Mit .... Gesellschaft fliegen wir nach Moskau?   Mit KLM.
3. .... Torte hat Oma gebacken?   Eine Schokoladetorte.
4. .... Produkt stellt diese Firma her?   Irgendwas für Bauingenieure.
5. .... Stück läuft im Theater?   Eine englische Komödie.
6. An .... Fortbildung nimmst du teil?   An der Excel-Schulung.
7. .... Auto hast du gekauft?   Einen Mercedes.
8. .... Vorschlag hat der Chef angenommen?   Den Vorschlag von Ulrike.

2) Ergänzen Sie die passenden Demonstrativartikel.

Ich bin
     ● über *diese* Nachricht sehr erfreut.
     1. mit .... Entscheidung nicht zufrieden.
     2. gespannt auf .... Vortrag.
     3. mit .... Vorschlag einverstanden.
     4. für .... Arbeit ungeeignet.
     5. dir dankbar für .... Tipps.
     6. an .... Projekt beteiligt.
     7. stolz auf .... Leistung.
     8. genervt von .... Diskussion.

3) **Fragen im Reisebüro**
Ergänzen Sie die passenden Frage- und Demonstrativartikel.

□ *Was für eine* Reise können Sie mir empfehlen?
△ Es kommt darauf an, ... Gegend Sie bevorzugen. Möchten Sie lieber ans Meer oder in die Berge, in Deutschland bleiben oder ins Ausland fahren?
□ Ich denke, ich möchte .... Sommer mal an die Ostsee. .... Ort ist denn dort am schönsten?
△ Es gibt an der Ostsee viele interessante Orte, z. B. .... hier, im Prospekt auf Seite 10, das ist Ahrenshoop.
□ .... Ort ist Ahrenshoop? Ein Touristenort?
△ Nein, Ahrenshoop ist bekannt als Künstlerdorf. Es ist sehr romantisch.
□ .... Hotels in Ahrenshoop liegen direkt am Meer?
△ .... zwei Hotels hier, Sie können Sie sich im Prospekt ansehen: das Hotel „Meeresblick" und das Hotel „Meeresbrise".
□ Und .... Hotel von den beiden ist preiswerter?
△ Das Hotel „Meeresblick".
□ .... Art Küche gibt es in .... Hotel? Gibt es auch italienische oder französische Gerichte?
△ Das Hotel „Meeresblick" hat ein Restaurant mit einheimischer Küche.
□ Ich mag aber eher die französische Küche.
△ Dann müssten Sie sich für ein teureres Hotel entscheiden, z. B. für .... hier auf Seite 20, oder Sie fahren im Urlaub einfach nach Frankreich.
□ Gut, ich überlege mir das noch mal und rufe Sie an, wenn ich mich entschieden habe. Unter .... Telefonnummer kann ich Sie erreichen?

4) Ergänzen Sie *derselbe-, dieselbe-, dasselbe-* in der richtigen Form.

● Trägst du *dasselbe* T-Shirt wie gestern?
1. Ich mache immer .... Fehler!
2. Der Chef fährt seit zehn Jahren .... Auto.
3. Frau Müller trägt im Winter immer .... Schuhe.
4. .... Lehrer, der mich in der Schule genervt hat, unterrichtet jetzt auch meinen Sohn.
5. Und er hat immer noch .... selbst gestrickten Pullover an.
6. Arbeitet ihr mit .... Lehrbüchern wie wir?

3   Pronomen
3.1   Personalpronomen

Georg **schreibt** *seine Masterarbeit.*
Er **muss** *sie* **bald abgeben***.*
↓   ↓
Personal-   Personal-
pronomen   pronomen

▶ **Gebrauch**

→ Pronomen sind Stellvertreter der Nomen.

→ Man kann alle Nomen durch Personalpronomen ersetzen.

▶ **Formen**

	Singular					Plural			formell
	1.	**2.**	**3.**			**1.**	**2.**	**3.**	
Nominativ	ich	du	er	sie	es	wir	ihr	sie	Sie
Akkusativ	mich	dich	ihn	sie	es	uns	euch	sie	Sie
Dativ	mir	dir	ihm	ihr	ihm	uns	euch	ihnen	Ihnen

▶ **Hinweise**

→ In der **3. Person Singular** richtet sich das Personalpronomen nach dem Genus des Nomens.
der Baum = er • die Masterarbeit = sie • das Mädchen = es
Die Personalpronomen *er, sie, es* und *sie* (Pl.) beziehen sich auf ein vorher genanntes Nomen.
Georg schreibt seine Masterarbeit. Er muss sie bald abgeben.

→ Die Personalpronomen *ich, du, wir, ihr, Sie* beziehen sich immer auf Personen.
Bei der **Anrede von Personen** gebraucht man
  ▸ die informelle Anrede *(du, ihr)* bei Kindern, Verwandten, Freunden und guten Bekannten
  ▸ die formelle Anrede *(Sie)* bei allen anderen Personen.
Die Anrede im Büro ist branchenabhängig. Meistens verwendet man die formelle Anrede, die informelle Anrede
ist eher in kreativen Berufen zu finden.

→ In **E-Mails oder Briefen** schreibt man die formelle Anrede *(Sie, Ihnen, Ihre E-Mail usw.)* groß.
Die informelle Anrede *(du/Du, dir/Dir, deine/Deine E-Mail usw.)* kann man klein oder groß schreiben.

▶ **Satzbau**

I.	II.	III.	
Kathrin	schenkt	ihm	ein Fahrrad.
Kathrin	schenkt	es	ihm.

▸ Bei Ergänzungen mit einem Pronomen und einem Nomen steht das Pronomen vor dem Nomen.
Wenn beide Ergänzungen Pronomen sind, steht der Akkusativ vor dem Dativ.

■ ■ ■ Übungen

1) Ergänzen Sie die Personalpronomen. Achten Sie auf den Kasus.

● Herr Schröder kommt später. *Er* hat noch einen Termin.
1. Jemand hat ein Dokument neben dem Kopierer liegen lassen. .... liegt da schon seit Tagen.
2. Oskar hat Anna mal wieder bei einem Computerproblem geholfen. .... muss .... ziemlich oft helfen. .... hat offensichtlich keine Ahnung von Excel-Tabellen.
3. Kathrin mag den neuen Chef. .... hält .... für sehr kompetent.
4. Gehört das Auto deinem Nachbarn? Ja, ... gehört ....
5. Hast du Otto tatsächlich dein Fahrrad geliehen? Ja, ich habe .... geliehen.
6. Ein Sammler aus New York ersteigerte ein Bild von van Gogh. .... bekam .... für zwei Millionen Dollar.

2) Ergänzen Sie die Personalpronomen in den beiden Telefongesprächen.

a) Der Kaufvertrag (26)

:·: ich • mir • wir • uns • Sie • Ihnen :·:

□ Kunert & Co., guten Tag. Was kann ich für *Sie* tun?

△ Otto Fröhlich. Könnte .... bitte Herrn Kunert sprechen?

□ Einen Moment bitte, ... verbinde ....

○ Kunert.

△ Otto Fröhlich. .... hatte .... vor längerer Zeit einen Vertrag mit der Bitte um Prüfung zugesandt und .... habe bis heute noch nichts von .... gehört.

○ Um was für einen Vertag handelt es sich? Könnten .... bitte das Aktenzeichen nennen?

△ Es geht um einen Kaufvertrag für ein Firmengelände und .... hatten zugesagt, den Kaufvertrag noch einmal unter juristischen Gesichtspunkten zu prüfen. Das Aktenzeichen lautet: 35426.

○ Oh ja, ... sehe hier, dass sich die Bearbeitung verzögert hat.

△ .... verstehe ehrlich gesagt nicht, warum .... die Verzögerung nicht rechtzeitig mitgeteilt haben.

○ Das tut .... sehr leid, da ist .... ein Fehler unterlaufen. .... werden den Vertrag sofort bearbeiten. Bis Montag erhalten .... von .... Bescheid.

b) Der Termin (27)

:·: Sie • Ihnen • ich • mich • mir • sie • ihr :·:

□ Interfocus, guten Tag, was kann ich für .... tun?

△ Marie Feldhaus hier. .... habe um 13.00 Uhr einen Termin mit Frau König, aber im Moment stehe .... im Stau. .... werde .... voraussichtlich um eine Stunde verspäten. Könnten .... das bitte durchgeben?

□ .... kommen also erst um 14.00 Uhr hier an?

△ Ja, vermutlich. Könnten .... mal nachsehen, ob Frau König um 14.00 Uhr Zeit hat?

□ Das tut .... leid. .... sehe gerade im Terminkalender, dass Frau König .... um 14.00 Uhr nicht emp-

fangen kann, ... erwartet andere Gäste. .... könnten erst um 16.00 Uhr mit .... sprechen.

△ Kein Problem. Dann verlegen .... bitte meinen Termin auf 16.00 Uhr.

□ Bitte geben .... zur Sicherheit Ihre Handynummer. Falls sich etwas ändert, kann .... zurückrufen.

△ Meine Nummer ist 0178 37 35 36 37.

□ .... kann .... im Moment sehr schlecht verstehen. Könnten .... die Nummer bitte noch einmal wiederholen?

△ 0178 37 35 36 37

□ .... danke .... Bis später dann.

3) Aus Geschäftsbriefen. Ergänzen Sie die fehlenden Personalpronomen.

:·: Sie • Ihnen • wir • uns :·:

● Vor einiger Zeit haben *wir Ihnen* unseren neuen Prospekt zugeschickt.
1. .... danken .... für die Anfrage.
2. Leider können .... die bestellten Produkte nicht vor Januar liefern.
3. .... würden .... gerne ein alternatives Angebot unterbreiten.
4. .... möchten .... über unsere neuen Produkte informieren.
5. .... gewähren .... einen Rabatt von fünf Prozent.
6. Bitte senden .... eine Auftragsbestätigung.
7. .... hoffen, bald von .... zu hören.

3.2 Possessivpronomen

Gehört das Handy dir?	*Ja, es ist meins.* ↓ Possessivpronomen	
Gehört der Fotoapparat Herrn Roth?	*Ja, es ist seiner.* ↓ Possessivpronomen	
Gehört die Katze der Nachbarin?	*Ja, es ist ihre.* ↓ Possessivpronomen	

▶ **Gebrauch**

→ Possessivpronomen sind Stellvertreter des Nomens, das heißt, sie stehen ohne Nomen.
Sie bezeichnen wie Possessivartikel einen Besitz oder eine Zugehörigkeit.

▶ **Formen**

Kasus	Singular			Plural
	maskulin	**feminin**	**neutral**	
Nominativ	meiner	meine	mein(e)s	meine
Akkusativ	meinen	meine	mein(e)s	meine
Dativ	meinem	meiner	meinem	meinen
Genitiv	meines	meiner	meines	meiner

➤ Seite 116: *Possessivartikel*

▶ **Hinweise**

→ Die Deklination des Possessivpronomens unterscheidet sich im Nominativ maskulin und neutral und im Akkusativ neutral von der Deklination des Possessivartikels: mein Computer – meiner • mein Auto – mein(e)s.

■ ■ ■ **Übungen**

1) **Antworten Sie mit einem Possessivpronomen.**

● Sind das deine Akten?   Ja, das sind *meine*.
1. Ist das das Auto vom Chef? Ja, das ist ....
2. Ist das euer Seminarraum? Ja, das ist ....
3. Ist das mein Kaffee?   Ja, das ist ....
4. Ist das der Projektantrag von Klaus? Ja, das ist ....
5. Ist der Kopierer nur für die Lehrer ? Ja, das ist ....
6. Ist das dein Computer?   Ja, das ist ....
7. Ist das Petras Projektbericht?   Ja, das ist ....
8. Ist das Pauls Wörterbuch?   Ja, das ist ....

2) **Ergänzen Sie mein- in der richtigen Form.**

● Könntest du mir dein Handy leihen? Mit *meinem* kann ich im Moment nicht telefonieren.
1. Funktioniert dein Computer gut? Mit .... gibt es in letzter Zeit nur Probleme.
2. Darf ich mal fragen, wie viel dein neues Auto gekostet hat? Für .... habe ich ein Vermögen bezahlt.
3. Hast du nette Nachbarn? Über .... rege ich mich immer auf.
4. Ist deine Präsentation schon fertig? An .... muss ich noch arbeiten.
5. Hat der Chef schon etwas über deinen Vorschlag gesagt? Zu .... hat er sich noch nicht geäußert.
6. Hat sich Claudia über deine Bitte an sie auch so aufgeregt? Wegen .... ist sie gleich zum Chef gerannt.
7. Ingrid war über dein Geschenk bestimmt sehr froh. Über .... hat sie sich jedenfalls sehr gefreut.
8. Wenn du noch ein Brötchen möchtest, kannst du ruhig .... nehmen, ich habe keinen Hunger mehr.

3.3 Indefinitpronomen

■ Einer, keiner ...

□ Martha, ich brauche noch ein Ei. △ Ich habe *keins* mehr.
↓
Indefinitpronomen

□ Martha, ich brauche noch einen Topf. △ Im Schrank steht noch *einer*.
↓
Indefinitpronomen

▶ Gebrauch

→ Indefinitpronomen sind Stellvertreter des Nomens. Sie stehen ohne Nomen.

→ Das Indefinitpronomen *kein-* signalisiert Verneinung. *Ein-* bezeichnet eine unbestimmte Sache oder Person bzw. eine Anzahl.

▶ Formen

Kasus	Singular						Plural
	maskulin		feminin		neutral		
Nominativ	(irgend)einer	keiner	(irgend)eine	keine	(irgend)ein(e)s	kein(e)s	keine
Akkusativ	(irgend)einen	keinen	(irgend)eine	keine	(irgend)ein(e)s	kein(e)s	keine
Dativ	(irgend)einem	keinem	(irgend)einer	keiner	(irgend)einem	keinem	keinen
Genitiv	(irgend)eines	keines	(irgend)einer	keiner	(irgend)eines	keines	keiner

➤ Seite 112: *Unbestimmter und negativer Artikel*

▶ Hinweise

→ Die Deklination des Indefinitpronomens unterscheidet sich im Nominativ maskulin und neutral und im Akkusativ neutral von der Deklination des unbestimmten und negativen Artikels.
ein Computer – einer/keiner • ein Auto – ein(e)s/kein(e)s

■ ■ ■ Übungen

1) **Ergänzen Sie *(irgend)ein-* in der richtigen Form.**

● Diese Halsketten finde ich sehr schön. Wenn ich Geld hätte, würde ich mir *eine* kaufen.

1. Wenn dir diese Stifte so gut gefallen, darfst du .... für dich und .... für deine Schwester aussuchen.

2. Hast du zwei Eis gegessen? Ich habe doch gesagt, dass du nur .... essen darfst.

3. Was für einen Joghurt isst du am liebsten? Oder soll ich einfach .... mitbringen?

4. Wir brauchen kein zweites Fleischmesser mehr. Es liegt schon .... auf dem Tisch.

5. Ich habe dir zwei SMS geschickt. Anscheinend ist nur .... angekommen.

6. Kannst du mir Geld leihen, damit ich dieses Wörterbuch kaufen kann? Ich habe zwar schon .... , aber das hier scheint besser zu sein.

7. Kannst du mir .... Grund nennen, warum du dich nicht auf die Prüfung vorbereitet hast?

8. Ich habe meine Vorlesungsmitschriften in der Mensa liegen lassen. –
Das ist doch nicht so schlimm. .... wird sie finden und im Studentenzentrum abgeben.

2) **Kurze Dialoge. Ergänzen Sie *ein-* oder *kein-* in der richtigen Form.**

● Guck mal, diese Blumen habe ich vom Chef zum Geburtstag bekommen. – Schön für dich. Als ich Geburtstag hatte, hat er mir *keine* geschenkt.

1. Entschuldigung, gibt es hier irgendwo einen Kaffeeautomaten? – Ja, am Ende des Flurs steht ....
2. Hast du mal eine Kopfschmerztablette für mich? – Tut mir leid, ich habe .... mehr.
3. Wie viele E-Mails musst du noch beantworten? – .... mehr, ich bin fertig!
4. Haben wir für unsere Gäste noch ein paar Kugelschreiber mit Firmenlogo? – Nein, wir haben .... mehr.
5. Weißt du zufällig, wie viele Stühle noch im Verhandlungsraum fehlen? – Ich glaube, es fehlt nur ....
6. Du hast ja so viel zu tun. Wie viele Termine musstest du absagen? – .... Ich habe alle Termine wahrgenommen!

■ *Man, jemand, niemand, alle, etwas, nichts, alles*

□ *Guten Tag, Frau Klein. Was machen Sie denn hier?*

△ *Ich suche jemand(en).*

□ *Wen suchen Sie denn?*

△ *Otto, Otto Klein.*

□ *Tut mir leid, die Kollegen sind alle in der Kantine Mittag essen.*
   Hier ist zurzeit niemand. Kommen Sie doch in einer Stunde wieder.

△ *Dann gehe ich in die Kantine, vielleicht finde ich Otto dort.*

□ *Hallo Otto, ich habe dich gesucht. Weißt du schon etwas über das neue Projekt?*

△ *Nein, ich habe noch nichts gehört. Aber frag doch mal Frau Köhler. Die weiß immer alles.*

▶ **Gebrauch**

→ Die Indefinitpronomen *man, jemand, niemand, alle, etwas, nichts, alles* stehen für unbestimmte, unbekannte oder nicht näher bestimmte Personen oder Sachen.

▶ **Formen: Personen**

Kasus	man	(irgend)jemand	niemand	alle
Nominativ	man	(irgend)jemand	niemand	alle
Akkusativ	einen	(irgend)jemand(en)	niemand(en)	
Dativ	einem	(irgend)jemand(em)	niemand(em)	allen

▶ **Hinweise**

→ *Man* bezeichnet eine unbestimmte Allgemeinheit. Das Wort *man* gibt es nur im Nominativ. Im Akkusativ und Dativ heißt es *einen* bzw. *einem*.

→ Bei *(irgend)jemand* und *niemand* sind die Endungen im Akkusativ und Dativ nicht obligatorisch.

→ Das Pronomen *alle* wird wie ein bestimmter Artikel dekliniert.

▶ **Formen: Sachen**

Kasus	(irgend)etwas	nichts	alles
Nominativ			alles
Akkusativ	(irgend)etwas	nichts	
Dativ			allem

▶ **Hinweise**

→ *Etwas* und *nichts* werden nicht dekliniert.

→ *Alles* wird wie ein bestimmter Artikel dekliniert.

■ ■ ■ Übungen

3) **Frau Kleinschmidt ist spurlos verschwunden. Die Polizei sucht Zeugen und befragt alle Hausbewohner. Ergänzen Sie in dem Dialog die Indefinitpronomen in der richtigen Form.**

┄┄
(irgend)etwas • jemand • niemand • alles • nichts
┄┄

□ Haben Sie *irgendetwas* gesehen oder gehört?

△ Ja, ich habe .... gehört: .... hat um 17.00 Uhr bei meiner Nachbarin geklingelt.

□ Haben Sie die Person gesehen?

△ Nein, ich habe .... gesehen. Ich war ja in meiner Wohnung.

□ Haben Sie außer dem Klingeln noch .... gehört?

△ Ja, ich habe noch laute Stimmen gehört. Ich glaube, meine Nachbarin hat sich mit .... gestritten.

□ Mit einem Mann oder einer Frau?

△ Es war eine dunkle Stimme, wahrscheinlich ein Mann.

□ Hatte Ihre Nachbarin öfter Männerbesuch?

△ Das weiß ich nicht. Ich bin im Treppenhaus ab und zu mal .... begegnet, der aus Frau Kleinschmidts Wohnung kam. Aber beschreiben kann ich den Mann nicht.

□ Aber Sie können uns doch bestimmt sagen, ob er groß oder klein war, alt oder jung, blond oder dunkelhaarig.

△ Also, er war mittelgroß, mittleren Alters und mittelblond.

□ Hm, ist das ...., was Sie sagen können?

△ Ja, das ist ....

□ Gibt es sonst noch ...., was Ihnen in letzter Zeit aufgefallen ist?

△ Nein, ... Es war .... so wie immer.

□ Dann vielen Dank, Frau Krüger. Falls Ihnen noch .... einfällt, dann melden Sie sich bitte bei uns.

4) **Wenn … Ergänzen Sie *man, einem, einen*.**

● Wenn *einem* das Portemonnaie gestohlen wird, muss *man* zur Polizei gehen.

1. Wenn .... der Chef nervt, sollte .... ganz ruhig bleiben.
2. Wenn .... die Arbeit zu viel ist, sollte .... sie besser organisieren.
3. Wenn .... schlecht geschlafen hat, fühlt .... sich am nächsten Morgen wie gerädert.
4. Wenn .... nicht mehr weiter weiß, sollte .... sich Rat holen.
5. Wenn .... langweilig ist, sollte .... sich ein kreatives Hobby suchen.
6. Wenn .... alles zu viel wird, sollte .... Urlaub machen.

5) **Ergänzen Sie die Indefinitpronomen in der richtigen Form.**

┄┄
nichts • niemand *(2 x)* • alle • (irgend)jemand *(2 x)* • man *(2 x)* • etwas *(3 x)* • alles
┄┄

1. □ Weißt du schon *etwas* über das neue Projekt?
   △ Keine Ahnung. Ich weiß absolut ....

2. □ Wer kommt eigentlich zur Mitarbeiterbesprechung?
   △ Es hat .... abgesagt, das heißt, es kommen ....

3. □ Kannst du mir sagen, wie der Kopierer funktioniert?
   △ Ganz einfach: .... legt das Papier hier drauf und drückt dann diesen Knopf. Es kann einem natürlich passieren, dass der Kopierer kein Papier mehr hat. Deshalb sollte .... immer erst mal nachschauen, ob in der Papierlade .... drin ist.

4. □ Ich weiß, dass .... gerne Protokoll schreibt, aber .... muss es machen. Frau Müller, würden Sie heute Protokoll schreiben?
   △ Also, ich habe schon letzte und vorletzte Woche Protokoll geschrieben. Vielleicht können Sie dieses Mal .... fragen, der noch nie eine Sitzung protokolliert hat, Frau Kümmel zum Beispiel.

5. □ Herr Funke, Sie übernehmen ab nächste Woche das Projekt „Qualitätssicherung". Gibt es im Moment noch ...., das Sie am Konzept ändern möchten?
   △ Nein, ich bin mit .... einverstanden.

3.4 Fragepronomen

Wer hat diesen wunderbaren Sonnenuntergang fotografiert? – Herr Roth.
↓
Fragepronomen (für Personen)

Was hat Herr Roth fotografiert? – Den Sonnenuntergang.
↓
Fragepronomen (für Sachen)

Hm, der Kuchen sieht gut aus!

Was für einen möchten Sie denn?
↓
Fragepronomen (➤ Seite 123: *Deklination der Indefinitpronomen*)

Ich nehme ein Stück Obstkuchen.

Welchen meinen Sie? Pflaumenkuchen oder Kirschkuchen?
↓
Fragepronomen (➤ Seite 112: *Deklination des bestimmten Artikels*)

▶ **Gebrauch**

→ Fragepronomen stehen ohne Nomen. Sie werden dekliniert.

→ Die Fragepronomen *wer/wen/wem* beziehen sich auf Personen, *was* bezieht sich auf eine Sache. *Wessen* kann nach einer Person oder Sache fragen.

→ Das Fragepronomen *was für ein-* steht bei der Frage nach der Entscheidung zwischen <u>allgemeinen</u> Möglichkeiten. *Welche-* steht bei der Frage nach der Entscheidung zwischen <u>konkreten</u> Möglichkeiten.

▶ **Formen**

Kasus	Wer?	Was?
Nominativ	wer	was
Akkusativ	wen	was
Dativ	wem	was
Genitiv	wessen	wessen

■ ■ ■ **Übungen**

1) **Bilden Sie Fragen. Fragen Sie nach den unterstrichenen Nomen.**

● <u>*Wer* leitet die Abteilung</u>?   Die Abteilung leitet <u>Frau Kunkel</u>.
1. ....?   Das ist <u>Frau Kunkels</u> Jahresplanung.
2. ....?   Sie hat gestern mit <u>dem Direktor</u> über verschiedene Probleme gesprochen.
3. ....?   <u>Die Finanzierung</u> stand auch auf der Tagesordnung.
4. ....?   <u>Frau Kunkels</u> Ideen haben den Direktor überzeugt.
5. ....?   Sie hat <u>viel Geld</u> für das neue Projekt bekommen.
6. ....?   Sie erwartet von <u>ihren Mitarbeitern</u> hohe Einsatzbereitschaft.
7. ....?   <u>Alle Kollegen</u> sind hoch motiviert.

2) **Der Schmuck der berühmten Schauspielerin Hera Schön wurde aus ihrem Hotelzimmer gestohlen. Die Polizei ermittelt. Ergänzen Sie die passenden Fragepronomen.**

● *Wer* kannte die Zimmernummer von Frau Schön?
1. .... hatte Zugang zu den Zimmerschlüsseln?
2. Mit .... ist die Schauspielerin gestern Abend ausgegangen?
3. .... hat der Hotelmanager so lange in Frau Schöns Zimmer gemacht?
4. .... kannte den Code zu ihrem Zimmersafe?
5. Frau Schön hat viele teure Schmuckstücke. .... davon waren im Safe, ... hat sie getragen?
6. Im Hotelzimmer wurde eine Krawatte gefunden. .... Krawatte könnte das sein?
7. .... hat Frau Schön um Mitternacht angerufen?

3.5 Demonstrativpronomen

Ein Gespräch im Museum

☐ *Welches Bild gefällt dir am besten?*

△ *Dieses da.*

☐ *Und wie findest du das da?*

△ *Das da? Das finde ich auch gut.*

☐ *Weißt du eigentlich, dass letzte Woche ein berühmtes Gemälde aus dem Museum gestohlen wurde?*

△ *Nein, von wem denn?*

☐ *Na, von professionellen Kunstdieben! Die Experten sagen, es waren dieselben, die schon andere Kunstdiebstähle begangen haben.*

△ *Ach! Und wie kommen die darauf?*

☐ *Das Alarmsystem war ausgeschaltet, wie bei den anderen Einbrüchen. Jetzt suchen sie unter den Mitarbeitern denjenigen, der mit den Tätern zusammengearbeitet hat.*

△ *Das ist ja interessant!*

▶ **Gebrauch**

→ Demonstrativpronomen stehen ohne Nomen und sind (im Gegensatz zu den Artikeln) betont.

→ Die Demonstrativpronomen *der/die/das* und *diese-* bezeichnen eine bestimmte, schon bekannte Person oder Sache.

→ *Derselbe-/dieselbe-/dasselbe-* bezeichnet eine Person oder Sache, die mit einer bereits genannten oder bekannten Person oder Sache identisch ist.

→ *Derjenige-/diejenige-/dasjenige-* verweist auf eine Person oder Sache, die im nachfolgenden Relativsatz näher beschrieben wird. ➤ Seite 225: *Relativsätze*

▶ **Formen: Das Demonstrativpronomen *diese-***

Kasus	Singular			Plural
	maskulin	**feminin**	**neutral**	
Nominativ	dieser	diese	dieses	diese
Akkusativ	diesen	diese	dieses	diese
Dativ	diesem	dieser	diesem	diesen
Genitiv	dieses	dieser	dieses	dieser

➤ Seite 112: *Bestimmter Artikel*

▶ **Formen: Die Demonstrativpronomen *derselbe-, dieselbe-, dasselbe-* und *derjenige-, diejenige-, dasjenige-***

Kasus	Singular			Plural
	maskulin	**feminin**	**neutral**	
Nominativ	derselbe derjenige	dieselbe diejenige	dasselbe dasjenige	dieselben diejenigen
Akkusativ	denselben denjenigen	dieselbe diejenige	dasselbe dasjenige	dieselben diejenigen
Dativ	demselben demjenigen	derselben derjenigen	demselben demjenigen	denselben denjenigen
Genitiv	desselben desjenigen	derselben derjenigen	desselben desjenigen	derselben derjenigen

▶ **Hinweise**

→ Die Demonstrativpronomen *derselbe-, dieselbe-, dasselbe-* und *derjenige-, diejenige-, dasjenige-* werden im ersten Wortteil wie bestimmte Artikel dekliniert *(der, die, das)*. Die Endungen von *-selbe-* und *-jenige-* entsprechen der Deklination der Adjektive. ➤ Seite 131

▶ **Formen: Die Demonstrativpronomen *der, die, das***

Kasus	Singular			Plural
	maskulin	**feminin**	**neutral**	
Nominativ	der	die	das	die
Akkusativ	den	die	das	die
Dativ	dem	der	dem	denen
Genitiv	dessen	deren	dessen	deren

▶ **Hinweise**

→ Die Formen von *der, die, das* als Demonstrativpronomen entsprechen den Formen der Relativpronomen. ➤ Seite 225

■ ■ ■ **Übungen**

1) **Ergänzen Sie *der, die, das* in der richtigen Form.**
Lesen Sie anschließend den Dialog laut und betonen Sie die Demonstrativpronomen.

(28)

□ Hast du schon den neuen Chef gesehen?
△ Ja, *der* sieht aber noch jung aus!
□ So jung ist .... aber nicht mehr.
△ Nein? Wie alt ist .... denn?
□ Ich glaube, so um die 30.
△ Was, so alt schon?
□ Petra von der Rezeption soll sich ja in .... schon verliebt haben.
△ Was du nicht sagst! Na, ... verliebt sich doch in jeden. Denk mal an den alten Chef. .... hat sie ja am Anfang jeden Wunsch von den Augen abgelesen.
□ Das stimmt, aber es hat ihr nichts genützt. Bei .... hatte sie kein Glück. Sag mal, was hältst du eigentlich von der neuen Sekretärin?
△ Also, mit .... möchte ich ja nicht tauschen! .... muss den ganzen Tag hinter dem Computer sitzen und bis abends arbeiten.
□ Da hast du recht. .... hat ja nicht mal Zeit, einen Kaffee zu trinken und über die Kollegen zu reden.

2) **Ergänzen Sie *derselbe-, dieselbe-, dasselbe-* in der richtigen Form.**

● Kennst du den Mann dort? Ist das nicht *derselbe*, der im Supermarkt an der Kasse sitzt?
1. Hast du die Frau schon mal gesehen? Ist das nicht ...., die gestern mit dem Bürgermeister im Restaurant „Krone" war?
2. Die Rede habe ich schon mal gehört. Das ist ...., die der Chef schon letztes Jahr gehalten hat.
3. Den Projektvorschlag kenne ich. .... hast du doch schon im letzten Jahr eingereicht!
4. Was für ein wunderschönes Bild! Ist das nicht ...., das vor einer Woche im Museum gestohlen wurde?
5. Siehst du den Hut von Vera Wichtig? Hat sie .... nicht schon zum letzten Pferderennen getragen?

3) **Ergänzen Sie *derjenige-, diejenige-, dasjenige-* in der richtigen Form.**

● *Diejenigen*, die noch Probleme mit dem Wortschatz haben, sollten viel lesen.
1. Der Politiker sprach mit ...., die seit Langem arbeitslos sind.
2. ...., der die Alarmanlage im Museum ausgeschaltet hat, wurde gestern verhaftet.
3. Die Polizei hat auch .... befragt, die nicht mehr im Museum arbeiten.
4. Gestern gab es ein Arbeitstreffen mit ...., die an einer Projektmitarbeit interessiert sind.
5. Der Chef sucht jetzt .... heraus, die fachlich geeignet sind.

3.6 Das Wort *es*

Es regnet.

Martin hat es eilig.

Es freut mich, Sie wiederzusehen.

Wo ist mein Geld? Ich habe es nicht.

Es waren viele Leute auf der Party.

▶ **Gebrauch**

→ *Es* kann bei bestimmten Verben oder Wendungen als festes Subjekt stehen: Es regnet.

→ *Es* kann bei bestimmten Wendungen als festes Objekt stehen: Martin hat es eilig.

→ *Es* kann als „Platzhalter" für nachfolgende Infinitivsätze, *dass*-Sätze oder indirekte Fragesätze stehen.
   Es freut mich, Sie wiederzusehen.

→ *Es* kann als Pronomen verwendet werden: Wo ist mein Geld? Ich habe es nicht.

→ *Es* kann auf Position 1 stehen, um das Subjekt des Satzes zu betonen.
   Viele Leute waren auf der Party. → Es waren viele Leute auf der Party.

▶ **Formen: *Es* als festes Subjekt oder Objekt**

Wetter-Verben	Es regnet. Heute regnet es. Es hat heute geregnet. Es schneit, blitzt, donnert …	
Wetter-Adjektive	Es ist heiß, warm, kalt …	
Uhrzeit/Zeit	Wie spät ist es? Es ist 10.00 Uhr. Es ist schon spät.	*es* als Subjekt
Sinneseindrücke	Schmeckt es dir? Es duftet. Es stinkt. Es klingelt. Es raschelt.	
feste Wendungen	Es handelt sich um … Es geht um … Es kommt darauf an … Es hängt davon ab … Es gibt … Es wird … (ernst).	
feste Wendungen	Er hat es eilig. Sie hat es nicht leicht. Er nimmt es mit Humor. Ich meine es ernst.	*es* als Objekt

▶ **Formen: *Es* als Platzhalter für nachfolgende Sätze**

dass-Sätze	Es freut mich sehr, dass du kommen konntest.
indirekte Fragesätze	Es ist nicht sicher, ob wir finanzielle Unterstützung bekommen.
Infinitivsätze	Es tut mir leid, dich zu enttäuschen. Für uns ist es wichtig, auch andere Aspekte zu beachten.

▶ **Hinweise**

→ Wenn der Nebensatz oder Infinitivsatz vorangestellt ist, entfällt *es*.
   Es freut mich sehr, dass du kommen konntest. → Dass du kommen konntest, freut mich sehr.

■ ■ ■ **Übungen**

1) **Was für ein Tag! Beschreiben Sie das heutige Wetter.**

heiß sein • sonnig sein • windig sein • stürmisch sein • … Grad sein • stürmen • donnern • blitzen • regnen • die Sonne scheint • Wolken ziehen auf • ein Sturm kommt auf

vormittags

nachmittags

abends

2) **Bilden Sie Sätze.**

● wie – gehen – Ihnen?   *Wie geht es Ihnen?*
1. was für ein Computerproblem – sich handeln um?   ....
2. einen Virus – gehen um   ....
3. geben – eine Lösung – für das Problem?   ....
4. abhängen von – vielen Faktoren   ....
5. auch – ankommen auf – gutes Fachwissen   ....

3) **Bilden Sie Sätze mit oder ohne *es*.**

● ich – mögen • dir bei der Arbeit zuzusehen   *Ich mag es, dir bei der Arbeit zuzusehen.*
1. ich – mögen • meine Arbeit nicht besonders   ....
2. ich – hassen • Berichte zu schreiben   ....
3. ich – lieben • nur die praktische Seite an der Arbeit   ....
4. ich – schön finden • dass du mich unterstützt   ....
5. schade sein • dass du das nicht immer machst   ....
6. für mich – ein Rätsel sein • wie du das immer schaffst   ....

4) **Im folgenden Dialog fehlt das Wort *es* elfmal (ohne das Beispiel). Finden Sie, wo?** 〔29〕

☐ Guten Tag, Herr Kaiser. Freut mich, Sie zu sehen. Wie geht Ihnen?

△ Danke, mir geht gut. ⟵———— *Es*

☐ Wie war die Fahrt?

△ Oh, die Fahrt war schrecklich. Gab ziemlich viel Stau auf der Autobahn und wir haben heute für die Strecke über zwei Stunden benötigt.

☐ Das ist wirklich viel. Kommt nicht so oft vor, dass die Straßen hier in der Gegend für eine ganze Stunde gesperrt sind.

△ Ich glaube, gab einen Unfall.

☐ Ah, das war sicher der Grund dafür. Ist schon spät und der nächste Termin steht gleich auf meinem Plan. Lassen Sie uns anfangen. Was genau können wir für Sie tun?

△ Geht um ein neues Projekt, das ich Ihnen gerne vorstellen möchte.

☐ Handelt sich um die Entwicklung eines neuen Softwareprogramms für die Verwaltung?

△ Ja genau, darum geht. Vielleicht kann ich Ihnen kurz erläutern.

☐ Gerne, ist für uns sehr wichtig, dass die Verwaltung mit einem Programm arbeitet, das für die Mitarbeiter zeitsparend ist und gleichzeitig detaillierte Buchungen ermöglicht …

4 Adjektive
4.1 Deklination

Diese Statue ist sehr alt.
↓
undekliniertes Adjektiv

Der alte Fernseher funktioniert nicht mehr.
↓
dekliniertes Adjektiv

So ein altes Auto kostet ein Vermögen.
↓
dekliniertes Adjektiv

Onkel Karl sammelt alte Münzen.
↓
dekliniertes Adjektiv

▶ **Gebrauch**

→ Adjektive beschreiben eine Sache, einen Zustand oder eine Tätigkeit näher.

→ Adjektive können **prädikativ bzw. adverbial** gebraucht werden.

  ▸ prädikativ: Die Statue ist sehr alt. Ich finde die Statue schön. Das Adjektiv steht mit einem Verb (oft *sein, werden, bleiben*) und bezieht sich auf das Subjekt oder Akkusativobjekt.

  ▸ adverbial: Der Dieb flüchtete schnell durch den Hinterausgang. Das Adjektiv bezieht sich auf das Verb.
Das ist ein schrecklich teures Auto. Das Adjektiv *schrecklich* bezieht sich auf ein anderes Adjektiv.
Prädikativ bzw. adverbial verwendete Adjektive haben keine Endung.

→ Adjektive können auch **attributiv** gebraucht werden: So ein altes Auto kostet ein Vermögen.
Attributive Adjektive stehen vor einem Nomen und werden dekliniert.

■ Deklination nach bestimmtem Artikel

Der alte Fernseher funktioniert nicht mehr.

▶ **Formen**

Kasus	Singular						Plural		
	maskulin		**feminin**		**neutral**				
Nominativ	der	alte	die	kleine	das	große	die	neuen	Bücher
Akkusativ	den	alten	die	kleine	das	große	die	neuen	
Dativ	dem	alten	der	kleinen	dem	großen	den	neuen	Büchern
Genitiv	des	alten	der	kleinen	des	großen	der	neuen	Bücher

maskulin: Baum / Baumes · feminin: Maus · neutral: Auto / Autos

▸ Auch nach: *diese-, jene-, jede- (Sg.), welche-, alle- (Pl.), beide- (Pl.)*

▶ **Kurzübersicht Adjektivendungen**

Kasus	Singular			Plural
	maskulin	feminin	neutral	
Nominativ	-e	-e	-e	-en
Akkusativ	-en	-e	-e	-en
Dativ	-en	-en	-en	-en
Genitiv	-en	-en	-en	-en

▶ **Hinweise**

→ Einige wenige Adjektive werden nicht dekliniert:
  ▸ einige umgangssprachliche Ausdrücke: das super Konzept, die prima Idee
  ▸ die Farben *lila* und *rosa*: die lila Handtasche, das rosa Kleid
  ▸ Ableitungen von Städtenamen und einigen Regionen auf *-er*: der Hamburger Hafen, Nürnberger Würste, Schweizer Käse, Thüringer Bratwurst

→ Wenn mehrere Adjektive ein Nomen beschreiben, haben alle Adjektive die gleiche Endung.
  Das ist der berühmte, von vielen Kritikern gelobte Maler.

■ Deklination nach unbestimmtem Artikel

So ein altes Auto kostet ein Vermögen.

▶ **Formen**

Kasus	Singular							Plural		
	maskulin			feminin			neutral			
Nominativ	ein	alter		eine	kleine		ein	großes		keine	neuen	Bücher
Akkusativ	einen	alten	Baum	eine	kleine	Maus	ein	großes	Auto	keine	neuen	
Dativ	einem	alten		einer	kleinen		einem	großen		keinen	neuen	Büchern
Genitiv	eines	alten	Baumes	einer	kleinen		eines	großen	Autos	keiner	neuen	Bücher

  ▸ Auch nach: *kein, mein, dein, sein, ihr, Ihr, unser, euer*

▶ **Kurzübersicht Adjektivendungen**

Kasus	Singular			Plural
	maskulin	feminin	neutral	
Nominativ	-er	-e	-es	-en
Akkusativ	-en	-e	-es	-en
Dativ	-en	-en	-en	-en
Genitiv	-en	-en	-en	-en

▶ **Hinweise**

→ Zur Kennzeichnung des Genus und Kasus enden die Adjektive vor maskulinen und neutralen Nomen im Nominativ auf *-r* bzw. *-s*. Im Akkusativ enden Adjektive vor neutralen Nomen auf *-s*.

■ Deklination ohne Artikel

Onkel Karl sammelt alte Münzen.

▶ Formen

Kasus	Singular maskulin		Singular feminin		Singular neutral		Plural	
Nominativ	alter		frische		kühles		süße	Äpfel
Akkusativ	alten	Wein	frische	Milch	kühles	Bier	süße	
Dativ	altem		frischer		kühlem		süßen	Äpfeln
Genitiv	alten	Wein(e)s	frischer		kühlen	Bier(e)s	süßer	Äpfel

▸ Auch nach: *andere, einige, etliche, folgende, mehrere, verschiedene, viele, wenige*

▶ Kurzübersicht Adjektivendungen

Kasus	Singular maskulin	Singular feminin	Singular neutral	Plural
Nominativ	-er	-e	-es	-e
Akkusativ	-en	-e	-es	-e
Dativ	-em	-er	-em	-en
Genitiv	-en	-er	-en	-er

▶ Hinweise

→ Adjektive ohne Artikel übernehmen die Endungen der Artikel als Kasus-Signal.
Ausnahme: Adjektive im Genitiv Singular vor maskulinen und neutralen Nomen enden auf *-en*.
Das Kasus-Signal steht am Nomen: ein Glas guten Wein**es**.

→ ▸ Die unbestimmten Zahlwörter *andere, einige, etliche, folgende, mehrere, verschiedene, viele, wenige* werden wie
Adjektive dekliniert. Sie haben die gleiche Endung wie eventuell nachfolgende Adjektive.
Viel**e** enttäuscht**e** Gäste beschwerten sich über das Hotel.

▸ *Manche* und *sämtliche (Pl.)* können wie bestimmte Artikel (Regelfall) oder wie Adjektive (Ausnahme) verwendet
werden. Die Endungen der nachfolgenden Adjektive richten sich nach der Art des Gebrauchs.
Manch**e** enttäuscht**en** Gäste beschwerten sich über das Hotel.   ➤ *Deklination nach bestimmtem Artikel*
Manch**e** enttäuscht**e** Gäste beschwerten sich über das Hotel.   ➤ *Deklination ohne Artikel*

■ ■ ■ Übungen

1) **Alles neu!**
Ergänzen Sie *neu* in der richtigen Form im Akkusativ. Achten Sie auf den Artikel vor dem Adjektiv.

Wie findest du …

● den   *neuen*   Chef
1. das .... Konzept
2. diesen .... Vorschlag
3. diese .... Farben
4. die .... Arbeitszeiten

5. mein .... Büro
6. deinen .... Job
7. unser .... Firmenlogo
8. die .... Cafeteria
9. den .... Computer?

2) **Ergänzen Sie die Adjektivendungen.**
Achten Sie auf den Artikel vor dem Adjektiv und den Kasus.

1. ☐ Kennst du den blond*en* jung....... Mann da?
   △ Ja, das ist der neu....... Informatiker.

2. ☐ Was hältst du von einer klein....... Pause?
   △ Eine klein....... Pause ist immer gut!

3. ☐ Warum hast du dich bei der letzt....... Sitzung verspätet?
   △ Ich musste noch mit einem norwegisch....... Kunden telefonieren.

4. ☐ Woher hast du diese lustig....... Bilder?
   △ Die hat mir ein alt....... Schulfreund geschenkt.

5. ☐ Heute Morgen habe ich im Radio eine interessant....... Sendung über asiatisch....... Sprachen gehört.
   △ Wirklich? Ich habe gestern im Fernsehen eine kurz....... Reportage über ein ähnlich....... Thema gesehen.

6. ☐ Hast du dich über den langweilig....... Vortrag auch so geärgert?
   △ Nein, ich habe während des gesamt....... Vortrags geschlafen.

7. ☐ Weißt du, warum wir im Moment nur so wenig....... Anfragen bekommen?
   △ Ja, wegen der beginnend....... Sommerferien.

8. ☐ Der Chef lässt keine ander....... Meinungen zu.
   △ Das stimmt. Für ihn zählt immer nur seine eigen....... Meinung.

3) **Der Traumurlaub**
   Ergänzen Sie die Adjektivendungen.

Emma und Paul sitzen in ihrem klein*en* Garten und träumen schon von ihrem Sommerurlaub. Sie wollen in einem schön....... Hotel mit einem gut....... Restaurant, freundlich....... Angestellten und einem groß......., sauber....... Swimmingpool wohnen. Sie wünschen sich ein hell....... Zimmer mit einem sonnig....... Balkon. Natürlich sollte das Hotel über einen kostenlos....... Internetanschluss und vielfältig....... Sportmöglichkeiten verfügen und in einer ruhig....... Gegend liegen. Paul möchte im Urlaub gerne an einem weiß....... Sandstrand sitzen und auf das blau....... Meer sehen. Emma dagegen liebt historisch....... Innenstädte, teur....... Geschäfte, gemütlich............. Cafés und Museen mit modern....... Kunst. Romantisch....... Stunden bei wundervoll....... Sonnenuntergängen finden beide sehr schön.

4) **Unsere Firma**
   Ergänzen Sie die passenden Adjektive in der richtigen Form.

kundenspezifisch · weltweit · mittelständisch · zahlreich · modern · zukünftig · sauber · hervorragend · wichtig

Unsere Firma ist ein *mittelständisches* Unternehmen und bis heute im Familienbesitz. Unsere Firmenphilosophie wurde an der Marktforderung nach einer .... Qualität, der Realisierung .... Wünsche und einer .... Distribution ausgerichtet. Voraussetzung hierfür sind .... Vertretungen im Ausland und ein .... Distributionssystem.
Das Thema „Umweltschutz" hat bei uns einen .... Stellenwert. Unser Anliegen ist es, ... Generationen eine .... Welt zu hinterlassen.

5) Ergänzen Sie die Adjektivendungen in den folgenden Zeitungsartikeln.

a) **Beeinflusst ein weich*er* Sessel unsere Entscheidungen?**

Körperlich....... Wahrnehmungen wirken sich in hoh....... Maße auf unsere Entscheidungen aus. Zu diesem erstaunlich....... Ergebnis kommen amerikanische Psychologen in der Fachzeitschrift „Science".

Die Forscher haben in verschieden....... Experimenten das Verhalten zufällig ausgewählt....... Probanden untersucht. Die Teilnehmer trugen schwer....... oder leicht...... Aktenordner, fassten hart....... oder weich...... Gegenstände an und saßen auf hart....... Stühlen oder in weich....... Sesseln. Anschließend mussten sie die Eignung von Job-Bewerbern beurteilen, die Schärfe eines Konflikts bewerten, den Preis für ein gebraucht....... Auto aushandeln und ander....... Aufgaben lösen.

Wer einen schwer....... Aktenordner in seinen Händen hielt, war strenger zu den Bewerbern. Wer einen rau....... Gegenstand angefasst hatte, bewertete den Konflikt als feindseliger. Und wer auf einem hart....... Stuhl saß, war nicht so kompromissbereit wie sein Kollege im weich....... Sessel.

b) **Lotusblume oder Schmusekatze?**

Kontaktanzeigen sind ein interessant*es* Forschungsgebiet. Sie spiegeln die zentral....... Normen und Werte einer Gesellschaft wider, so Wei Zhang, eine chinesische Germanistin, die in ihrer Diplomarbeit chinesisch....... und deutsch....... Heiratsannoncen verglich. Da die Inserenten sich möglichst attraktiv darstellen wollen, geben sie eine Beschreibung von sich, die den einheimisch....... Vorstellungen entspricht.

Laut Zhangs Analyse beschreiben deutsch....... Inserenten eher ihre emotional....... Erwartungen. Sie suchen prickelnd....... Beziehungen, als romantisch....... Höhepunkt gilt ein schön....... Abendessen bei sanft....... Kerzenlicht. Deutsch....... Singles geben ihren Beruf nicht so gerne an, für ihre chinesisch....... Kollegen sind dagegen Diplome sehr wichtig. Ihr Aussehen

beschreiben chinesisch...... Partnersuchende oft in einer bildhaft......., literarisch....... Sprache: „Mein Gesicht ist wie eine Lotusblume" oder „Ich habe einen Charakter wie ein ehrlich....... Ritter".

So spricht im modern......... China niemand mehr. Doch der gehoben......... Stil in Annoncen weist darauf hin, dass asiatisch........ Partnersuchende andere Prioritäten setzen als deutsche: Sie sind auf der Suche nach einem Lebenspartner mit gut........., klassisch......... Bildung und dem damit verbundenen hoh......... sozial....... Status.

6) **Bilden Sie aus den vorgegebenen Wörtern Sätze im Präteritum.**

● letzt-, Woche – eine Umfrage des Betriebsrates – mit etlich-, neu, Vorschlägen – stattfinden
  Letzte Woche fand eine Umfrage des Betriebsrates mit etlichen neuen Vorschlägen statt.

1. auf die Umfrage – zahlreich, interessant, Reaktionen – es – geben
   ....

2. einig-, älter, Kollegen – die neuen Ideen – ablehnen
   ....

3. bei viel, jünger, Mitarbeitern – die Vorschläge – auf Zustimmung – stoßen
   ....

4. mehrer-, interessiert, Kollegen – gestern – an einer Betriebsversammlung – teilnehmen
   ....

5. auf der Betriebsversammlung – über – verschieden, neu, Arbeitszeitmodelle – diskutiert werden
   ....

6. wenig, anwesend, Mitarbeiter – mit einer Verlängerung der wöchentlich, Arbeitszeit – einverstanden sein

4.2 Komparation

Steigerungsstufen:

Gestern war Sportfest und es gab viele Wettkämpfe:

Anne schwamm schnell.   Sie belegte den 3. Platz.
Marie schwamm schneller.   Sie belegte den 2. Platz.
Martina schwamm am schnellsten.   Sie belegte den 1. Platz.

↓
Das Adjektiv bezieht sich auf das Verb.

Georg ist ein schneller Läufer.   Er gewann die Bronzemedaille.
Klaus ist der schnellere Läufer.   Er gewann die Silbermedaille.
Martin ist der schnellste Läufer.   Er gewann die Goldmedaille.

↓
Das Adjektiv steht vor einem Nomen. Es wird dekliniert.

Vergleiche:

Martina schwamm am schnellsten. Sie schwamm schneller als Marie.

↓
Adjektiv im Komparativ

Franzi und Gabi kamen zeitgleich ins Ziel. Franzi schwamm genauso schnell wie Gabi.

↓
Adjektiv im Positiv

Doppelter Komparativ:

Je härter man trainiert, desto/umso schneller schwimmt man.

▶ **Gebrauch**

→ Die meisten Adjektive können gesteigert werden. Es gibt drei Steigerungsstufen.
Positiv: Anne schwamm schnell.
Komparativ: Marie schwamm schneller.
Superlativ: Martina schwamm am schnellsten.

▶ **Formen**

		Positiv	Komparativ	Superlativ
1.	**Normalform**	billig	billiger	am billigsten/der billigste
2.	a → ä warm – lang – arm – alt – kalt – hart – scharf	warm kalt	wärmer kälter	am wärmsten/der wärmste am kältesten/der kälteste
	o → ö groß	groß	größer	am größten/der größte
	u → ü kurz – jung – dumm – klug	jung	jünger	am jüngsten/der jüngste
3.	**Adjektive auf:** -er -el	teuer dunkel	teurer dunkler	am teuersten/der teuerste am dunkelsten/der dunkelste
4.	**Adjektive auf:** -sch/-s/-ß/-z -d/-t	frisch intelligent	frischer intelligenter	am frischesten/der frischeste am intelligentesten/der intelligenteste
5.	**Sonderformen**	gut viel gern hoch nah	besser mehr lieber höher näher	am besten/der beste am meisten/der meiste am liebsten/der liebste am höchsten/der höchste am nächsten/der nächste

▶ **Hinweise**

→ Der **Komparativ** der Adjektive wird mit *-er* gebildet: schnell – schnell**er**, der schnelle Läufer – der schnell**ere** Läufer.

→ Der **Superlativ** der Adjektive wird mit *am …-sten* bzw. *-st-* gebildet: schnell – **am** schnell**sten**, der schnelle Läufer – der schnell**ste** Läufer.

→ Einige einsilbige Adjektive mit den Vokalen *a, o* und *u* bilden den Komparativ und Superlativ **mit einem Umlaut**. alt, arg, arm, hart, kalt, lang, nah, scharf, schwach, schwarz, stark, warm, grob, groß, hoch, dumm, gesund, jung, klug, kurz

→ Adjektive auf *-er* und *-el* verlieren im Komparativ ein *e*: teuer – teurer.

→ Adjektive auf *-sch/-s/-ß/-z* und *-d/-t* bekommen im Superlativ ein *-e-*: frisch – am frisch**e**sten.

→ **Vergleiche** werden mit *als* oder *wie* gebildet.
Steht das Adjektiv im Komparativ, verwendet man *als*, steht das Adjektiv im Positiv, gebraucht man *wie*.
Martina schwamm schneller als Marie. Franzi schwamm genauso schnell wie Gabi.

▶ **Besonderheiten**

→ Bei **zusammengesetzten Adjektiven** (Adjektiv + Adjektiv/Partizip) wird entweder der erste oder der zweite Teil gesteigert: das meistgelesene Buch, der schwerwiegendste Vorwurf.

→ Der **Superlativ** kann auch **relativiert** werden: Er ist einer der beliebtesten Schauspieler Hollywoods (= Er ist einer von mehreren sehr beliebten Schauspielern.). Nomen und Adjektive stehen im Genitiv Plural.

▶ **Satzbau: Vergleichssätze**

I.	II.	III.	Ende der Satzklammer	Nachfeld
Franzi	ist	beim Wettkampf genauso **schnell**	geschwommen	wie Gabi.
Martina	ist	viel **schneller**	geschwommen	als Marie.

▸ In Vergleichssätzen können Angaben mit *als* und *wie* nach der Satzklammer stehen. ▶ Seite 188

▶ **Satzbau: Doppelter Komparativ**

Nebensatz	*Satzende*	Hauptsatz
Je härter man	trainiert,	desto/umso schneller schwimmt man.

■ ■ ■ **Übungen**

1) **Mit oder ohne Umlaut?**
Bilden Sie den Komparativ und den Superlativ. Achtung: Im Superlativ steht immer der bestimmte Artikel.

Positiv	Komparativ	Superlativ
● ein warmer Tag	*ein wärmerer Tag*	*der wärmste Tag*
1. ein starkes Gift		
2. eine klare Aussage		
3. eine schwache Leistung		
4. ein armes Land		
5. eine scharfe Currywurst		
6. ein straffes Programm		
7. ein hoher Ton		
8. ein kurzer Roman		
9. ein stumpfes Messer		
10. eine kluge Frage		
11. eine dumme Antwort		
12. ein junges Mädchen		

2) **Rekorde: Ergänzen Sie das passende Adjektiv im Superlativ in der richtigen Form.**

lang • schnell • alt • schwer • schief • klein • ~~groß~~

● Das *größte* Aquarium der Welt befindet sich in Atlanta. Es ist mit elf Millionen Litern Wasser gefüllt und hat eine Tiefe von zehn Metern.

1. Das .... Auto der Welt misst drei Nanometer und wurde an der Universität in Houston entwickelt.
2. Der .... Turm der Welt steht in dem ostfriesischen Ort Suurhusen. Er hat eine Neigung von 5,19 Grad.
3. Beim .... Stau der Welt stauten sich 2009 die Autos im brasilianischen São Paulo auf einer Strecke von 293 Kilometern.
4. Die .... noch existierende Tageszeitung ist die „Wiener Zeitung". Sie erschien 1703 zum ersten Mal.
5. Die .... Zitrone der Welt wurde am 8. Januar 2003 gewogen. Sie brachte es auf 5,265 Kilogramm.
6. Der .... Zug im öffentlichen Nahverkehr ist die Magnetschwebebahn in Schanghai. Sie erreicht auf ihrer Strecke zum Flughafen eine Geschwindigkeit von 431 km/h.

3) **Stadtrundgang. Ergänzen Sie den Superlativ. Achten Sie auf die Adjektivdeklination.**

● Also, eines der *wichtigsten (wichtig)* Gebäude unserer Stadt ist natürlich die Universität.

1. Sie ist zwar die .... *(jung)* Bildungseinrichtung der Gegend, aber sie hat einen sehr guten Ruf und zieht viele Studenten an.
2. Gleich daneben sehen Sie die .... *(schön)* Villa der Stadt. Das Gebäude wurde im Jahre 1908 gebaut, damals gehörte es der .... *(wohlhabend)* Kaufmannsfamilie.
3. Wir stehen vor der .... *(alt)* Kirche der Stadt. Sie wurde im Mittelalter gebaut.
4. Genau gegenüber befindet sich das Hotel „Adler". Mit seinen 25 Stockwerken ist es das .... *(hoch)* Gebäude. Es ist auch das .... *(teuer)* Hotel.
5. Dort drüben ist die .... *(beliebt)* Konditorei des Stadtviertels. Sie können hier die .... *(lecker)* Kuchen, Torten und Eisspezialitäten bestellen.
6. Heute Nachmittag werden wir das Technische Museum besuchen. Es verfügt über die .... *(wertvoll)* Sammlung optischer Geräte in Deutschland.
7. Das Museum liegt in der .... *(kurz)* Straße des Bundeslandes, die aus nur vier Häusern besteht.
8. Und das hier ist die .... *(gemütlich)* Kneipe mit Livemusik. Wenn Sie Jazz mögen, können Sie heute Abend hierher zurückkommen: Um 20.00 Uhr tritt der .... *(gut)* Jazz-Saxofonist der Region auf!

4) **Lernen im Alter** (30)
Ergänzen Sie den Komparativ.
Achten Sie, wenn nötig, auf die Adjektivendungen.

Seit einigen Jahren wissen die Wissenschaftler: Graue Zellen wachsen auch in *höherem (hoch)* Alter nach. Ein durch Alter verursachter Abbau des Gehirns findet erst nach dem 80. Lebensjahr statt. Mit steigendem Alter wird das Kurzzeitgedächtnis .... *(schwach)*, deshalb dauert das Lernen .... *(lang)*: Um das Gelernte im Langzeitgedächtnis zu speichern, muss es .... *(oft)* wiederholt werden. Diese Erscheinung tritt aber schon viel .... *(früh)* auf als viele denken: im siebten Lebensjahr!
Man lernt mit steigendem Alter also nicht .... *(schlecht)*, sondern anders. Beispielsweise können Senioren Dinge aus dem Langzeitgedächtnis .... *(gut)* wiedergeben als Jugendliche. Außerdem bietet

.... *(alt)* Menschen ihre .... *(lang)* Lebenserfahrung einen klaren Vorteil: Sie können neue Informationen mit bekannten verlinken. Diese Vernetzung macht das Einprägen .... *(einfach)*. Reines Auswendiglernen geht bei Senioren nicht mehr so einfach wie bei .... *(jung)* Menschen.
Mit zunehmendem Alter spielt die Eigenmotivation eine .... *(groß)* Rolle, unsere Leistung wird .... *(wenig)* von Außen beurteilt. Für .... *(alt)* Lerner ist es wichtig, dass sie etwas Nützliches dazulernen – und das ist richtig so.
Eins gilt für 20-Jährige genauso wie für 70-Jährige: Wer eine .... *(gut)* Gehirnleistung erreichen möchte, muss sein Gehirn täglich trainieren.

5) **Doppelter Komparativ**
Bilden Sie Sätze wie im Beispiel. Achten Sie auf den Satzbau.

● Je *geringer (gering)* der Energieverbrauch eines Gerätes ist, *(wenig – Geld – man – im Monat – ausgeben)*
desto weniger Geld gibt man im Monat aus.

1. Je .... *(viel)* Werbung man macht, *(bekannt – der Firmenname – werden)*
....

2. Je .... *(deutlich)* die Bedienungsanleitung ist, *(einfach – das Gerät – bedienen – sich lassen)*
....

3. Je .... *(edel)* die Materialen sind, *(teuer – man – das Produkt – verkaufen – kann)*
....

4. Je .... *(modern)* das Produkt gestaltet ist, *(interessant – es – jüngere Kunden – finden)*
....

6) **Eine der schönsten …**
Ergänzen Sie das Attribut im Genitiv Plural wie im Beispiel.

● Die blaue Villa ist eine *der schönsten Villen (schön, Villa)* der Stadt.
1. Armin Müller-Stahl ist einer .... *(bekannt, Schauspieler)* Europas.
2. Der Diamant mit dem Namen „Großmogul" ist einer .... *(groß, Diamant)* der Welt.
3. Die „Sternennacht" ist eins .... *(berühmt, Gemälde)* von Vincent van Gogh.
4. Friedrich Ani ist einer .... *(gut, Krimiautoren)* im deutschsprachigen Raum.
5. Der Messeturm in Frankfurt ist eins .... *(hoch, Gebäude)* in Deutschland.
6. „Alles auf Zucker" ist einer .... *(lustig, Film)* der letzten Jahre.

7) **Bilden Sie aus den vorgegebenen Wörtern Vergleichssätze mit *als* oder *wie*.**
Achten Sie auf den Satzbau.

● heute ↔ gestern – ich – *(lang)* – arbeiten müssen *(Präsens)*
Heute muss ich länger arbeiten als gestern.

1. in diesem Monat ↔ im letzten Monat – wir – *(viel)* – Geld – ausgeben *(Perfekt)*
....

2. die Romanverfilmung ↔ das Buch – ich – *(gut)* – finden *(Präteritum)*
....

3. Klaus = Peter – *(genauso gut)* – Spanisch sprechen *(Präsens)*
....

4. die E-Mails vom Chef ↔ die von seiner Sekretärin – *(freundlich)* – sein *(Präsens)*
....

5. das neue Betriebssystem ↔ das alte – *(schnell)* – arbeiten *(Präsens)*
....

6. aber beim neuen Betriebssystem = beim alten – *(genauso viele)* – Fehlermeldungen – es – geben *(Präsens)*
....

8) **Murphys Gesetz**
Ergänzen Sie die Adjektive in der passenden Form.

● In der Schlange, in der du stehst, geht es immer *langsamer (langsam)* voran als in der Schlange neben dir.
1. Es ist immer .... *(leicht)*, etwas auseinanderzunehmen, als es zusammenzubauen.
2. Alles dauert .... *(lang)*, als man glaubt.
3. Nichts ist so .... *(leicht)*, wie es aussieht.
4. Selbst die .... *(gut)* Lösung für ein Problem bringt mindestens zwei neue Probleme.
5. Das Produkt, das du gerade gekauft hast, schneidet im Testbericht am .... *(schlecht)* ab.
6. Egal, wie alt dein Auto ist, dein Nachbar fährt immer ein .... *(neu)* Modell.
7. Je .... *(harmlos)* eine Konstruktionsänderung erscheint, desto .... *(weittragend)* sind ihre
tatsächlichen Folgen.

4.3   Partizipien als Adjektive

Das lernende Kind sitzt auf dem Sofa.
↓
Partizip I als Adjektiv

Der Dieb flüchtete mit den gestohlenen Wertsachen.
↓
Partizip II als Adjektiv

▶ Gebrauch

→ Partizipien als Adjektive werden attributiv verwendet. Das heißt, sie stehen vor dem Nomen und werden dekliniert.

→ Partizipien geben eine temporale Beziehung zur Haupthandlung wieder.
  ▸ Das **Partizip I** beschreibt einen noch andauernden Vorgang.
    Das lernende Kind sitzt auf dem Sofa.
    (= Das Kind sitzt auf dem Sofa und lernt.)
  ▸ Das **Partizip II** beschreibt einen abgeschlossenen Vorgang.
    Der Dieb flüchtete mit den gestohlenen Wertsachen.
    (= Die Wertsachen wurden gestohlen, danach flüchtete der Dieb damit.)

→ Partizipien können mit verschiedenen Angaben **erweitert** werden.
  Die **gestern im Städtischen Museum** gestohlenen Wertsachen konnten von der Polizei heute Nacht sichergestellt werden.
  Erweiterte Partizipien findet man vor allem in der Schriftsprache, z. B. in beschreibenden Texten oder in wissenschaftlichen Publikationen.

→ Das Partizip I in Verbindung mit *zu* bildet das sogenannte **Gerundiv**. Dieses Attribut ist eine Passiv-Ersatzform und kennzeichnet eine Notwendigkeit oder eine Möglichkeit.
  Die zu lernenden Vokabeln stehen auf Seite 100.
  (= Die Vokabeln, die noch gelernt werden müssen, stehen auf Seite 100.)
  Das ist ein nicht zu erklärendes Phänomen.
  (= Das Phänomen kann nicht erklärt werden.)

▶ Formen: Partizip I und II

Partizip I	das lernende Kind	Partizip I (lernend) + Adjektivendung	Das Kind lernt.	Die Handlung dauert an.
Partizip II	der geflohene Dieb	Partizip II (geflohen) + Adjektivendung	Aktiv: Der Dieb ist geflohen.	Die Handlung ist abgeschlossen.
	die gestohlenen Wertsachen	Partizip II (gestohlen) + Adjektivendung	Passiv: Die Wertsachen wurden gestohlen.	

  ➤ Seite 18: *Partizip II*

▶ Formen: Gerundiv

zu + **Partizip I**	die zu lernenden Vokabeln	*zu* + Partizip I (lernend) + Adjektivendung	Passiv: Die Vokabeln müssen gelernt werden.	zum Ausdruck von Möglichkeit oder Notwendigkeit

▶ Hinweise

→ Bei einigen Verben wird das Partizip II nicht als Adjektiv verwendet, z. B. bei *sein* und *haben*, oder bei Verben wie *arbeiten, antworten, danken, drohen, gefallen, nützen, schlafen* und *sitzen*.

■ ■ ■ Übungen

1) **Das beste Telefon. Lesen Sie den folgenden Werbetext.**

a) **Markieren Sie alle Adjektive.**

Zehn Gründe für den Kauf unseres <u>neuen</u> <u>eleganten</u> Telefons XL 1000 mit <u>integriertem</u> Anrufbeantworter:

- Das elegante, in Pianoschwarz gehaltene Design besticht durch seine modernen Formen.
- Das XL 1000 verfügt über eine beleuchtete Tastatur.
- Die hervorragende Audio-Qualität wird mithilfe eingebauter hochwertiger Lautsprecher sichergestellt.
- Die im Zusatzangebot enthaltenen Kopfhörer erfüllen ebenfalls höchste Qualitätsansprüche.
- Die Liste der gespeicherten letzten 30 Anrufe ist jederzeit abrufbar.
- Der integrierte digitale Anrufbeantworter hat eine Aufnahmezeit von 45 Minuten.

- Das Aufzeichnen von laufenden Telefongesprächen ist jederzeit möglich.
- Das 2 x 7-Segment-Display dient zur Anzeige der eingegangenen Nachrichten.
- Durch die Verwendung energiesparender Schaltnetzteile sinkt Ihr Stromverbrauch um 60 Prozent.
- Bei aktiviertem Eco-Modus ist das Telefon im Stand-by-Betrieb strahlungsfrei.

b) **Welche der markierten Adjektive sind Partizipien? Notieren Sie die Partizipien mit Nomen und nennen Sie das Verb.**

Partizip I

....

....

....

Partizip II

mit integriertem Anrufbeantworter – integrieren

....

....

....

....

2) **Bilden Sie Adjektive wie im Beispiel. Überlegen Sie, ob Partizip I oder II richtig ist.**

● Die Kartoffeln kochen.
→ die *kochenden* Kartoffeln

1. Das Rathaus brennt.
→ das ....

2. Der Zug fährt ein.
→ ....

3. Die Anforderungen steigen.
→ ....

4. Der Tresor öffnet sich.
→ ....

5. Das Interesse nimmt zu.
→ ....

6. Das Gerät reinigt sich selbst.
→ ....

Die Kartoffeln sind gekocht.
→ die *gekochten* Kartoffeln
Das Rathaus ist abgebrannt.
→ ....

Der Zug ist eingefahren.
→ ....

Die Anforderungen sind gestiegen.
→ ....

Der Tresor wurde geöffnet.
→ ....

Das Interesse hat zugenommen.
→ ....

Das Gerät wurde gereinigt.
→ ....

3) **Ergänzen Sie das Partizip I in der richtigen Form.**

● Hier berichtet wieder der *rasende (rasen)* Reporter live vom Geschehen auf den Straßen.

1. .... *(stocken)* Verkehr und viele Staus begleiten die Urlauber auf der Fahrt in den Süden.

2. Im Stau .... *(laufen)* Motoren sind schädlich für die Umwelt. Also, liebe Autofahrer, stellt eure .... *(laufen)* Motoren im Stau einfach ab!

3. An der Grenze nach Frankreich behindern .... *(streiken)* Lkw-Fahrer noch immer die Einreise.

4. Während des Wartens kann man .... *(fliegen)* Ballons am Himmel bewundern.

5. Am Straßenrand .... *(stattfinden)* Bauarbeiten erschweren den Rettungskräften die Durchfahrt.

6. Die lauten, ... *(stören)* Geräusche der Baumaschinen gehen den .... *(warten)* Autofahrern auf die Nerven.

7. Durch die Kombination von Urlaubszeit und notwendigen Straßenarbeiten rechnen wir in den .... *(kommen)* Tagen mit einer weiter .... *(steigen)* Staugefahr.

4) **Immer wieder Probleme mit dem Computer!**
Ergänzen Sie das Partizip II in der richtigen Form.

● Ich kann die *gespeicherten (speichern)* Dokumente nicht öffnen.

1. Manchmal verschwinden .... *(weiterleiten)* E-Mails aus meiner Mailbox.
2. In meinem Word-Dokument erscheinen die .... *(einfügen)* Absätze in einer anderen Schriftart.
3. Die .... *(einscannen)* Abbildungen sind von schlechter Qualität.
4. Der .... *(anschalten)* Computer macht laute Geräusche.
5. Wegen des vor Kurzem .... *(anschließen)* Scanners stürzt mein Computer immer wieder ab.
6. Die .... *(einbauen)* Kamera funktioniert nicht.
7. Beim Versuch, Links in E-Mails zu öffnen, erscheint immer die Fehlermeldung:
   „Das System kann die .... *(angeben)* Datei nicht finden".
8. Ich kann die vor einer Woche .... *(installieren)* Programme nicht mehr starten.
9. Der .... *(anklicken)* Menüpunkt im Intranet führt mich nicht auf die .... *(wünschen)* Seite.
10. Ich kann mich auf der neu .... *(anlegen)* Plattform für Mitarbeiter nicht einloggen.

5) **Der Wurm im Salat**
Ergänzen Sie das Partizip I oder II in der richtigen Form.

Sich in Salatblättern *versteckende (verstecken)* Würmer gibt es ja öfter. Doch wenn sich der Wurm an dem Salatblatt aufhält, das wir gerade essen, hört normalerweise der Spaß auf. Nicht so bei Dmitri Selenin, dem Gouverneur der russischen Region Twer. Als der bei einem Dinner zu Ehren des deutschen Bundespräsidenten im Kreml in seinem .... *(servieren)* Salat einen .... *(herumkriechen)* Regenwurm fand, fotografierte er ihn kurzerhand und veröffentlichte das Foto mit einem Kommentar im Internet. Damit wollte man wahrscheinlich die Frische des .... *(zubereiten)* Salats beweisen, schrieb der Gouverneur.

Das wiederum fand nun der russische Präsident gar nicht witzig. Er forderte die sofortige Entfernung des .... *(fotografieren)* Wurms und die Löschung des Interneteintrags. Außerdem müsse es möglich sein, so der Präsident, Gouverneure wie Selenin wegen ruf......................... *(schädigen)* Verhaltens zu entlassen. Der Chefkoch des Kreml, Anatoli Galkin, lehnte jede Verantwortung für den im Salat .... *(finden)* Wurm ab. Normalerweise verließen nur sorgfältig .... *(prüfen)* Gerichte seine Küche, sagte er. Leider sei der Prüfer an dem betreffenden Tag im Urlaub gewesen.

6) **Aus Stellenanzeigen**
Ergänzen Sie das Partizip I oder II in der richtigen Form.

1. Junges, schnell *wachsendes (wachsen)* Unternehmen sucht .... *(engagieren)* und .... *(erfahren)* Diplom-Ingenieure und -Ingenieurinnen mit .... *(abschließen)* Hochschulstudium der Fachrichtung Elektrotechnik oder einer .... *(entsprechen)* Spezialisierung.
2. Wir bieten Ihnen .... *(herausfordern)* Projekte und ein angenehmes Arbeitsklima.
3. Wir erwarten von unseren zukünftigen Mitarbeitern eine sehr gut .... *(ausprägen)* Kommunikationsfähigkeit und Teamgeist.
4. Benutzen Sie für Ihre Bewerbung das im Internet .... *(bereitstellen)* Formular. Nur vollständig .... *(ausfüllen)* Bewerbungsformulare können berücksichtigt werden.

7) **Was ist/sind das?**
Bilden Sie das Gerundiv wie im Beispiel.

● Diese Vokabeln müssen noch gelernt werden.
1. Diese Vorwürfe müssen ernst genommen werden.
2. Diese Rechnungen müssen noch bezahlt werden.
3. Die Adressenliste muss noch ergänzt werden.
4. Die Aufträge müssen noch erledigt werden.
5. Der Brief muss heute noch beantwortet werden.
6. Die Produkte müssen noch bestellt werden.

Das sind   *noch zu lernende Vokabeln.*
Das sind ....
Das sind ....
Das ist die ....
Das sind ....
Das ist der ....
Das sind ....

4.4 Nominalisierte Adjektive

Gestern brach ein *unbekannter* Mann ins Museum ein.
↓
Adjektiv

Gestern brach ein *Unbekannter* ins Museum ein.
↓
Adjektiv als Nomen

▶ **Gebrauch**

→ Die meisten Adjektive und Partizipien können auch als Nomen im Satz auftreten.

→ Nominalisierte Adjektive dienen zur Bezeichnung von Personen oder Abstrakta.
   Gestern brach ein Unbekannter ins Museum ein.
   Die Polizei kann noch nichts Neues über den Fall sagen.

→ Nominalisierte Adjektive werden dekliniert wie attributiv verwendete Adjektive.
   ➤ Seite 131: *Deklination der Adjektive*

▶ **Formen: Personen**

Adjektiv/Partizip	mit bestimmtem Artikel		mit unbestimmtem, negativem oder possessivem Artikel	
abgeordnet	der Abgeordnete	• die Abgeordnete	ein Abgeordneter	• eine Abgeordnete
angestellt	der Angestellte	• die Angestellte	ein Angestellter	• eine Angestellte
beamtet	der Beamte	• die Beamtin (!)	ein Beamter	• eine Beamtin (!)
bekannt	der Bekannte	• die Bekannte	ein Bekannter	• eine Bekannte
betrunken	der Betrunkene	• die Betrunkene	ein Betrunkener	• eine Betrunkene
erwachsen	der Erwachsene	• die Erwachsene	ein Erwachsener	• eine Erwachsene
fremd	der Fremde	• die Fremde	ein Fremder	• eine Fremde
krank	der Kranke	• die Kranke	ein Kranker	• eine Kranke
verletzt	der Verletzte	• die Verletzte	ein Verletzter	• eine Verletzte
verwandt	der Verwandte	• die Verwandte	ein Verwandter	• eine Verwandte
deutsch	der Deutsche	• die Deutsche	ein Deutscher	• eine Deutsche

▶ **Formen: Abstrakta**

Adjektiv/Partizip	mit bestimmtem Artikel	ohne Artikel
böse	das Böse	nur Böses
gut	das Gute	etwas Gutes
neu	das Neue	nichts Neues
schrecklich	das Schreckliche	etwas Schreckliches
süß	das Süße	etwas Süßes

▶ **Hinweise**

→ Bei der Bezeichnung der Nationalitätszugehörigkeit bilden *die Deutschen* eine Ausnahme. Sie werden wie nominalisierte Adjektive dekliniert: der Deutsche, ein Deutscher, eine Deutsche, die Deutschen.
   Achtung: Alle anderen Bezeichnungen von Angehörigen bestimmter Nationalitäten auf *-e* wie *der Brite, der Bulgare, der Chinese* usw. sind Nomen der n-Deklination (➤ Seite 108).

■ ■ ■ Übungen

1) Verkehrsschilder in New York
Lesen Sie den folgenden Text. Markieren Sie alle nominalisierten Adjektive und Partizipien.

Das Gute liegt im Kleinen

Manch einer mag die New Yorker Bürger für ungesittet halten, doch auch dort weiß man: Geschriebenes in Großbuchstaben gilt nicht nur im Internet als etwas Unhöfliches.

Beamte der US-Bundesstraßenbehörde haben nun festgestellt, dass die seit 100 Jahren in Großbuchstaben geschriebenen Schilder der Stadt nicht so gut lesbar sind und somit eine Gefahr für die Verkehrssicherheit darstellen. Hinweisschilder in Kleinbuchstaben würden dagegen Auge und Gehirn nicht so sehr belasten und deshalb mehr Aufmerksamkeit für den Straßenverkehr gewährleisten.

Diejenigen, die schon mal in New York waren, könnten nun meinen, schlecht zu lesende Straßenschilder seien vielleicht nicht der wichtigste Grund für die suboptimale Verkehrssicherheit der Metropole. Trotzdem werden die Angestellten in New Yorks öffentlichem Dienst jetzt von den Beamten der Bundesbehörde zum Handeln gezwungen: Die Schilder müssen ausgetauscht werden. Bei einer Viertelmillion Schilder kostet das rund 27,6 Millionen Dollar. Die Beauftragte für Verkehr verteidigte die hohe Investition mit dem Argument, dass die neuen Schilder auch außerhalb des Verkehrs Gutes tun: Sie vermitteln das Gefühl einer freundlicheren, höflicheren Metropole.

2) Benennen Sie die folgenden Personen.
Bilden Sie aus den Adjektiven/Partizipien Nomen wie im Beispiel.

Partizip	maskulin	feminin	Plural
● vorsitzend	der Vorsitzende · ein Vorsitzender	die/eine Vorsitzende	die Vorsitzenden
1. unbekannt			
2. deutsch			
3. verwandt			
4. angeklagt			
5. studierend			
6. abgeordnet			
7. jugendlich			
8. lernend			

3) Ergänzen Sie das Adjektiv als Nomen.

● In jedem Sprichwort steckt etwas *Wahres* (wahr).

1. Viel .... (neu) hat der Politiker in seiner Wahlrede nicht gesagt.
2. Liebe ist etwas .... (wunderbar).
3. Gestern ist etwas .... (schrecklich) passiert. Ein .... (unbekannt) hat das wertvollste Gemälde aus dem Museum gestohlen.
4. Alle .... (anwesend) bekamen Werbegeschenke.
5. Er gibt immer sein .... (best-), aber manchmal ist das .... (best-) nicht gut genug.
6. Niederlagen haben auch etwas .... (gut), wenn man aus den Fehlern lernt.
7. Man muss allerdings das .... (gelernt) auch anwenden.

4) Gegensätze ziehen sich an.
Ergänzen Sie das Adjektiv als Nomen.

Sie arbeitet als *Angestellte* (angestellt).

... ist im Dorf eine .... (einheimisch).
... sieht immer nur das .... im Menschen (gut).
... isst gern .... (süß).
... Beide mögen Bier. Sie trinkt lieber .... (hell).

Er ist .... (freischaffend).
... ist ein .... (fremd).
... sieht nur das .... (schlecht).
... mag lieber .... (salzig).
... er bevorzugt .... (dunkel).

4.5 Adjektive mit Ergänzungen

Autoabgase sind <u>für die Umwelt</u> sehr *schädlich*.
↓
Ergänzung
für + Akkusativ

Paul ist beim Lesen eingeschlafen.
Der Roman war <u>ihm</u> zu *langweilig*.
↓
Ergänzung im Dativ

▶ **Gebrauch**

→ Man kann viele Adjektive, wenn sie prädikativ verwendet werden, durch weitere Satzglieder ergänzen. Meistens handelt es sich um Kombinationen von Adjektiven mit dem Verb *sein*. Die Ergänzung ist oft eine Präpositional-gruppe: Autoabgase sind schädlich für die Umwelt.
Manchmal werden Adjektive auch durch einen direkten Kasus ergänzt: Der Roman war ihm zu langweilig.

■ Adjektive mit präpositionalem Kasus

▶ **Formen**

Adjektive mit Präposition + Dativ *bei, gegenüber, mit, nach, von, vor, zu*	beliebt sein *bei*	Bruno ist bei seinen Fans sehr beliebt.
	aufgeschlossen sein *gegenüber (nachgestellt)*	Der Kollege ist auch Kritik gegenüber aufgeschlossen.
	verwandt sein *mit*	Sind Sie mit dem berühmten Schauspieler verwandt?
	verrückt sein *nach*	Sie ist verrückt nach Schokolade.
	begeistert sein *von*	Der Chef war von unseren Vorschlägen begeistert.
	blass sein *vor*	Sie war vor Angst ganz blass.
	nett sein *zu*	Du solltest zu dem Praktikanten etwas netter sein.
Adjektive mit Präposition + Akkusativ *auf, für, gegen, über, um*	gespannt sein *auf*	Wir sind auf das Ergebnis gespannt.
	wichtig sein *für*	Das Diplom ist für meine Bewerbung sehr wichtig.
	immun sein *gegen*	Er hatte die Krankheit schon. Jetzt ist er gegen sie (dagegen) immun.
	verwundert sein *über*	Über diese Einschätzung sind wir sehr verwundert.
	besorgt sein *um*	Der Arzt ist um seinen Patienten besorgt.
Adjektive mit Präposition + Dativ oder Akkusativ *an, in*	interessiert sein *an + Dativ*	Wir sind an dem Projekt sehr interessiert.
	gewöhnt sein *an + Akk.*	Ich bin an diese Kälte nicht gewöhnt.
	gut sein *in + Dativ*	In diesem Fach war Friedrich noch nie gut.
	verliebt sein *in + Akk.*	Bist du in deinen Deutschlehrer verliebt?
Adjektive mit Präposition + Gleichset-zungskasus *als*	bekannt sein *als + Nom.*	Der Autor ist als Kämpfer für den Frieden überall bekannt.

➤ Seite 246: Übersicht *Adjektive mit präpositionalem Kasus*

▶ **Hinweise**

→ Für Aussage- und Fragesätze gelten die gleichen Regeln wie für Verben mit präpositionalem Kasus (➤ Seite 61).
Ich bin an einer Bewerbung interessiert. Ich bin daran interessiert, mich zu bewerben. Woran bist du interessiert?

■ ■ ■ **Übungen**

1) **Welche Präposition passt?**
Bilden Sie Sätze wie im Beispiel. Achten Sie auf den richtigen Kasus.

1. *an* a) wir – eine Zusammenarbeit – interessiert sein   *Wir sind an einer Zusammenarbeit interessiert.*
       b) wir – das Projekt – beteiligt sein   ....
       c) das Land – Erdöl – reich sein   ....

2. .... a) Otto – seine Leistung – stolz sein   ....
       b) ich – das Ergebnis – gespannt sein   ....

3. .... a) Klaus – die Finanzen – verantwortlich sein   ....
       b) ich – dir – deine Hilfe – sehr dankbar sein   ....

4. .... a) der Chef – der Bericht – sehr erstaunt sein   ....
       b) wir – die unpünktliche Lieferung – verärgert sein   ....

5. .... a) Frau Müller – die Abrechnung – beschäftigt sein   ....
       b) sie – die Entscheidung – nicht einverstanden sein   ....

6. .... a) der Direktor – neue Projekte – aufgeschlossen sein   ....
       b) Oma – fremde Menschen – misstrauisch sein   ....

7. .... a) die Kritiker – die Romanverfilmung – enttäuscht sein   ....
       b) ich – die lange Sitzung – müde sein   ....

8. .... a) der Kellner – die Gäste – unfreundlich sein   ....
       b) du – meine Mutter – müssen – viel netter sein   ....

2) **Klatsch und Tratsch im Büro**
Ergänzen Sie die fehlenden Präpositionen bzw. die Pronominaladverbien.

1. ☐ Warum ist Rudolf so wütend *auf* dich?
   △ Er ist da.......... überzeugt, dass ich ihm die Stelle als Abteilungsleiter weggenommen habe.

2. ☐ Karla ist in letzter Zeit so freundlich .... Joseph.
   △ Ja, das ist mir auch aufgefallen. Ich glaube, sie ist .... ihn verliebt.
   ☐ Meinst du? Ich dachte immer, sie wäre .... Kollegen gar nicht interessiert.

3. ☐ Stimmt es, dass Eva nicht mehr .... das Projekt verantwortlich ist?
   △ Ja. Sie hat Monikas Aufgabenbereich übernommen: Sie ist jetzt .... internationale Lieferungen zuständig.
   ☐ Aber da.......... ist sie doch gar nicht geeignet! Sie kann ja nicht mal Englisch!

4. ☐ Weißt du, warum Sonja gekündigt hat? Sie war doch so beliebt .... den Kollegen.
   △ Sie wollte schon immer weg. .... der Stelle war sie von Anfang an unzufrieden.

5. ☐ Ich glaube, der Chef ist unheimlich stolz .... die Forschungsergebnisse.
   △ Ja, aber am wichtigsten war .... ihn, dass sein Name unter der Publikation steht.

■ Adjektive mit direktem Kasus

▶ **Formen**

Adjektive mit dem Dativ	ähnlich sein/sehen	Mein Bruder ist/sieht mir ähnlich.
	behilflich sein	Kannst du uns mal behilflich sein?
	böse sein	Bist du mir immer noch böse?
	egal/gleichgültig sein	Das ist mir egal/gleichgültig.
	lieb/teuer sein	Du bist mir lieb und teuer.
	peinlich sein	Das ist mir aber peinlich!
	recht sein	Die Entscheidung ist mir recht.
	unangenehm sein	Die Frage war dem Politiker sehr unangenehm.
	verbunden sein	Wir sind dir sehr verbunden.
	schlecht/übel sein/werden	Mir ist/wird schlecht/übel.
	kalt/warm/heiß sein/werden	Mir ist/wird kalt/warm/heiß.

Adjektive mit dem Dativ + *zu*	anstrengend sein	Die Arbeit ist mir zu anstrengend.
	gefährlich sein	Der Ausflug ist mir zu gefährlich.
	langweilig sein	Der Film ist mir zu langweilig.
	leicht sein	Du bist ja schon fertig! – Ja, die Aufgabe war mir zu leicht.
	schwierig/schwer/kompliziert sein	Mir war die Aufgabe zu schwierig/schwer/kompliziert.
	kalt/warm/heiß sein	In Grönland ist es mir zu kalt.
Adjektive mit dem Akkusativ	alt sein	Das Gebäude ist 400 Jahre alt.
	breit/hoch/schwer sein	Das Fahrzeug ist drei Meter breit, zwei Meter hoch und zwei Tonnen schwer.
	entfernt sein	Der Ort ist 50 km von der Stadt entfernt.
	wert sein	Der Ring ist den hohen Preis nicht wert.
Adjektive mit dem Genitiv	bewusst sein (Dativ + Genitiv)	Ich bin mir der Verantwortung bewusst.
	sicher sein (Dativ + Genitiv)	Ich bin mir seiner Loyalität nicht sicher.
	verdächtig sein	Der Mann ist des Mordes verdächtig.

▶ **Hinweise**

→ Direkte Ergänzungen im Dativ beziehen sich auf Personen: Bist du mir noch böse?
Die Adjektive *schlecht, übel, kalt, warm, heiß* können nur mit einer Dativergänzung verwendet werden.
Mir ist schlecht.

→ Bei Ergänzungen im Dativ mit *zu* sind auch Ersatzkonstruktionen mit *für* möglich.
Die Arbeit ist mir zu anstrengend. = Die Arbeit ist zu anstrengend für mich.

→ Adjektive mit einer Akkusativergänzung beschreiben Maße, Gewichte, Alter oder Qualität.
Das Gebäude ist 400 Jahre alt. Der Ring ist den hohen Preis nicht wert.

→ Adjektivergänzungen im Genitiv sind sehr selten. Sie beschränken sich auf einige wenige Adjektive.
Ich bin mir der Verantwortung bewusst.

■ ■ ■ **Übungen**

3) **Beantworten Sie die Fragen negativ, wie im Beispiel.**

● Steigst du mit uns auf den Berg? *(das, anstrengend)*   *Nein, das ist mir zu anstrengend.*

1. Machst du mit uns eine Wanderung durch den Urwald? *(das, gefährlich)* ....
2. Fliegst du mit mir nach Afrika? *(dort, es, warm)* ....
3. Hast du den Roman nicht zu Ende gelesen? *(der, langweilig)* ....
4. Machst du auch die A2-Prüfung? *(die, leicht)* ....

4) **Ergänzen Sie die fehlenden Adjektive und das Personalpronomen.**

ähnlich · böse · recht · behilflich · kalt · übel · peinlich · ~~warm~~ · kompliziert

● Kannst du bitte das Fenster öffnen? Es ist *mir (ich)* zu *warm* hier.

1. Bist du .... *(wir)* wegen der zerbrochenen Vase noch ....?
2. Ist das dein Sohn? Er sieht .... *(du)* sehr ....!
3. Karl war gestern krank. Wir waren in einer Sitzung und plötzlich wurde .... *(er)* .... Wir mussten einen Arzt rufen.
4. Ist .... *(ihr)* nicht ....? Es sind nur zehn Grad und ihr habt keine Mäntel an!
5. Trudi sagt, dass die Besprechung am Montag oder am Mittwoch stattfinden soll. Welcher Tag passt dir? – Ich habe immer Zeit, ... *(ich)* sind beide Tage ....
6. Es ist .... *(ich)* wirklich sehr ...., aber ich muss dich schon wieder um einen Gefallen bitten.
7. Kannst du .... *(ich)* bei der Jahresendabrechnung .... sein? Die Tabelle ist .... *(ich)* zu ....

4.6 Zahlwörter

Heute war das 100-Meter-Freistil-Finale der Frauen.
An dem Finale nahmen nur *drei* (3) Schwimmerinnen teil.
↓
Kardinalzahl

Anne belegte den *dritten* (3.) Platz.
↓
Ordinalzahl

Martina gewann auch dieses Finale. Sie ist jetzt *dreifache* Olympiasiegerin.
↓
Vervielfältigungszahl

Martina erhielt ein hohes Preisgeld. Ein *Drittel* des Geldes spendete sie für soziale Zwecke.
↓
Bruchzahl

▶ **Hinweise**

→ **Kardinalzahlen** benennen eine genaue Menge. Sie haben in der Regel keine Endung.
Am Finale nahmen drei Schwimmerinnen teil.
Eine Ausnahme ist die Zahl *eins*. Sie wird wie der unbestimmte Artikel dekliniert.
Ich habe **einen** Mann, **ein** Kind und **eine** Katze.

→ **Ordinalzahlen** bezeichnen einen Rang in einer Reihe. Sie werden wie Adjektive dekliniert.
Anne belegte den **dritten** Platz.
Eine Ausnahme ist die Angabe der Anzahl der Personen mit *zu*: Wir waren nur zu dritt (zweit, viert, fünft usw.).

→ **Vervielfältigungszahlen** geben eine Häufigkeit an und enden auf *-fach*. Sie werden dekliniert.
Martina ist dreifache Olympiasiegerin. (= Sie hat dreimal gewonnen.)

→ **Bruchzahlen** beschreiben den Teil eines Ganzen. Sie können als Adjektiv oder Nomen auftreten.
Zahladjektive oder Nomen auf *-tel* bzw. *-stel* bekommen keine Endung: Ein **Drittel** des Geldes spendete sie für soziale Zwecke.
Halb als Adjektiv wird dekliniert: Sie trank vor dem Wettkampf einen **halben** Liter Milch.
➤ Seite 131: *Deklination der Adjektive*

▶ **Formen**

	Kardinalzahl			Ordinalzahl
1	eins	(**ein** Mann, **eine** Maus)	1.	**erste** (der erste Januar, die erste Aufgabe, das erste Mal)
2	zwei	(zwei Männer, zwei Mäuse)	2.	**zweite** (der zweite Januar, die zweite Aufgabe, das zweite Mal)
3	drei	(drei Männer, drei Mäuse)	3.	**dritte** (der dritte Januar, die dritte Aufgabe, das dritte Mal)

Kardinalzahl		Ordinalzahl		Kardinalzahl		Ordinalzahl	
4	vier	4.	vier**te**	20	zwanzig	20.	zwanzig**ste**
5	fünf	5.	fünf**te**	21	einundzwanzig	21.	einundzwanzig**ste**
6	sechs	6.	sechs**te**	30	dreißig	30.	dreißig**ste**
7	sieben	7.	**siebte/siebente**	40	vierzig	40.	vierzig**ste**
8	acht	8.	ach**te**	100	hundert	100.	hundert**ste**
9	neun	9.	neun**te**	125	hundertfünfundzwanzig	125.	hundertfünfundzwanzig**ste**
10	zehn	10.	zehn**te**	1000	(ein)tausend	1000.	(ein)tausend**ste**
11	elf	11.	elf**te**	3000	dreitausend	3000.	dreitausend**ste**
12	zwölf	12.	zwölf**te**	4573	viertausendfünfhundert-dreiundsiebzig	4573.	viertausendfünfhundert-dreiundsiebzig**ste**
13	dreizehn	13.	dreizehn**te**				

■ ■ ■ Übungen

1) **Feiertage in Deutschland. Nennen Sie das Datum.**

● Wann feiert man in Deutschland Neujahr? *(1.1.)* — Neujahr ist am *ersten Ersten.*

1. Wann ist der Tag der Liebe? *(14.2.)* — Der Valentinstag ist am ....

2. Wann feiern die Deutschen in diesem Jahr Karneval? *(17.2.)* — Fastnacht ist am ....

3. Wann ist eigentlich dieses Jahr Ostern? *(5.4.)* — Ostersonntag ist am ....

4. Gibt es in Deutschland auch einen Nationalfeiertag? *(3.10.)* — Ja, der Tag der Deutschen Einheit ist am ....

5. Wann kommt in Deutschland der Weihnachtsmann? *(24.12.)* — Der kommt am Abend des ....

6. Und was machen die Deutschen am ersten Weihnachtsfeiertag? *(25.12.)* — Am .... essen viele von ihnen Gans.

2) **Schreiben Sie die Zahlen als Wörter.**

1. Ich bin *siebenmal (7 x)* durch die Fahrprüfung gefallen, beim .... *(8.)* Mal habe ich sie bestanden. Allerdings hatte ich bei meiner .... *(1.)* Autofahrt, die ich ganz alleine gemacht habe, furchtbare Angst.

2. Der Bankmanager verdient im Jahr genau .... *(1 293 765)* Euro. Mir würde schon eine .... *(0,5)* Million reichen.

3. Ich hätte gern einen .... *(⅛ Liter)* roten Hauswein.

4. Es sind Herbstferien. Wie waren gestern nur zu .... *(vier)* im Kurs.

5. Heinrich der .... *(8.)* hatte .... *(6)* Frauen. Die .... *(4.)* war eine Deutsche.

6. Die Athletin übersprang die Höhe beim .... *(3.)* Versuch. Damit wurde sie zum .... *(2.)* Mal Weltmeisterin.

3) **Welche Antwort passt? Ordnen Sie zu.**

1. Wann beginnt die Sitzung?
2. Wie oft warst du schon in Japan?
3. Wann hast du den Termin beim Anwalt?
4. Wie viele Leute wart ihr gestern im Kurs?
5. Welchen Tag haben wir heute?
6. Hast du die ganze Pizza gegessen?
7. Wie viele Geschwister hast du?

a) Wir waren zu viert.
b) Vier.
c) Um Vier.
d) Nein, nur ein Viertel.
e) Am vierten Vierten.
f) Den vierten Vierten.
g) Viermal.

4) **Was Liebe per Mausklick kostet** (32)
Schreiben Sie die Zahlen als Wörter.

Umfragen zufolge haben bereits zwischen *sechs (6)* und .... *(9)* Millionen Deutsche online einen Partner gefunden. Bei ihrer Suche können Singles im Netz zwischen .... *(2 000)* verschiedenen Anbietern wählen. Für die Anbieter ist die Online-Partnersuche ein Riesengeschäft. Seit .... *(2003)* hat sich der Umsatz der Branche von .... *(21 500 000)* Euro auf fast .... *(180 000 000)* Euro erhöht – das ist das .... *(8-fach).* Bei „Parship" beispielsweise kostet die

Mitgliedschaft für .... *(3)* Monate .... *(179,70)* Euro. Bei „FriendScout24" muss man .... *(⅔)* davon bezahlen, das ist auch nicht wenig. Wenn man davon ausgeht, dass man im Schnitt .... *(19)* Monate braucht, um einen Partner zu finden, ist man schnell bei über .... *(1 000)* Euro. Und der Erfolg ist nicht garantiert. Nur jedes .... *(3.)* Mitglied der Agentur „Parship" gab an, sich beim Online-Dating verliebt zu haben.

4.7 Wortbildung der Adjektive

Das ist Friedrich Eisenherz.
Friedrich ist sehr *sportlich*.
↓
abgeleitetes Adjektiv
(der Sport + -lich)

Friedrich trainiert jeden Tag, um *leistungsfähig* zu bleiben.
↓
zusammengesetztes Adjektiv
(die Leistung + -fähig)

▶ **Gebrauch**

→ Man kann Adjektive (genauso wie Nomen) aus verschiedenen Wortarten zusammensetzen oder ableiten.

▶ **Formen**

zusammengesetzte Adjektive

Adjektiv + Adjektiv	hell + blau	→ hellblau	
Verb + Adjektiv	wissen + begierig	→ wissbegierig	
Nomen + Adjektiv	die Leistung + fähig	→ leistungsfähig	▶ Seite 100: *Komposita: „Fugen-s"*

abgeleitete Adjektive von Nomen oder Verben

mit Suffix (Nachsilbe):

-lich	der Tag	→ täglich	bedrohen	→ bedrohlich			
-ig	der Stein	→ steinig	die Seide	→ seidig			
-isch	Franzose	→ französisch	angeben	→ angeberisch			
-bar	die Furcht	→ furchtbar	ableiten	→ ableitbar			
-sam	die Mühe	→ mühsam	sparen	→ sparsam			
-abel	variieren	→ variabel	spenden	→ spendabel			
-haft	der Schmerz	→ schmerzhaft	der Name	→ namhaft			
-gemäß/-mäßig	die Zeit	→ zeitgemäß	das Recht	→ rechtmäßig			
-al/-ell/-iell	die Region	→ regional	die Form	→ formell	die Potenz	→ potenziell
-iv/-ös	der Impuls	→ impulsiv	der Nerv	→ nervös			

▶ **Hinweise**

→ Am besten ist es, das Adjektiv gleich mit dem richtigen Suffix zu lernen.

→ Einige Suffixe können dem Adjektiv eine bestimmte Bedeutung verleihen.
  ‣ Die Suffixe *-ig* und *-lich* beschreiben oft eine Qualität: steinig, seidig, schlampig, ordentlich.
  ‣ *-isch* kann eine Zugehörigkeit oder ein Charakteristikum benennen: französisch, angeberisch.
  ‣ *-bar* und *-abel* drücken oft eine Möglichkeit aus: ableitbar (etwas kann abgeleitet werden), variabel (etwas kann variiert werden). Das Suffix *-abel* erhalten vor allem Fremdwörter.
  ‣ *-gemäß* und *-mäßig* beschreiben abstrakte Qualitäten: zeitgemäß, rechtmäßig.

→ Mit *-al/-ell* und *-iell* werden Adjektive aus Fremdwörtern gebildet.

Bedeutungsveränderung

Negation durch Präfix (Vorsilbe):		
miss-	verständlich	↔ missverständlich
un-	höflich	↔ unhöflich
in-	stabil	↔ instabil
ir-	rational	↔ irrational
il-	legal	↔ illegal
non-	verbal	↔ nonverbal
de-/des-	aktiviert	↔ deaktiviert
	interessiert	↔ desinteressiert

Negation durch Suffix (Nachsilbe):

-los	schlafen	→ schlaflos

Verstärkung durch Zusammensetzung

Nomen + Adjektiv	das Gift + grün	→ giftgrün
Verb + Adjektiv	betteln + arm	→ bettelarm
Adjektiv + Adjektiv	hoch + aktuell	→ hochaktuell

■ ■ ■ Übungen

1) **Bilden Sie Adjektive mit den Suffixen *-ig*, *-lich* oder *-isch*.**
Alle Nomen eines Aufgabenpunktes bekommen dieselbe Endung. Einige Adjektive haben einen Umlaut.

Wetter

1. die Sonne → *sonnig*   der Wind → ....   der Nebel → *nebl*.................
2. der Winter → ....   der Sommer → ....   der Herbst → ....
3. der Regen → *regner*.............   der Sturm → ....

Menschliche Eigenschaften

4. Risikofreude → ....   Selbstsucht → ....   Vernunft → ....
   Geduld → ....   Witz → ....   Ruhe → ....
   Mut → ....
5. Freund → ....   Leidenschaft → ....   Punkt → ....
6. Sympathie → ....   Laune → ....   Pessimist → ....
   Optimist → ....   Egoist → ....

2) **Zeitangaben**
Ergänzen Sie die Suffixe *-lich* oder *-ig*. Achten Sie auch auf die richtigen Endungen der Adjektive.

▸ Das Suffix *-ig* kennzeichnet bei temporalen Adjektiven eine Dauer, *-lich* bedeutet eine Wiederholung.

● Sie nimmt an einer *zweiwöchigen* Weiterbildung teil. *(zwei Wochen)*
1. Sein monat......... Gehalt beträgt 2 000 Euro. *(jeden Monat)*
2. Ernährungswissenschaftlern zufolge soll man fünfmal täg......... Obst essen. *(jeden Tag)*
3. Bis 31. Mai muss man die jähr......... Steuererklärung ausfüllen. *(jedes Jahr)*
4. Das dreijähr......... Studium wird mit dem Bachelor of Arts abgeschlossen. *(drei Jahre)*
5. Die Studenten können während des viermonat......... Praktikums Erfahrungen sammeln. *(vier Monate)*
6. Paul war so müde, er schlief in der zweistünd......... Sitzung ein. *(zwei Stunden)*

3) **Fähigkeiten**
Formen Sie die Passivsätze um wie im Beispiel.
Verwenden Sie Adjektive mit dem Suffix *-bar* oder zusammengesetzte Adjektive mit *-fähig*.

● Die Schrift kann gut gelesen werden.   *Die Schrift ist gut lesbar.*
1. Die Krankheit kann geheilt werden.   ....
2. Die Ware kann jetzt transportiert werden.   ....
3. Das Obst kann schon gegessen werden.   ....
4. Das Wasser kann nicht getrunken werden.   ....
5. Das Programm kann noch verändert werden.   ....
6. Die Kenntnisse können noch ausgebaut werden.   ....

4) **Welches Nomen passt?**
Bilden Sie zusammengesetzte Adjektive, die die Bedeutung verstärken.

> das Bild · das Stroh · der Stein · die Feder · das Gift · der Blitz · der Knall · ~~der Schnee~~ · die Butter

● Sie trug ein *schnee*weißes Kleid.

1. Aristoteles Onassis war .... reich.

2. Das neue Material wiegt fast nichts. Es ist .... leicht.

3. Manche Menschen sind .... schön, aber leider auch .... dumm.

4. Der Braten war lange im Ofen. Jetzt ist er .... weich.

5. Margot ist Designerin. Sie liebt leuchtende Farben, zum Beispiel .... grün oder .... rot.

6. Das Polizeiauto fuhr .... schnell an uns vorbei.

5) **Wie heißt das Gegenteil?**

● interessant: eine *uninteressante* Tätigkeit

1. kompetent: eine .... Bemerkung

2. konsequent: die .... Erziehung

3. direkt: die .... Beleuchtung

4. verbindlich: eine .... Zusage

5. typisch: ein .... Fehler

6. verständlich: eine .... Äußerung

7. formell: die .... Anrede

8. befristet: der .... Vertrag

9. rational: eine .... Handlung

6) **Baden, waschen und die Gesundheit – ein kurzer historischer Rückblick**
Bilden Sie aus den angegebenen Wörtern Adjektive. Das können abgeleitete Adjektive mit einem Suffix oder Partizipien sein. Achten Sie auch auf die richtige Endung des Adjektivs.

Ein *wohltuendes* (wohltun) Bad erfrischt Leib und Seele, das wussten schon die alten Griechen und Römer. Deshalb bauten sie .... (faszinieren) Badehäuser, in denen man sich wusch, gemeinsam speiste und sich unterhielt. Baden war in der Antike ein .... (Gesellschaft) Ereignis. Auch der Wellnessgedanke ist in diesem Zusammenhang keine .... (Neuzeit) Erfindung. In den antiken Badehäusern wurden Massagen, ... (Kosmetik) Behandlungen und kleinere Operationen durchgeführt.

Mit dem Niedergang des .... (Rom) Reiches ging es auch mit der .... (Europa) Badekultur bergab. Erst im frühen Mittelalter brachten Kreuzfahrer die Tradition des Badens aus den .... (Islam) Ländern mit nach Europa, und im 12. und 13. Jahrhundert stand die Zeremonie des .... (Gemeinschaft) Bades in voller Blüte.

Doch obwohl Frauen und Männer getrennt badeten, galten die .... (Mittelalter) Badehäuser als Orte der Lust, an denen Unzucht betrieben wurde. Vor allem Vertreter der Kirche betrachteten das Baden als unsittlich und hielten es für .... (Überfluss) Luxus.

Als im 15. und 16. Jahrhundert Krankheiten und Seuchen wie die Pest viele Todesopfer forderten, wurden die meisten öffentlichen Badeanstalten geschlossen. Nach Meinung der Ärzte hatten die Bäder einen .... (Schaden) Einfluss auf die Gesundheit. Dieser Auffassung blieb man lange treu. Bis Anfang des 18. Jahrhunderts wurde Körperpflege ohne Wasser bevorzugt. Die Adligen wechselten lieber ihre .... (tragen) Kleidung, puderten und parfümierten sich, als sich zu waschen.

Das änderte sich in der Zeit der Aufklärung und mit dem .... (Wissenschaft) Fortschritt. Wissenschaftler und Ärzte konnten sowohl den Nutzen von Hygiene mit Wasser als auch die .... (Gesundheit + fördern) Wirkung von Bädern und heißen Quellen nachweisen.

5   Präpositionen

Wir fahren <u>*mit*</u> *dem Zug.*
↓
Präposition mit dem Dativ

Frau Kunkel kann <u>*ohne*</u> *ihre Brille nicht mehr gut lesen.*
↓
Präposition mit dem Akkusativ

Das Glas steht <u>*neben*</u> *der Weinflasche.*
Ich habe das Glas <u>*neben*</u> *die Weinflasche gestellt.*
↓
Präposition mit Dativ oder Akkusativ

<u>*Wegen*</u> *des Sturms hatten viele Züge Verspätung.*
↓
Präposition mit dem Genitiv

▶ **Gebrauch**

→ Präpositionen stehen meistens vor einer abhängigen Wortgruppe bzw. einem abhängigen Wort. Sie können eine Richtung oder eine Lage, einen Zeitpunkt oder eine Zeitdauer, eine Art und Weise, einen Grund, einen Gegengrund, einen Gegensatz, eine Folge, einen Zweck oder eine Bedingung kennzeichnen.

→ Präpositionen bestimmen den Kasus der nachfolgenden Nomen oder Pronomen. Das kann ein Dativ, Akkusativ oder Genitiv sein.

Dativ:	Wir fahren mit dem Zug.	➤ Seite 154
Akkusativ:	Frau Kunkel kann ohne ihre Brille nicht mehr gut lesen.	➤ Seite 157
Genitiv:	Wegen des Sturms hatten viele Züge Verspätung.	➤ Seite 161

→ Bei einigen Präpositionen ist neben dem Normalkasus ein zweiter Kasus möglich. Die Bedeutung der Präposition ändert sich dadurch nicht. Das betrifft oft Präpositionen mit dem Genitiv, selten Präpositionen mit Dativ oder Akkusativ.

Dank dem schnellen Eingreifen der Polizei konnte eine Eskalation verhindert werden. (Dativ)

Dank des schnellen Eingreifens der Polizei konnte eine Eskalation verhindert werden. (Genitiv)

→ Einige Präpositionen (die sogenannten Wechselpräpositionen) regieren Nomen bzw. Pronomen im Dativ oder Akkusativ. Die Verwendung des Kasus ist von der Bedeutung abhängig:

Das Glas steht neben der Weinflasche. Ich habe das Glas neben die Weinflasche gestellt.   ➤ Seite 159

5.1 Präpositionen mit dem Dativ

Martina fährt bei schönem Wetter mit dem Motorroller von Oberschleißheim nach Unterschleißheim zu ihrer Tante.

▶ **Formen**

Präposition	Beispielsätze	Verwendung	Besonderheiten
ab	Das Flugzeug fliegt **ab** Frankfurt. **Ab** nächster Woche habe ich Urlaub.	lokal temporal	oft ohne Artikel
aus	Ich komme **aus** der Türkei. Die Tür ist **aus** Holz. Er heiratete sie **aus** Liebe.	lokal modal kausal	bei Modal- und Kausalangaben ohne Artikel
außer	**Außer** dem Chef wusste niemand von den Plänen. Seine Fähigkeiten stehen **außer** Frage.	konzessiv feste Wendung	in festen Wendungen ohne Artikel
bei	Er wohnt **bei** seinen Eltern. Er sieht **beim** Essen fern. **Bei** schlechtem Wetter gehe ich nicht spazieren.	lokal temporal konditional	
dank	**Dank** dem schnellen Eingreifen der Polizei konnte eine Eskalation verhindert werden.	kausal	auch mit Genitiv möglich
entgegen	**Entgegen** allen Befürchtungen erholt sich die Wirtschaft wieder.	adversativ	
entsprechend	**Entsprechend** der Vorhersage stieg der Dollarkurs an.	modal	voran- oder nachgestellt
gegenüber	Das Restaurant befindet sich **gegenüber** dem Theater. Fremden **gegenüber** benimmt er sich manchmal etwas merkwürdig.	lokal kausal	voran- oder nachgestellt
gemäß	Das Verfahren muss den Vorschriften **gemäß** ablaufen.	modal	voran- oder nachgestellt
mit	Ich fahre **mit** dem Zug. Der Zug fuhr **mit** hoher Geschwindigkeit.	modal-instrumental modal	
nach	Meiner Meinung **nach** steigen die Benzinpreise noch. Ich fahre **nach** Hause. **Nach** dem Essen gehe ich ins Bett. Wir sind **nach** der Präsentation von Gustav dran.	modal lokal temporal Reihenfolge	bei Modalangaben oft nachgestellt bei Lokalangaben ohne Artikel
seit	Es regnet **seit** zwei Tagen.	temporal	
von	Ich komme gerade **vom** Zahnarzt. Der Kurs geht **vom** 13. bis (zum) 27. Mai. Die Messe wurde **vom** Bundespräsidenten eröffnet. Das ist der Schreibtisch **vom** Chef.	lokal temporal Angabe des Agens in Passivsätzen Genitiversatz	

Präposition	Beispielsätze	Verwendung	Besonderheiten
zu	Ich gehe **zu** Fuß. Der FC Schalke 04 gewann zwei **zu** eins. **Zum** Einparken sollte man beide Außenspiegel benutzen. Ich gehe **zur** Bibliothek. **Zu** dieser Zeit studierte er in Paris.	modal feste Wendung final lokal temporal	
zufolge	Einem Bericht **zufolge** steckt das Unternehmen in Schwierigkeiten.	modal	mit Dativ immer nachgestellt, auch mit Genitiv möglich, mit Genitiv vorangestellt
zuliebe	Ich mache das nur dir **zuliebe**.	kausal	nachgestellt

▶ **Hinweise**

→ *Entgegen, entsprechend, gemäß* und *zufolge* werden hauptsächlich schriftlich verwendet.

■ ■ ■ **Übungen**

1) **Wo, woher oder wohin?**
Ergänzen Sie die Präposition *aus, bei, nach, von, zu* und den Artikel bzw. die Kurzform.
➤ Seite 163: *Gebrauch der lokalen Präpositionen*

● Fährst du auch *nach* München?

1. Ich komme heute später, ich muss noch .... Zahnarzt.
2. Wenn einem das Portemonnaie gestohlen wurde, sollte man .... Polizei gehen. .... Polizei erstattet man Anzeige gegen Unbekannt.
3. Ich habe Klaus getroffen. Er kam gerade .... Party und ging schon wieder .... nächsten.
4. Woher kommen Sie? Ich komme .... Deutschland, mein Kollege kommt .... Schweiz.
5. Warum kommen Otto und Frieda schon wieder zu spät .... Sitzung? – Otto ist noch .... Englischunterricht, Frieda ist .... Friseur.
6. Herr Krüger will sich scheiden lassen, er war sogar schon .... Anwalt.

2) **Ist die Sauna wirklich gesund?**
Ergänzen Sie den Text mit den passenden Ausdrücken.

bei höllischen • bei einer wissenschaftlichen • mit anderen schwitzenden • zu erstaunlichen • ~~von den unzähligen positiven~~ • bei bestimmten • Untersuchungsergebnissen zufolge • mit zwei

Der eine schwärmt *von den unzähligen positiven* (0) Gesundheitseffekten der Sauna, der andere versteht nicht, warum es so viel Spaß machen soll, ... (1) Menschen .... (2) Temperaturen in einem winzigen Raum zu sitzen. .... (3) Untersuchung zu der Frage, ob die Sauna Erkältungen vorbeugt, kamen Forscher der Universität Wien .... (4) Ergebnissen: Die Mediziner führten ein halbes Jahr lang Versuche .... (5) Patientengruppen durch und zeichneten auf, wie oft die Testpersonen erkältet waren. Den .... (6) ließ die Anzahl der Erkältungen bei der Gruppe nach, die regelmäßig die Sauna besuchte. Daraus konnten die Forscher schließen, dass Saunabesuche .... (7) Krankheiten tatsächlich eine vorbeugende Wirkung haben.

3) **Bilden Sie Sätze wie im Beispiel. Achten Sie auf den richtigen Kasus und die angegebene Zeitform.**

● seit – zwei Jahre – nicht mehr – er – rauchen *(Präsens)*

   Seit zwei Jahren raucht er nicht mehr.

1. das Endspiel – bei – strömender Regen – stattfinden *(Präteritum)*

2. dank – deine Hilfe – wir – das Projekt – rechtzeitig – beenden können *(Präsens)*

3. entgegen – alle Erwartungen – die Amateurmannschaft – gewinnen *(Präteritum)*

4. die Galerie – gegenüber – das Theater – liegen *(Präsens)*

5. zu – Wandern – man – die richtigen Schuhe – tragen müssen *(Präsens)*

6. der Chef – gegenüber – die Sekretärin – sehr nett – sein *(Präsens)*

7. zu – die Arbeit – Herr Müller – immer – mit – das Fahrrad – fahren *(Präsens)*

8. der Raum – ab – 15.00 Uhr – belegt sein *(Präsens)*

9. meine Meinung – nach – das Buch – ein Publikumserfolg – werden *(Präsens)*

10. zu – die Weihnachtsfeier – alle – außer – der Direktor – kommen *(Präteritum)*

11. eine Studie – zufolge – die Deutschen – zu wenig – sich bewegen *(Präsens)*

12. seine Frau – zuliebe – Otto – die neue Stelle – in Hamburg – ablehnen wollen *(Präsens)*

13. entsprechend – die Vorgaben der Fair-Wear-Foundation – die Pullover – aus – reine Baumwolle – produziert werden *(Präsens)*

14. nach – die Vorlesung – sie – meistens – in die Bibliothek – gehen *(Präsens)*

4) **Freizeit im Altertum**
Ergänzen Sie die passenden Präpositionen und Artikelendungen.

bei *(3 x)* • dank • mit • von • zu • entsprechend • nach

Schon *bei* de**n** alten Griechen wurde zwischen Arbeit und Freizeit unterschieden.

Die höheren Schichten der Gesellschaft brauchten .... ihr....... Sklaven keine körperliche Arbeit zu verrichten. Sie konnten sich .... d....... Wissen der Zeit, d....... Rhetorik und d....... Lernen beschäftigen. Doch selbst die Sklaven hatten jährlich ca. 60 freie Tage. Diese Zeit verbrachten sie zum Beispiel .... d....... Olympischen Spielen oder .... anderen Fes-

ten. Allerdings mussten die griechischen Bürger d....... Gesetzen .... den größten Teil ihrer Freizeit dem Staat zur Verfügung stellen.

Noch besser hatten es die Einwohner .... Rom. Dort konnte jeder Bürger seine Freizeit .... eigenen Zwecken nutzen. Auch die einfachen Menschen verfügten über individuelle Freizeit. .... dem Motto „Brot und Spiele" wurden für sie Wagenrennen veranstaltet und öffentliche Bäder, Parks und Sportarenen gebaut.

5.2 Präpositionen mit dem Akkusativ

*Herr Schmidt ging
ohne Gruß
durch die Tür.*

▶ **Formen**

Präposition	Beispielsätze	Verwendung	Besonderheiten
bis	Der Zug fährt nur **bis** München. Ich bleibe **bis** Sonntag.	lokal temporal	ohne Artikel, auch in Kombinationen mit anderen Präpositionen möglich (*zu, an, auf*)
durch	Wir fahren **durch** die Türkei. Die Mannschaft verbesserte sich **durch** hartes Training.	lokal modal	
entlang	Der Weg führt den Fluss **entlang**.	lokal	nachgestellt, auch mit Genitiv möglich, im Genitiv vorangestellt
für	Ich brauche das Geld **für** meine Miete. Der Künstler kommt nur **für** eine Stunde. Otto hat das Auto **für** 1000 Euro bekommen. Sie liest das Manuskript Wort **für** Wort.	final temporal Wertangabe feste Wendung	
gegen	Das Auto fuhr **gegen** einen Baum. Ich komme **gegen** 8.00 Uhr. Ich nehme die Tabletten **gegen** Kopfschmerzen.	lokal temporal – ungenaue Zeitangabe kausal/final	
ohne	**Ohne** Brille kann ich nichts sehen.	modal/konditional	
um	Wir sind **um** die Kirche (herum) gegangen. Die Besprechung beginnt **um** 9.00 Uhr. Die Kirche wurde **um** 1750 gebaut.	lokal temporal – genaue Zeitangabe temporal – ungenaue Zeitangabe	
wider	**Wider** Erwarten sanken die Ölpreise.	feste Wendung	ohne Artikel

■ ■ ■ Übungen

1) **Bilden Sie Sätze wie im Beispiel. Achten Sie auf den richtigen Kasus und die angegebene Zeitform.**

● das Haus – um – 1900 – gebaut werden (*Präteritum*) *Das Haus wurde um 1900 gebaut.*
1. wir – eine Runde – um – der See – gehen (*Präsens*) ....
2. der Film – bis – nächste Woche Dienstag – laufen (*Präsens*) ....
3. Marie – nichts mehr – ohne – ihr neuer Freund – machen (*Präsens*) ....
4. regelmäßiger Sport – gegen – Übergewicht – helfen (*Präsens*) ....
5. der Lkw – gegen – die Leitplanke – prallen (*Präteritum*) ....
6. für – du – ich – doch alles – tun! (*Präsens*) ....
7. die Rallye – mitten – durch – die Wüste – führen (*Präteritum*) ....
8. er – die Einkaufsstraße – entlang – schlendern (*Präteritum*) ....

2) **Ergänzen Sie die passenden Präpositionen mit dem Akkusativ.** 33

Uni Münster: Parkscheiben *für* **Bücher**

Vormittags .... (1) 10.00 Uhr in die Universitätsbibliothek gehen, einen Tisch im Lesesaal mit Büchern und Unterlagen besetzen und dann erst einmal .... (2) einige Stunden verschwinden – das war einmal. .... (3) dieses Verhalten der Studenten geht die Uni jetzt vor. Die Bibliothek will .... (4) das Aufstellen von Parkscheiben .... (5) Bücher beim Verlassen des Lesesaals endlich .... (6) Ordnung sorgen. Das Prinzip funktioniert wie bei einer Autoparkscheibe. Man stellt die Karte auf die Uhrzeit ein, zu der man in die Pause geht. Eine Kaffeepause darf nur 30 Minuten dauern. Wer .... (7) die Regeln verstößt, hat Pech gehabt: Ein anderer Student hat nun das Recht, die Bücher wegzuräumen und den Tisch selbst zu benutzen.

3) **Können Sie das Rätsel lösen?**
   Ergänzen Sie die fehlenden Präpositionen (Ü=UE). Wie heißt das Lösungswort (von oben nach unten)?

1. Greenpeace engagiert sich   F U E R   den Umweltschutz.
2. Einige positive Entwicklungen wären   den Einsatz von Greenpeace nicht denkbar.
3. Gestern demonstrierten viele Bürger   den bevorstehenden Atommülltransport.
4. Die Demonstranten marschierten   der Bahngleise.
5. Amnesty International kämpft   Menschenrechtsverletzungen.
6. Die Vereinten Nationen haben die Aufgabe,   die Sicherung des Weltfriedens zu sorgen.
7. Die Sitzung für die Hilfe im Katastrophengebiet beginnt   11.00 Uhr.
8. UNICEF setzt sich   die Rechte der Kinder ein.
9. Kinder können sich   Hilfe nicht wehren.
10. Zur Bekämpfung des Schmuggels stehen   des Flusses mehrere Wachposten.

Lösungswort: E ....

4) **Schreiben Sie eine E-Mail an Gerd und ergänzen Sie die fehlenden Präpositionen im Akkusativ.**
   Achten Sie auch auf die Zeitformen und die Stellung der Verben.

leider • ich • unser gemeinsames Abendessen • absagen • müssen *(Präsens)* → ich • heute früh • .... 9.00 Uhr • mit meinem Auto • aus der Garage • fahren, da • ein Taxi • die Straße .... rasen *(Perfekt)* → ich • es • unglücklicherweise • zu spät • sehen • und • voll • .... das Taxi • prallen *(Perfekt)* → .... Erwarten • mir und dem Taxifahrer • nicht viel • passieren *(Perfekt)* → ich • mir • das Bein • brechen *(Perfekt)* → der Taxifahrer • nur ein paar Prellungen • haben *(Präsens)* → .... die schnelle und gute Behandlung • im Krankenhaus • ich • schon • zu Hause • auf meinem eigenen Sofa • liegen dürfen *(Präsens)* → du • mich • ja mal • besuchen können • und • vielleicht • etwas zu essen • mitbringen *(Präsens)*

Lieber Gerd, ...
....
....
....
....
....
....
....

Liebe Grüße
Kathrin

5.3   Präpositionen mit Dativ oder Akkusativ

Die Maus sitzt vor der Flasche.

Die Maus hat sich vor die Flasche gesetzt.

▶ **Formen**

Präposition	Kasus	Beispielsätze	Verwendung
an	Dativ	Das Bild hängt an der Wand.	lokal (wo?)
	Akkusativ	Ich hänge den Mantel an die Garderobe.	lokal (wohin?)
	Dativ	Ich komme am Montag.	temporal
	Dativ	An deiner Stelle hätte ich nicht gekündigt.	konditional (irreal)
	Akkusativ	Auf der Hochzeitsfeier waren an die 100 Gäste.	ungenaue Zahlenangabe
auf	Dativ	Das Buch liegt auf dem Tisch.	lokal (wo?)
	Akkusativ	Ich lege das Buch auf den Tisch.	lokal (wohin?)
	Akkusativ	Die Museumsnacht ist die Nacht von Samstag auf Sonntag.	temporal
	Akkusativ	Wir verschieben den Termin auf den Zehnten.	temporal
	Akkusativ	Er macht es auf seine Art.	modal
	Dativ	Der Text ist auf Schwedisch.	feste Wendung
hinter	Dativ	Der Brief liegt hinter dem Schreibtisch.	lokal (wo?)
	Dativ	Der Chef steht hinter der Entscheidung des Vorstandes.	übertragene Bed.
	Akkusativ	Der Brief ist hinter den Schreibtisch gefallen.	lokal (wohin?)
	Akkusativ	Der Chef stellt sich hinter die Entscheidung des Vorstandes.	übertragene Bed.
in	Dativ	Ich war in der Schweiz.	lokal (wo?)
	Akkusativ	Ich fahre in die Schweiz.	lokal (wohin?)
	Dativ	Wir haben im August Ferien.	temporal
	Dativ	In diesem Zustand kannst du nicht Auto fahren.	modal/kausal
neben	Dativ	Der Tisch steht neben dem Bett.	lokal (wo?)
	Akkusativ	Ich stelle den Tisch neben das Bett.	lokal (wohin?)
über	Dativ	Das Bild hängt über dem Sofa.	lokal (wo?)
	Akkusativ	Otto hängt das Bild über das Sofa.	lokal (wohin?)
	Akkusativ	Er ging den ganzen Tag über spazieren.	temporal (meist nachgestellt)
	Akkusativ	Die Reise dauerte über ein Jahr.	modal (mehr/länger als)
unter	Dativ	Die Katze sitzt unter dem Stuhl.	lokal (wo?)
	Akkusativ	Die Katze kriecht unter den Stuhl.	lokal (wohin?)
	Dativ	Wir arbeiten unter schlechten Bedingungen.	modal
	Dativ	Unter diesen Voraussetzungen können wir den Vertrag nicht unterschreiben.	kausal
vor	Dativ	Die Taxis stehen vor dem Bahnhof.	lokal (wo?)
	Akkusativ	Die Taxis fahren direkt vor die Tür.	lokal (wohin?)
	Dativ	Treffen wir uns vor dem Mittagessen?	temporal
	Dativ	Er sprang vor Freude in die Luft.	kausal (ohne Artikel)
zwischen	Dativ	Vielleicht ist das Foto zwischen den Büchern?	lokal (wo?)
	Dativ	Er steht zwischen den streitenden Parteien.	übertragene Bed.
	Akkusativ	Hast du das Foto zwischen die Bücher gesteckt?	lokal (wohin?)
	Dativ	Zwischen dem 1. und dem 5. Mai ist das Restaurant geschlossen.	temporal

▶ **Hinweise**

→ **Lokalangaben**

Die angegebenen Präpositionen nennt man auch Wechselpräpositionen, weil sie bei lokalen Angaben den Fall wechseln: Auf die Frage *Wo?* folgt der Dativ, auf die Frage *Wohin?* folgt der Akkusativ.

Wo?   Die Maus sitzt vor der Flasche.

Wohin?   Die Maus hat sich vor die Flasche gesetzt.

Einige Verben können auf beide Fragen antworten, z. B. *aufnehmen, klopfen, verschwinden.*

Ich klopfe an der Tür/an die Tür.

→ **Temporalangaben**

▸ Bei temporalen Angaben folgt nach *an, in, vor* und *zwischen* immer der Dativ.

Wir sehen uns am Donnerstag, in der Pause, vor der Besprechung, zwischen den Gesprächen.

▸ Bei *auf* und *über* steht der Akkusativ.

Die Museumsnacht ist die Nacht von Samstag auf Sonntag. Er ging den ganzen Tag über spazieren.

■ ■ ■ **Übungen**

1) **Ergänzen Sie die Präpositionen *in, an, auf* oder *zwischen* in der richtigen Form und die Endungen der Artikel.**

Urlaub *im* (0) Funkloch

Eine SMS aus dem Liegestuhl .... (1) Strand Richtung Heimat, ein kurzer geschäftlicher Anruf .... (2) Restaurant .... (3) Vorspeise und Hauptgang: Das Handy ist für die meisten Menschen auch .... (4) Urlaub ein wichtiger Begleiter geworden. Doch garantiert der Urlaub mit angeschaltetem Handy auch wirkliche Erholung? Nein, sagen Experten, echte Erholung beginnt erst, wenn das mobile Telefon ausgeschaltet ist. Das Problem besteht allerdings darin, dass das Ausschalten unseres Lieblingsgerätes sehr viel Selbstdisziplin erfordert. Wer in Hinsicht auf Selbstdisziplin kleine Schwächen aufweist, könnte sich alternativ für einen Urlaubsort entscheiden, der .... (5) ein.......... Funkloch liegt. Und dafür muss man nicht einmal .... (6) d.......... Wüste fahren oder .... (7) d.......... Berge des Himalaja klettern. Schon so manches Bergtal .... (8) d.......... Alpen zählt zur handyfreien Zone. .... (9) Bayerischen Wald, ... (10) Schwarzwald oder .... (11) Thüringen gibt es jede Menge Gebiete ohne Netzverbindung. .... (12) einig.......... Orten nutzt man diesen Umstand nun, um gezielt Werbung zu machen. So bezeichnet sich das oberbayrische Jachenau als „Tal der Ruhe" und .... (13) Brandenburg verweist das Tourismusbüro auf kilometerlange handyfreie Urlaubsmöglichkeiten .... (14) Templin und Prenzlau.

2) **Die Geschichte des Bierdeckels**

Ergänzen Sie die Präpositionen *in, auf* und *vor* in lokaler oder temporaler Bedeutung in der richtigen Form.

Das beliebteste alkoholische Getränk der Deutschen ist seit Jahrhunderten das Bier. Es gehört *in* (0) Deutschland zum Leben wie der Wein zum Leben der Franzosen. Egal, ob man .... (1) Biergarten, ... (2) Gasthaus oder .... (3) der Kneipe sitzt, Bier wird überall serviert. Und zwar mit einem meist runden Bierdeckel. .... (4) diesen kleinen Untersetzer* wird .... (5) jeder Kneipe das volle Glas gestellt. Dieser Gegenstand ist nicht nur schön, sondern auch sehr praktisch: Er saugt den herunterlaufenden Bierschaum auf. Außerdem kann die Kellnerin (oder der Kellner) jedes bestellte Bier mit einem Strich .... (6) dem Deckel markieren.

Der Bierdeckel ist keine neue Erfindung: Früher legte man einen Deckel aus Filz .... (7) das Glas, um Insekten fernzuhalten. Darum heißt der Gegenstand bis heute nicht Bieruntersetzer, sondern Bierdeckel. Die alten Filzdeckel hatten allerdings den großen Nachteil, dass sie meistens feucht und nicht besonders hygienisch waren. .... (8) mehr als hundert Jahren (1880) kam der Dresdner Robert Sputh auf die Idee, Bierdeckel aus Pappe herzustellen. .... (9) einer Kartonagenfabrik .... (10) Buckau, einem Dorf .... (11) der Nähe von Magdeburg, produzierte er die neuen Deckel und ließ gleichzeitig das Logo der Brauerei .... (12) die Pappe drucken. Zu dieser Zeit gab es zehntausende Brauereien, die das sofort als Werbemöglichkeit erkannten und alle ihr Logo .... (13) den Bierdeckeln haben wollten. Schon .... (14) den 1920er-Jahren waren die Bierdeckel bunt bedruckt und ihr Siegeszug konnte beginnen.

Untersetzer: kleiner flacher Gegenstand, der zum Schutz unter etwas gelegt wird

5.4 Präpositionen mit dem Genitiv

Das Fußballspiel fand trotz des strömenden Regens statt.

Allerdings kam es während des Spiels wegen der schlechten Spielbedingungen zu mehreren Unterbrechungen.

▶ **Formen**

Präposition	Beispielsätze	Verwendung	Besonderheiten
abseits diesseits längsseits jenseits	Ruhe findet man nur **abseits** der großen Städte. **Diesseits/Längsseits/Jenseits** der Berge wachsen die Weinstöcke besonders gut. Das ist **jenseits** von Gut und Böse.	lokal lokal übertragene Bedeutung	*Jenseits* wird auch in Kombination mit *von* gebraucht: *jenseits von Gut und Böse.*
angesichts	**Angesichts** wachsender Vorurteile wird das Zusammenleben in dem Viertel immer schwieriger.	kausal	
anhand	**Anhand** dieses Beispiels lässt sich der Prozess gut erklären.	modal-instrumental	
anlässlich	**Anlässlich** des Todes von Max Müller wiederholt das Fernsehen seine berühmtesten Filme.	kausal/temporal	
anstelle	**Anstelle** des Direktors nimmt Frau Kugel an der Verhandlung teil.	alternativ	
außerhalb innerhalb	**Außerhalb** der Geschäftszeiten ist niemand im Büro. Bitte bezahlen Sie die Rechnung **innerhalb** einer Woche. **Außerhalb** der Stadt gibt es viel Wald. Das Tier kann sich **innerhalb** der Wohnung befinden.	temporal temporal lokal lokal	*innerhalb* ist temporal auch in Kombination mit *von + Dativ* möglich
bezüglich hinsichtlich	Die Vorschriften **bezüglich/hinsichtlich** der staatlichen Beihilfen werden überarbeitet.	kausal	
infolge	**Infolge** starker Schneefälle wurde die Alpenstraße gesperrt.	kausal	
laut	**Laut** einer Studie sind nur 50 Prozent der Deutschen glücklich.	modal	
mangels	**Mangels** hochwertiger Materialien wurden preiswerte Ersatzstoffe verwendet.	modal-instrumental	
mittels	Die Tür kann man **mittels** eines Drahtes leicht öffnen.	modal-instrumental	
mithilfe (mit Hilfe)	**Mithilfe** eines Freundes gelang ihm die Flucht.	modal-instrumental	auch in Kombination mit *von + Dativ* möglich
oberhalb unterhalb	**Oberhalb** der Baumgrenze gibt es keine Wanderpfade mehr. **Unterhalb** der 1000-Meter-Grenze befinden sich viele Rastplätze.	lokal lokal	
statt anstatt	**Statt/Anstatt** eines Blumenstraußes verschenkte er ein altes Buch.	alternativ	
seitens vonseiten	**Seitens/Vonseiten** der Mitarbeiter gibt es keine Beschwerden.	lokal, übertragene Bedeutung	
trotz ungeachtet	**Trotz** seiner schlechten Leistung bestand er die Prüfung. **Ungeachtet** der Verluste wird weitergekämpft.	konzessiv konzessiv	umgangssprachlich mit Dativ
während	**Während** seines Studiums lernte er Spanisch.	temporal	

Präposition	Beispielsätze	Verwendung	Besonderheiten
wegen aufgrund	**Wegen/Aufgrund** eines Unglücks hatte der Zug Verspätung. **Wegen** dir habe ich drei Kilo zugenommen. (alternativ: deinetwegen)	kausal kausal	bei Personalpronomen (oft) und umgangssprachlich (selten) mit Dativ möglich
zugunsten	Sie verzichtete **zugunsten** ihres Sohnes auf das Erbe.	kausal	
zwecks	**Zwecks** einfacherer Kommunikation wurden in der Firma Kurzwahlnummern eingeführt.	final	

▶ **Hinweise**

→ Die meisten Präpositionen mit dem Genitiv werden selten und hauptsächlich schriftsprachlich verwendet.

→ Die Präpositionen *statt/anstatt, trotz, während, wegen, innerhalb (von)* und *außerhalb* findet man auch im alltäglichen Sprachgebrauch.

■ ■ ■ **Übungen**

1) **Ergänzen Sie die Sätze wie im Beispiel.**

● innerhalb: Die Ergebnisse müssen *innerhalb eines bestimmten Zeitraums (ein bestimmter Zeitraum)* vorliegen.
1. außerhalb: Familie Schmidt hat sich ein kleines Häuschen .... *(die Stadt)* gekauft.
2. angesichts: .... *(steigende Arbeitslosigkeit)* bei älteren Arbeitnehmern sollte man das Rentenalter nicht erhöhen.
3. während: .... *(die Arbeitszeit)* ist die private Nutzung des Internets nicht erwünscht.
4. anlässlich: .... *(das 100-jährige Firmenjubiläum)* bekommt jeder Mitarbeiter eine Bonuszahlung.
5. innerhalb: Der Dieb muss sich noch .... *(das Gebäude)* aufhalten.
6. trotz: .... *(sein Reichtum)* ist der Millionenerbe nicht glücklich.
7. statt: .... *(ein Original)* erhielt der Kunstsammler eine Fälschung.
8. wegen: .... *(die schlechte Bezahlung)* sucht sich Otto eine andere Stelle.
9. laut: .... *(eine neue Studie)* sterben immer mehr Fischarten aus.
10. infolge: .... *(schwere Regenfälle)* hatten viele Züge Verspätung.

2) **Ein Protokoll**
Ergänzen Sie die passenden Präpositionen im folgenden Ergebnisprotokoll der Gemeinderatssitzung.

:::
außerhalb · anhand · ~~aufgrund~~ · innerhalb · hinsichtlich · angesichts · infolge
:::

Zu Beginn begrüßte Bürgermeister Feuerbach die Sitzungsteilnehmer. Er teilte mit, dass Herr Hauer *aufgrund* (0) seiner Erkrankung an der Sitzung nicht teilnehmen kann. Die Rolle der Vorsitzenden wurde von Frau Ertl übernommen.
Bürgermeister Feuerbach informierte darüber, dass der Probezeitraum für die Aktion „Kostenloses Parken am Stadtrand" .... (1) dieses Monats ausläuft.
Er meinte, dass der Stadtrat jetzt eine Entscheidung über das weitere Vorgehen treffen müsse.
Herr Schmidt argumentierte für die Verlängerung der Probezeit. .... (2) der großen Verkehrs- und Umweltprobleme in der Stadtmitte sprach er sich dafür aus, das kostenlose Parken .... (3) der Innenstadt weiter zu fördern.
Frau Egbert schlug vor, das Parken in der Stadtmitte durch erhöhte Parkgebühren unattraktiv zu machen und damit gleichzeitig die Einnahmen für die Stadt zu erhöhen. .... (4) der wachsenden Bevölkerungszahl sei die Luftverschmutzung ein immer größeres Problem, meinte Frau Egbert. Deshalb müsse der Stadtrat zu strengeren Maßnahmen greifen.
.... (5) des weiteren Vorgehens wurde nach einer kurzen Debatte einstimmig beschlossen, dass parallel zur Verlängerung des Projekts „Kostenloses Parken am Stadtrand" die Parkgebühren in der Stadtmitte um 100 Prozent erhöht werden.
In einem halben Jahr soll .... (6) der vorliegenden Daten über die Zukunft der beiden Maßnahmen abgestimmt werden.

5.5 Semantische Zuordnung der Präpositionen

■ Lokalangaben

▶ **Formen: Richtungsangaben – *Wohin?***

Präposition	Kasus	Beispielsätze	Verwendung
nach	Dativ	Wir fliegen nach Deutschland/nach München/nach Europa. Wir müssen jetzt nach Norden/nach links fahren. Soll ich dich nach Hause bringen?	Länder, Städte und Kontinente (ohne Artikel) Himmelsrichtungen/Richtungen feste Wendung
zu	Dativ	Ich gehe zu meinen Eltern/zum Arzt/zum Friseur. Du solltest zur Polizei gehen und Anzeige erstatten. Der Junge geht noch zur Schule. Gehst du auch zur Geburtstagsparty von Klaus? Ich gehe zum Bahnhof/zur Post/zur Bibliothek.	Personen einige Behörden/Institutionen einige Veranstaltungen im Sinne von *in Richtung*
an	Akkusativ	Wir fahren an die Nordsee/an die Grenze. Er ging ans Fenster. Ich stelle den Brief an die Vase.	Gewässer, Grenzen im Sinne von *heran* genaue Richtung/Lage
auf	Akkusativ	Wir fliegen auf eine einsame Insel. Ich gehe auf den Potsdamer Platz/auf die Baustelle. Gehst du heute aufs Finanzamt? Wir gehen auf den Empfang vom Bürgermeister. Kommst du mit auf den Aussichtsturm? Die Katze legt sich auf das Sofa.	Inseln Plätze einige Ämter einige Veranstaltungen im Sinne von *hinauf* genaue Richtung/Lage
in	Akkusativ	Ich fahre in die Schweiz/in den Sudan/in die USA. Otto geht mit dem Hund in den Park. Die Katze kriecht in ihr Körbchen.	Länder mit Artikel im Sinne von *hinein* genaue Richtung/Lage
hinter neben über unter, vor zwischen	Akkusativ	Die Katze legt sich hinter/neben/unter/vor das Sofa, zwischen die Kissen. Ich hänge das Bild über das Bett.	genaue Richtung/Lage
bis	Akkusativ	Der Zug fährt nur bis Nürnberg.	Endpunkt auch in Kombination mit *zu + Dativ* möglich
durch	Akkusativ	Herr Schmidt ging durch die Tür.	im Sinne von *hindurch*
entlang	Akkusativ	Der Radweg verläuft den Fluss entlang.	Parallelität
gegen	Akkusativ	Er fuhr gegen ein Verkehrsschild.	Endpunkt/Aufprall

▶ **Formen: Richtungsangaben – *Woher?***

Präposition	Kasus	Beispielsätze	Verwendung
aus	Dativ	Wir kommen gerade aus Berlin/aus Spanien/aus Asien. Sie nahm eine Flasche aus dem Kühlschrank.	Städte, Länder, Kontinente im Sinne von *heraus*
von	Dativ	Paul kommt vom Arzt/vom Friseur. Marie kommt von der Polizei/von der Uni. Susanne kommt vom Unterricht/von einer Ausstellung. Das Auto kam von Süden/von links. Der Zug fuhr von Berlin nach Hamburg.	Personen einige Behörden/Institutionen Veranstaltungen Himmelsrichtungen/Richtungen Ausgangspunkt
ab	Dativ	Die Maschine fliegt ab Amsterdam.	Ausgangspunkt

Präpositionen
Semantische Zuordnung der Präpositionen

Grammatik

▶ **Formen: Ortsangaben – *Wo?***

Präposition	Kasus	Beispielsätze	Verwendung
an	Dativ	Wir waren an der Nordsee/an der Grenze. Er stand an der Tür.	Gewässer, Grenzen genaue Ortsangabe
auf	Dativ	Wir waren auf einer einsamen Insel. Wir trafen uns auf dem Potsdamer Platz/auf der Baustelle. Warst du auch auf der Party/auf dem Empfang? Warst du schon auf dem Finanzamt? Der Brief liegt auf dem Schreibtisch.	Inseln Plätze einige Veranstaltungen einige Ämter genaue Ortsangabe
in	Dativ	Ich war in Portugal, in Hamburg, in Europa. In der Kirche waren ca. 100 Menschen.	Länder, Städte, Kontinente genaue Ortsangabe
hinter neben über unter vor zwischen	Dativ	Die Katze liegt hinter/neben/unter/vor dem Sofa, zwischen den Kissen. Das Bild hängt über dem Bett.	genaue Ortsangabe
bei	Dativ	Otto war beim Arzt/bei seinen Eltern. Marie ist bei der Polizei/bei Siemens. Warst du gestern beim Deutschunterricht/beim Vortrag von Professor Schulz?	Personen einige Behörden/Firmen Veranstaltungen/Unterricht
gegenüber	Dativ	Das Haus liegt gegenüber der Universität.	im Sinne von *auf der anderen Seite*
um (… herum)	Akkusativ	Die Menschen standen um den Unfallort herum.	im Sinne von *Umkreisung*
innerhalb außerhalb oberhalb unterhalb diesseits jenseits abseits	Genitiv	Innerhalb der Stadt gilt eine Geschwindigkeitsbegrenzung. Abseits der Städte sind die Immobilienpreise gefallen.	im Sinne von *Begrenzung*

■ ■ ■ Übungen

1) **Reiseziele. Ergänzen Sie *an, auf, in* oder *nach* und die Artikel, wenn nötig.**

Man kann heute überall hinfliegen, zum Beispiel …

● *nach*   Kanada

1. .... Kanarischen Inseln
2. .... Schweiz
3. .... Atlantikküste
4. .... Brasilien

5. .... Nordpol
6. .... Mongolei
7. .... Philippinen
8. .... Peking
9. .... Sudan

10. .... Türkei
11. .... Lissabon
12. .... Niederlande
13. .... Australien
14. .... USA

2) **Ergänzen Sie die lokalen Präpositionen und die Artikel, wenn nötig.**

● Wir sind mit dem Taxi *zum* Bahnhof gefahren.

1. Paul kam gerade .... Friseur, als er .... Straße seine Ex-Freundin traf.
2. Der Lkw kam .... rechts und fuhr direkt .... Hauswand.
3. Du musst dich .... Arbeitsagentur melden.
4. .... Wohngebietes sind nur 30 km/h erlaubt.
5. Musst du schon .... Hause oder bleibst du noch ein bisschen .... mir?
6. Paul hat heute viel vor: Er geht erst .... seinen Eltern, dann .... Büro, danach .... Deutschunterricht und heute Abend .... Vernissage.

3) Ergänzen Sie im folgenden Dialog die lokalen Präpositionen und die Endungen der Artikel. (34)

◻ Hallo Susanne, du siehst ja toll aus! Warst du *im* Urlaub?

△ Ja, stell dir vor, wir waren .... d....... Malediven. Wir haben den ganzen Tag .... Strand gelegen und uns .... Hotel verwöhnen lassen. Herrlich!

◻ Wo sind eigentlich die Malediven?

△ Das ist eine Inselgruppe mitten .... Indischen Ozean, südwestlich .... Indien. Hast du noch nie von den traumhaften Stränden dort gehört?

◻ Doch, doch. Aber ich habe noch nie jemanden getroffen, der tatsächlich .... ein........... einsamen Insel .... Palmen seinen Urlaub verbracht hat. Wie kommt man eigentlich .... d....... Malediven?

△ Man kann .... Frankfurt .... Male fliegen. Das ist die Hauptstadt.

◻ Da werde ich richtig neidisch! Wir verbringen unsere Ferien meistens .... Deutschland und fahren .... d....... Ostsee, ... d....... Thüringer Wald oder .... ein....... Stadt, zum Beispiel .... Berlin. Im letzten Jahr waren wir .... d....... Alpen und sind mit der Seilbahn .... d....... Zugspitze gefahren. Das war sehr interessant. .... d....... Baumgrenze wächst ja wirklich fast nichts mehr.

△ Ach, das ist doch auch schön. Wenn man länger als zwei Wochen .... ein....... Insel bleibt, werden selbst weiße Sandstrände und Palmen langweilig.

4) Ergänzen Sie die lokalen Präpositionen und die Artikelendungen, wenn nötig. Achten Sie auf den Kasus (wo? oder wohin?). Manchmal sind mehrere Lösungen möglich.

Die Polizei sucht noch immer den Museumsdieb und hat eine Beschreibung des Täters gegeben: männlich, ca. 30 Jahre alt, 1,80 m groß, dunkelhaarig, bekleidet mit Jeans und Lederjacke. Hier sind einige Hinweise aus der Bevölkerung:

1 Ich glaube, der Täter ist gerade *im* Theater und sitzt .... d....... ersten Reihe .... Platz 15.

2 Ich habe den Täter .... ein....... Party .... d....... Gästen gesehen.

3 Der Dieb steht .... Taxistand und steigt gerade .... ein....... Taxi ein.

4 Ich habe ihn gesehen, den Bilderräuber! Er war .... d....... Bahnhof .... Leipzig und ist gerade .... ein....... Zug gestiegen. Ich weiß allerdings nicht, ... welch....... Zug er sich jetzt befindet.

5 Ich habe gesehen, wie der Täter .... ein....... Antiquitätengeschäft gegangen ist. Wahrscheinlich will er .... d....... Geschäft das gestohlene Bild verkaufen.

6 Kommen Sie schnell! Ich stehe im Moment .... d....... Kasse .... Supermarkt und der Gesuchte steht .... mir!

7 Ich kenne den Dieb: Es ist mein Nachbar! Er versteckt sich jetzt bestimmt .... sein....... Bett oder .... Kleiderschrank, weil er ahnt, dass ich ihn enttarnt habe. Vielleicht ist er auch .... d....... Keller oder .... d....... Dachboden gegangen.

5) **Wegbeschreibung**
   Ergänzen Sie die passenden Präpositionen.

☐ Entschuldigung, wie komme ich *zur* Steinstraße?

△ Es gibt mehrere Steinstraßen .... Berlin. .... welchem Bezirk befindet sich die Steinstraße, die Sie suchen?

☐ Das ist eine gute Frage. Ich glaube, ich muss .... Steglitz. Liegt Steglitz .... Zentrum?

△ Nein, Steglitz liegt .... Süden von Berlin, ca. 15 km .... hier. Zuerst müssen Sie ca. einen Kilometer .... Osten fahren, Richtung Friedrichstraße. .... der Friedrichstraße biegen Sie links ab. Danach fahren Sie zwei Kilometer geradeaus bis .... Potsdamer Straße. Fahren Sie die Potsdamer Straße .... Ende. Sie führt direkt .... Schöneberg, einem sehr schönen Viertel von Berlin. Ein paar hundert Meter weiter kommen Sie .... eine Kreuzung mit Auffahrtsmöglichkeiten .... die Autobahn A103. Nehmen Sie die Auffahrt Richtung Hamburg, Leipzig und Steglitz. Fahren Sie .... der Autobahn ca. drei Kilometer .... Ausfahrt Steglitz. Wenn Sie in Steglitz angekommen sind, fragen Sie am besten noch einmal nach der Steinstraße.

■ Temporalangaben

▶ **Formen: Zeitpunkt/Zeitraum – *Wann?***

Präposition	Kasus	Beispielsätze	Verwendung
an	Dativ	Der Handwerker kommt **am** Nachmittag/**am** Montag/**am** 8. Mai/**am** Wochenende.	Tagteile, Tage, Datum, Wochenende
aus	Dativ	Die Vase ist **aus** dem 11. Jahrhundert.	zeitliche Herkunft
bei	Dativ	Er hat sich **beim** Skifahren das Bein gebrochen.	parallel laufende Handlungen
in	Dativ	**Im** Moment habe ich keine Zeit. **In** dieser Nacht war es stockdunkel. Wir sehen uns **in** der nächsten Woche/**im** Januar. **In** diesem Winter fällt besonders viel Schnee. Seine größten Erfolge feierte der Sänger **in** den 1980er-Jahren. **Im** 13. Jahrhundert/**Im** Mittelalter stank es auf den Straßen. Ich sah ihn **in** der Pause/**in** den Ferien. **In** zwei Wochen habe ich Urlaub.	Moment, Augenblick Nacht Wochen, Monate Jahreszeiten Jahrzehnte Jahrhunderte/Epochen im Sinne von *innerhalb* zukünftiger Zeitpunkt
nach, vor	Dativ	Wir treffen uns **nach**/**vor** dem Essen.	zeitliche Abfolge
zu	Dativ	Was macht ihr **zu** Weihnachten? **Zu** Beginn seiner Rede bedankte er sich bei seiner Frau. **Zu** dieser Zeit war ich nicht im Hause.	kirchliche Feiertage *(regional – im süddt. Sprachraum: an)* Beginn bestimmter Zeitpunkt
zwischen	Dativ	**Zwischen** Weihnachten und Neujahr ist das Institut geschlossen.	begrenzter Zeitraum
auf	Akkusativ	Er verschiebt den Termin **auf** Mittwoch.	Zeitpunkt
um	Akkusativ	Der Unterricht beginnt **um** 8.30 Uhr. Das Haus wurde **um** 1900 gebaut.	genaue Uhrzeit ungenaue Zeitangabe
gegen	Akkusativ	Wir machen **gegen** 20.00 Uhr Pause. Er kommt erst **gegen** Abend.	ungenaue Zeitangabe
außerhalb	Genitiv	**Außerhalb** der Geschäftszeiten ist das Büro nicht besetzt.	begrenzter Zeitraum
innerhalb	Genitiv	Wir erwarten **innerhalb** der nächsten Tage eine Antwort.	begrenzter Zeitraum
während	Genitiv	Er hat Oma **während** der Osterferien besucht.	begrenzter Zeitraum

▶ **Hinweise**

→ Zeitangaben ohne Präposition stehen im Akkusativ.
Wir treffen uns Dienstag, den 12. Mai. Die Sitzung ist nächsten Mittwoch.

→ Datumsangaben ohne Präposition können, abhängig vom Verb, im Nominativ oder Akkusativ stehen.
Heute ist der 13. April. Wir haben heute den 13. April.

→ Die Angabe einer Jahreszahl als Zeitpunkt erfolgt in der Regel ohne Präposition.
Johann Wolfgang von Goethe wurde 1749 in Frankfurt geboren.
Nur in Kombination mit *Jahr* steht eine Präposition: im Jahr 1749.

▶ **Formen: Zeitdauer –** *Wie lange?/Ab wann?/Bis wann?*

Präposition	Kasus	Beispielsätze	Verwendung
ab	Dativ	**Ab** heute rauche ich nicht mehr.	Ausgangszeitpunkt (in Gegenwart oder Zukunft)
seit	Dativ	**Seit** Montag ist er krank. Ich rauche **seit** zwei Jahren nicht mehr.	Ausgangszeitpunkt (in Vergangenheit)
bis	Dativ	Die Veranstaltung geht noch **bis** 18.00 Uhr.	Endpunkt
von … bis von … bis zu	von + Dativ bis zu + Dativ bis + Akk.	Der Chef hat nur **von** 10.00 **bis** 12.00 Uhr Zeit. **Vom** 14. **bis zum** 25. Mai sind die Handwerker im Haus.	Anfangs- und Endpunkt
für	Akkusativ	Die Pflegerin kommt **für** eine Stunde.	Zeitdauer
über	Akkusativ	Ich bleibe **übers** Wochenende.	Zeitdauer

■ ■ ■ **Übungen**

6) **Wann geschah der Einbruch im Museum?**
Ergänzen Sie die fehlenden temporalen Präpositionen und Artikel, wenn nötig.
Manchmal gibt es mehrere Lösungen.

● *am* Sonntag
1. .... Mitternacht
2. .... Wochenende
3. .... zwei Stunden

4. .... Nacht
5. .... Mittagspause
6. .... Öffnungszeiten
7. .... Vormittag

8. .... Feueralarms
9. .... 11.00 und 12.00 Uhr
10. .... Eröffnungsrede des Direktors

7) **Der neue Termin**
Ergänzen Sie die Präpositionen und Artikel bzw. Artikelendungen, wenn nötig.

Liebe Frau Müller,

wir hatten .... 13. Oktober .... 12.00 Uhr einen Besprechungstermin zum
Thema „Neue Marketingkonzepte" vereinbart. Leider ist bei mir kurzfristig etwas
dazwischengekommen: Ich muss .... dies........... Tag nach Rom reisen.
Könnten wir unsere Besprechung .... 20. Oktober verlegen? Sollten Sie
.... genannten Woche keine Zeit haben, ginge es auch .... 27. Oktober
oder .... 4. November.

Mit besten Grüßen
Siegbert Meyer

8) **Zeitdauer oder Zeitpunkt?**
Ergänzen Sie die Präpositionen *vor* oder *seit*.

● Der Galerist hat den Künstler Leo Qualm *vor* zehn Jahren kennengelernt.

1. .... dieser Zeit verkauft der Galerist die Werke des Künstlers.

2. .... fünf Jahren fand eine große Einzelausstellung in New York statt.

3. .... Beginn der Ausstellung vervierfachten sich die Preise für Bilder von Leo Qualm.

4. Sammler, die .... der New York-Ausstellung Bilder erworben haben, können sich glücklich schätzen: Der Wert ihrer Bilder ist gestiegen.

5. Im Museum Ludwig in Köln sind .... zwei Wochen die wichtigsten Werke des bedeutenden Malers zu bewundern.

9) **Auszüge aus einem Lebenslauf**
Bilden Sie Sätze in der Ich-Form (Satz 1–5 im Präteritum, Satz 6 im Präsens).

● 16. Juli 1984: *(geboren werden)*
Ich wurde am 16. Juli 1984 geboren.

1. 2002: Abitur am Bertolt-Brecht-Gymnasium, Wuppertal *(machen)*
....

2. 2002–2005: Informatik an der Berufsakademie, Karlsruhe *(studieren)*
....

3. Juni 2004: Auslandspraktikum bei der Firma Green Cathedral, Cambridge/England *(absolvieren)*
....

4. 2005: Studium mit dem Bachelor of Science *(abschließen)*
....

5. 2005–Nov. 2007: als Wirtschaftsinformatiker bei der Firma MarktPlus, Wuppertal *(arbeiten)*
....

6. 2008: Geschäftsführer von EcoComp, einem Unternehmen für Marktforschungsanalyse, Karlsruhe *(sein)*
....

■ Weitere Angaben

▶ **Formen: Modalangaben – *Wie?/Womit?/Woraus?***

Präposition	Kasus	Beispielsätze	Verwendung
aus	Dativ	Das Kleid ist **aus** reiner Seide.	Rohstoff, Zutaten, Material
entspre-chend	Dativ	**Entsprechend** den Vorhersagen stieg der Dollarkurs an.	Übereinstimmung
gemäß	Dativ	Das Verfahren muss den Vorschriften **gemäß** ablaufen.	Übereinstimmung
in	Dativ	**In** diesem Zustand kannst du nicht Auto fahren.	Art und Weise
mit	Dativ	Wir fahren **mit** dem Zug.	Mittel, Werkzeug, Instrument, Gerät
nach	Dativ	Meiner Meinung **nach** stimmt das Ergebnis nicht.	Gefühl, Sichtweise
unter	Dativ	Wir arbeiten **unter** schlechten Bedingungen.	Art und Weise
zu	Dativ	Ich gehe **zu** Fuß.	Art und Weise
zufolge	Dativ	Einem Bericht **zufolge** steckt das Unternehmen in Schwie-rigkeiten.	Quelle
auf	Akkusativ	Er macht es **auf** seine Art.	Art und Weise
durch	Akkusativ	Malaria wird **durch** Mücken übertragen.	Überträger, Überbringer, Vermittler

Präposition	Kasus	Beispielsätze	Verwendung
ohne	Akkusativ	**Ohne** Brille kann ich nicht lesen.	fehlendes Mittel/fehlender Umstand
laut	Genitiv	**Laut** einer Studie sind nur 50 % der Deutschen glücklich.	Quelle
mangels	Genitiv	**Mangels** hochwertiger Materialien wurden preiswerte Ersatzstoffe verwendet.	fehlendes Mittel/fehlender Umstand
mittels mithilfe	Genitiv	Die Tür kann nur **mittels/mithilfe** eines Sicherheitsschlüssels geöffnet werden.	Mittel, Werkzeug, Instrument, Gerät

▶ **Formen: Finalangaben –** *Wofür?/Wozu?*

Präposition	Kasus	Beispielsätze	Verwendung
zu	Dativ	**Zum** Einparken sollte man beide Außenspiegel benutzen.	Ziel, Zweck
für	Akkusativ	Ich tue das alles nur **für** dich.	Adressat
zwecks	Genitiv	**Zwecks** einfacherer Kommunikation wurden in der Firma Kurzwahlnummern eingeführt.	Ziel, Zweck

▶ **Formen: Kausalangaben –** *Warum?*

Präposition	Kasus	Beispielsätze	Verwendung
aus	Dativ	Er heiratete sie **aus** Liebe.	Grund/Ursache für eine beabsichtigte Handlung
vor	Dativ	Er sprang **vor** Freude in die Luft.	Grund/Ursache für eine spontane oder unbeabsichtigte Handlung
wegen	Dativ Genitiv	**Wegen** dir habe ich drei Kilo zugenommen. **Wegen** des Streiks fuhr der Zug nicht.	Grund/Ursache
angesichts	Genitiv	**Angesichts** wachsender Vorurteile wird das Zusammenleben in dem Viertel immer schwieriger.	Grund/Ursache
aufgrund	Genitiv	**Aufgrund** eines Unglücks hatte der Zug Verspätung.	Grund/Ursache
bezüglich	Genitiv	Die Vorschriften **bezüglich** der staatlichen Beihilfen werden überarbeitet.	Bezugspunkt
infolge	Genitiv	**Infolge** starker Schneefälle wurde die Alpenstraße gesperrt.	Grund/Ursache für eine bestimmte Folge

▶ **Formen: Konditionalangaben –** *Wann?*

Präposition	Kasus	Beispielsätze	Verwendung
an	Dativ	**An** deiner/Ihrer/eurer Stelle hätte ich nicht gekündigt.	irreale Bed./feste Wendung
bei	Dativ	**Bei** schlechtem Wetter gehe ich nicht spazieren.	Bedingung

▶ **Formen: Konzessivangaben**

Präposition	Kasus	Beispielsätze	Verwendung
außer	Dativ	**Außer** dem Chef wusste niemand von den Plänen.	Einschränkung
trotz	Genitiv	**Trotz** seiner schlechten Leistung bestand er die Prüfung.	Gegengrund
ungeachtet	Genitiv	**Ungeachtet** der schlechten Wettervorhersage machten sich die Bergsteiger auf den Weg.	Gegengrund

▶ **Formen: Adversativangaben**

Präposition	Kasus	Beispielsätze	Verwendung
entgegen	Dativ	**Entgegen** allen Befürchtungen erholt sich die Wirtschaft wieder.	Gegensatz

▶ **Formen: Alternativangaben**

Präposition	Kasus	Beispielsätze	Verwendung
statt/ anstatt	Genitiv	**Statt/Anstatt** eines Blumenstraußes verschenkte er ein altes Buch.	Alternative
anstelle	Genitiv	**Anstelle** des Direktors nimmt Frau Kugel an der Verhandlung teil.	Alternative

■ ■ ■ **Übungen**

10) **Kausalangaben.** *Aus* **oder** *vor*? **Was passt?**
Überlegen Sie, ob es sich um ein beabsichtigtes oder unbeabsichtigtes Geschehen handelt.

● Sie heiratete ihn *aus* Liebe.

1. Sie hat dem Fremden .... Mitleid geholfen.
2. Christine ist .... Liebeskummer ganz krank geworden.
3. Sie zitterte .... Angst.

4. Der Rennfahrer war so glücklich, dass er bei der Siegerehrung .... Freude weinte.
5. Er beging das Verbrechen .... Habgier.
6. Die Jugendlichen randalierten .... bloßer Langeweile.

11) **Beruhigendes Mittel**
Ergänzen Sie die passenden Präpositionen.

: wegen • anhand • durch • statt *(2 x)* • laut • mit • aus • zur • zufolge :

Jasmin *statt* **(0) Valium**

.... (1) einer wissenschaftlichen Studie kann der Duft von Jasminblüten bestimmte Wirkungen bei Menschen erzielen. Das konnten jetzt Wissenschaftler der Heinrich-Heine-Universität in Düsseldorf und der Ruhr-Universität Bochum .... (2) viele Experimente nachweisen. .... (3) der Ergebnisse kommen sie zu dem Schluss, dass die Düfte der Jasminblüte beruhigend wirken.
Die Wirkung ist vergleichbar .... (4) dem Effekt von Schlaftabletten. Doch die Einnahme von

Beruhigungs- oder Schlafmitteln kann .... (5) ihrer Nebenwirkungen für manche Patienten gesundheitsschädlich sein. Der Meinung der Forscher .... (6) wäre es in der Zukunft durchaus möglich, ... (7) konventioneller Medikamente Arzneimittel .... (8) Jasminblüten herzustellen. Die richtige Dosierung muss allerdings noch festgestellt werden. Im Moment weiß man nur, dass es wenig Sinn hat, ... (9) Heilung einen Strauß Jasmin ins Zimmer zu stellen.

12) **Bilden Sie Sätze wie im Beispiel. Achten Sie auf den richtigen Kasus und die angegebene Zeitform.**

● zu – Skifahren – man – eine gute Ausrüstung – brauchen *(Präsens)*
Zum Skifahren braucht man eine gute Ausrüstung.

1. entgegen – die Prognosen – die wirtschaftliche Entwicklung – sich stabilisieren *(Präsens)*

....

2. außer – der Kapitän – alle – das Schiff – verlassen *(Perfekt)*

....

3. sie – trotz – eine schwere Erkältung – an dem Workshop – teilnehmen *(Präsens)*

....

4. statt – eine Beförderung – Herr Müller – gestern – seine Kündigung – erhalten *(Perfekt)*

....

5. der deutsche Rennfahrer – bei – strömender Regen – zu – Sieg – fahren *(Perfekt)*

....

6. ungeachtet – die Warnungen der Bergwacht – drei Freizeitsportler – den Berg – besteigen *(Perfekt)*

....

7. die Krankheit – durch – Viren – auf – der Mensch – übertragen werden *(Präsens)*

....

8. seine Ansicht – nach – der Staat – zu – Schuldenabbau – mehr sparen müssen *(Präsens)*

....

■ ■ ■ Zusammenfassende Übungen

13) Populäre Irrtümer über die Familie
   Wählen Sie die richtige Präposition.

Viele Menschen denken, Mütter kümmerten sich früher mehr *um (um/für)* ihre Kinder, Ehen hielten länger, und die Menschen heirateten viel eher. War das aber wirklich so?

1

Bestand die Familie schon immer .... *(aus/mit)* **Vater, Mutter und Kind?**
Nein. Im alten Griechenland und im Römischen Reich zählten auch Sklaven .... *(zur/mit)* Familie. So war es auch .... *(in/bei)* Europa bis .... *(zum/im)* 17. Jahrhundert: Zur Hausgemeinschaft gehörten Knechte und Mägde. Der Begriff „Familie", so wie er heute gebraucht wird, erscheint .... *(im/am)* 17. Jahrhundert zum ersten Mal .... *(von/in)* der deutschen Alltagssprache. Erst 100 Jahre später verbreitet sich die Vorstellung, dass eine Familie .... *(aus/mit)* Vater, Mutter und Kindern besteht.

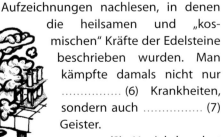

2

Haben die Menschen früher eher geheiratet?
Nein. Im alten Griechenland heirateten Männer .... *(mit/von)* ungefähr 30, die Mädchen vermählte die Familie allerdings oft schon .... *(mit/von)* 15. .... *(Bis/Zum)* Mitte des 19. Jahrhunderts heirateten Männer und Frauen .... *(in/an)* Westeuropa ziemlich spät: Erst mit Ende 20. Um eine Familie zu gründen, musste man früher auch wirtschaftlich unabhängig sein. Damit ist zu erklären, dass in Deutschland .... *(in/auf)* den unteren Gesellschaftsschichten ein großer Anteil der Bevölkerung – in manchen Gebieten sogar 40 Prozent – unverheiratet blieb.

3

Hielten Ehen früher länger?
Teilweise. Ehen dauerten früher .... *(aufgrund/anlässlich)* der hohen Sterblichkeit selten so lange wie heute. Im Römischen Reich wurde jede sechste Ehe .... *(innerhalb/außerhalb)* von fünf Jahren .... *(von/durch)* den Tod eines Ehepartners beendet. Auch Scheidungen waren damals kein Problem, in Rom waren sie sogar üblich. .... *(Vom/Aus)* Mittelalter bis zum 20. Jahrhundert war es vor allem die wirtschaftliche Funktion der Familie, die dafür sorgte, dass sich Ehepaare kaum scheiden ließen.

---

14) Können Edelsteine heilen? (35)
   Ergänzen Sie die fehlenden Präpositionen.

....
aus *(3 x)* • im *(3 x)* • mit • gegen *(2 x)* • nach *(2 x)* • beim • von • in *(4 x)* • am
....

Edelsteine *aus* (0) der Apotheke
.... (1) Altertum glaubten die Menschen fest daran, dass edle Steine Glück bringen und Unheil* abwenden. Deshalb trugen sie die Edelsteine .... (2) Körper oder nahmen sie sogar als Medizin .... (3) Pulverform ein. .... (4) der Einnahme der zerkleinerten Steine wollten die Menschen die positive Wirkung der Steine vervielfachen.

Das kann man .... (5) antiken Aufzeichnungen nachlesen, in denen die heilsamen und „kosmischen" Kräfte der Edelsteine beschrieben wurden. Man kämpfte damals nicht nur .... (6) Krankheiten, sondern auch .... (7) Geister.

.... (8) 11. Jahrhundert nannte das berühmte Rezept „Electuarium ex Gemmis" fünf Edelsteine als Bestandteile jeder wirksamen Arznei: Granat, Hyazinth, Saphir, Sarder und Smaragd. So bestand ein beliebtes Arzneimittel .... (9) jener Zeit .... (10) 64 Zutaten und enthielt verschiedene Edelsteinpulver wie Rubin, Granat und Smaragd.

Natürlich war diese Medizin nicht billig, aber andere Heilmittel kosteten sogar noch mehr. Der Überlieferung .... (11) richteten sich die Ärzte .... (12) Schreiben ihrer Rezepte .... (13) dem Geldbeutel der Kranken. Der teuerste Patient war wohl Papst Clemens VII. .... (14) seinen letzten Lebenswochen schluckte er Pulvermedizin .... (15) Edelsteinen und Perlen im Wert .... (16) 40 000 Dukaten. Er überlebte diese Behandlung nicht.

Die moderne Heilmittelforschung stellte kürzlich fest, dass einige .... (17) Altertum verwendete Mineralien tatsächlich wirksame Substanzen enthalten.

Unheil: Unglück

15) **Aus der Geschichte der Zahnbürste**
Ergänzen Sie die fehlenden Präpositionen.

um *(2 x)* • ~~nach~~ • in *(2 x)* • im *(3 x)* • zu *(2 x)* • zur • zum • seit • aus *(3 x)* • für

„*Nach* (0) dem Essen musst du dir die Zähne putzen!"
Wie oft haben Sie diesen Satz .... (1) Ihrer Kindheit gehört?
Die Zahnbürste .... (2) ihrer heutigen Form existiert noch nicht so lange, aber archäologische Funde belegen, dass schon die alten Ägypter .... (3) 3 000 v. Chr. ihre Zähne gereinigt haben. .... (4) dieser Zeit benutzte man dazu einen kleinen Stock zum Kauen.
In China gab es .... (5) 1500 die ersten Zahnbürsten. Sie hatten die Form eines Pinsels: Die Borsten wurden .... (6) Hausschweinehaar hergestellt und an Stielen .... (7) Bambus oder Knochen befestigt.
.... (8) Beginn des 19. Jahrhunderts gebrauchten die Europäer vor allem kleine Schwämme oder Stoffstücke .... (9) Reinigung ihrer Zähne, was aber nicht sehr effizient war. .... (10) deut-

schen Sprachraum wird die Zahnbürste .... (11) Jahr 1700 .... (12) ersten Mal schriftlich erwähnt. Die Borsten wurden .... (13) Pferdehaar gemacht.
Der Engländer William Addis gründete 1780 die erste Firma, die Zahnbürsten professionell herstellte. Diese Zahnbürsten waren jedoch sehr teuer und galten daher als Luxusgüter .... (14) reiche Menschen.
.... (15) Jahr 1938 ermöglichte die Erfindung des Nylons die billige Massenherstellung von Zahnbürsten. Diese Nylon-Zahnbürsten waren jedoch noch so hart, dass sie das Zahnfleisch verletzten und daher kaum zu empfehlen waren. Weicheres Nylon, das heute benutzt wird, ist erst .... (16) 1950 verfügbar.

16) **Mensch und Katze**
Ergänzen Sie die fehlenden Präpositionen in der richtigen Form.

Die Freundschaft *zwischen* (0) Mensch und Katze ist ungefähr 3000 Jahre alt. Sie entstand .... (1) alten Ägypten, als die Ägypter sesshaft wurden und begannen, Speicher .... (2) ihr Korn anzulegen. Das lockte massenhaft Mäuse an und die Ägypter waren gezwungen, etwas .... (3) die Bedrohung ihrer Nahrungsvorräte zu unternehmen. .... (4) diesem Kampf fanden sie Verbündete: die Katzen. Die Ägypter waren den Katzen nicht nur .... (5) ihre Hilfe sehr dankbar, sie waren auch .... (6) der Schönheit dieser Tiere verzaubert.
.... (7) der Dankbarkeit der Ägypter wurde mit der Zeit religiöse Bewunderung. So hatte z. B. die Göttin Bastet, Gattin des Sonnengottes Re, die Gestalt einer Katze. Es gab auch verschiedene heilige Katzen, die .... (8) der ägyptischen Mythologie in Beziehung .... (9) Mond gesetzt wurden. Das lag vielleicht daran, dass Katzen gerne .... (10) der Nacht jagen. Die Liebe der Ägypter .... (11) den Katzen ging sogar so weit, dass Menschen, die eine Katze verletzten, ... (12) dem Tod bestraft wurden. Auch der Handel .... (13) Katzen war strengstens verboten. Trotzdem ließen sich Seeleute nicht davon abhalten, ägyptische Katzen .... (14) Europa zu schmuggeln.

Wem es .... (15) Europa gelang, eine Katze „Made in Egypt" zu bekommen, hatte viel Glück und ein Haustier als Statussymbol. Jahrhundertelang lebten Katzen und Menschen .... (16) Europa friedlich zusammen, bis die Hexenverfolgung begann. Vertreter der Kirche suchten .... (17) Symbolen .... (18) Hexen und den Teufel – und ihre Wahl fiel unter anderem .... (19) die Katze. Man glaubte, dass der Hausgeist einer Hexe .... (20) einer Katze wohne. Das hatte eine sehr ungemütliche Zeit .... (21) die schönen Tiere zur Folge. Warum es ausgerechnet die Katzen so hart traf, kann man nur vermuten. Die überlieferte Mythologie der Ägypter und die Nachtaktivität der Katzen könnten Ursachen gewesen sein.
Im 18. Jahrhundert wurde die Hexen- und damit auch die Katzenverfolgung eingestellt. Das Misstrauen .... (22) Katzen aber blieb. So hat sich bis heute der Aberglaube gehalten, dass schwarze Katzen Unglück bringen, wenn sie eine Straße .... (23) links .... (24) rechts überqueren. Auch .... (25) ihres eigenständigen Wesens sind Katzen manchen Menschen noch immer suspekt, ... (26) vielen aber werden sie verehrt und geliebt.

6 Adverbien und Partikeln
6.1 Fragewörter

Paul schläft und träumt.

Wann ist Paul eingeschlafen?
Warum ist Paul eingeschlafen?
Wovon träumt Paul?
↓
Fragewörter

▶ **Gebrauch**

→ Fragewörter können ebenso wie Fragepronomen und Frageartikel Fragesätze einleiten.

→ Die **Fragewörter** *wann, wo, woher, wohin, wie, warum, wieso, weshalb, wozu* werden nicht dekliniert, sie bleiben unverändert. Fragewörter mit *wo(r)* + Präposition wie *wovon, woran, womit, worüber, worauf* werden ebenfalls nicht dekliniert.

→ Fragen nach Personen werden mit den **Fragepronomen** *wer, wen, wem, wessen* oder einer Präposition und einem Fragepronomen, z. B. *für wen, von wem* usw. gebildet. Fragepronomen werden dekliniert. ➤ Seite 126

→ Auch die **Frageartikel** *welche, welcher, welches, was für eine, was für ein* werden dekliniert. ➤ Seite 118 bzw. 112

▶ **Formen: Fragewörter**

Ort **Richtung**	Wo? Wohin? Woher?	**Wo** wohnen Sie? **Wohin** fahrt ihr am Wochenende?
Grund	Warum? Wieso? Weshalb?	**Warum** kommst du schon wieder zu spät? **Weshalb** ist Klaus nicht mitgekommen?
Ziel, Zweck	Wozu?	**Wozu** hast du das gemacht?
Sache (bei Verben und Adjektiven mit Präposition)	Worüber? Worauf? Womit? Wogegen? usw.	**Worüber** hast du dich so gefreut? **Worauf** sind Sie besonders stolz? **Womit** sind Sie gekommen? **Wogegen** haben die Menschen protestiert?
Zeitpunkt **Zeitdauer**	Wann? Wie lange?	**Wann** beginnt das Konzert? **Wie lange** dauert es?
Qualität, Eigenschaft	Wie?	**Wie** schmeckt deine Suppe?
Häufigkeit	Wie oft?	**Wie oft** hat Herr Maier angerufen?
Alter	Wie alt/jung?	**Wie alt** ist Herr Maier eigentlich?
Menge	Wie viel? Wie viele?	**Wie viel** wiegst du? **Wie viele** Teilnehmer waren da?
Maße	Wie lang? Wie hoch? Wie breit? Wie tief?	**Wie lang** war der Lkw? **Wie hoch** ist das Gebäude? **Wie breit** ist der Fluss? **Wie tief** ist der See?

▶ **Formen: Fragepronomen und Frageartikel**

Person	Wer? Wen? Wem? Wessen?	**Wer** hat den Eröffnungsvortrag gehalten? **Wessen** Portemonnaie ist das?
Person (bei Verben und Adjektiven mit Präposition)	Über wen? Auf wen? Mit wem? usw.	**Über wen** habt ihr gelacht? **Auf wen** hast du gewartet? **Mit wem** bist du verabredet?
Sache	Was? Wessen?	**Was** hast du da in der Hand?
Person oder Sache (Wahl aus konkreten Möglichkeiten)	Welch-? (welcher, welche, welches usw.)	**Welcher** Pullover gefällt dir am besten? **Welches** T-Shirt möchtest du?
Person oder Sache (Wahl aus allgemeinen Möglichkeiten)	Was für ein? (was für ein/eine/einen usw.)	**Was für ein** Geschenk soll ich für Paul kaufen? **Was für eine** Tasche hättest du gern?

■ ■ ■ Übungen

1) Fragen Sie nach den unterstrichenen Wörtern bzw. Wortgruppen.

● Marie und Martin haben uns <u>zum Mittagessen</u> eingeladen.   *Wozu haben sie uns eingeladen?*
1. Wir treffen uns <u>um 12.00 Uhr</u> <u>direkt vorm Restaurant</u>. ....
2. <u>Otto</u> kann nicht kommen. ....
3. <u>Die Straßenbahnen</u> fahren nicht. ....
4. Franz wird pünktlich sein, er fährt <u>mit dem Auto</u>. ....
5. Nach dem Essen gehen wir <u>ins Kino</u>. ....
6. Es läuft zurzeit ein ganz toller Film. .... *willst du ins Kino gehen?*
7. Ich habe den Film schon <u>fünfmal</u> gesehen. ....
8. Der Film ist <u>sehr</u> witzig. ....
9. Ich musste <u>über die Dialoge</u> sehr lachen. ....
10. Es ist außerdem der Lieblingsfilm <u>meiner Mutter</u>. ....

2) Im Sprachkursbüro   ③⑥
   Ergänzen Sie die passenden Fragewörter bzw. Fragepronomen.

□ *Wie* kann ich Ihnen helfen?
△ Ich hätte gern ein paar Informationen zu Ihren Sprachkursen.
□ .... möchten Sie denn wissen?
△ Mich interessiert zunächst, ... die neuen Kurse anfangen.
□ Die Kurse beginnen am 2. Februar.
△ Und .... gehen die Kurse?
□ Wir haben 8-Wochen-Kurse und 16-Wochen-Kurse.
△ .... findet der Unterricht in der Woche statt?
□ Bei den 8-Wochen-Kursen zweimal, bei den 16-Wochen-Kursen einmal pro Woche.
△ .... kosten die 8-Wochen-Kurse?
□ Das ist unterschiedlich. Allgemeinsprachliche Kurse kosten 350 Euro, berufssprachliche Kurse kosten 380 Euro.
△ .... sind die berufssprachlichen Kurse eigentlich teurer als die allgemeinsprachlichen Kurse?
□ Das weiß ich ehrlich gesagt nicht. Das ist eine Entscheidung des Managements.
△ .... und .... kann man sich einschreiben?
□ Hier bei uns. Wenn Sie keine Anfängerin sind, müssen Sie einen Einstufungstest machen und danach können Sie sich anmelden.
△ .... kann ich den Test machen?
□ Gleich, wenn Sie wollen.

3) Fragen und Antworten beim Vorstellungsgespräch
   Formulieren Sie Fragen mit Fragewörtern oder Fragepronomen.

● *Wo wohnen Sie?*   Ich wohne in München.
1. ....? Seit 15 Jahren.
2. ....? Ich habe in München studiert, an der Uni.
3. ....? Wirtschaftsstatistik.
4. ....? Ich fand Mathematik schon immer interessant und Wirtschaft auch. Wirtschaftsstatistik ist eine gute Kombination.
5. ....? Meine ersten Arbeitserfahrungen habe ich bei der HypoVereinsbank gesammelt.
6. ....? Ich habe mich hauptsächlich mit Datenanalyse beschäftigt.
7. ....? In meiner Abteilung haben ca. 10 Analysten gearbeitet.
8. ....? Ich spreche fließend Englisch und Spanisch.
9. ....? An der Volkshochschule.
10. ....? Ich suche neue Herausforderungen.

4) **Der Kommissar denkt über den Einbruch im Museum nach.**
Er schreibt sich dazu ein paar Fragen auf. Helfen Sie ihm dabei. Formulieren Sie Fragen.

| wie · wo · woher · wann · wie viel · womit · warum · wer | ~~Tür öffnen~~ · keine Spuren hinterlassen · gestohlenes Bild verstecken · Tipp bekommen · Einbruch stattfinden · Bild verkaufen können · dem Täter helfen · Alarmanlage nicht angehen · die Bilder wert sein · die Kunstwerke transportieren |

● *Wie hat der Täter die Tür geöffnet?/Womit hat der Täter die Tür geöffnet?*

1. ....
2. ....
3. ....
4. ....
5. ....
6. ....
7. ....
8. ....
9. ....

5) **Bilden Sie Fragesätze mit einem Fragewort und antworten Sie.**
Achten Sie auf die fehlende Präposition und den richtigen Kasus.

● träumen – Paul *(schöne Frauen)*
Wovon träumt Paul?   *Paul träumt von schönen Frauen.*

1. freuen – der Chef – so *(das Abendessen mit Frau Müller)*
....

2. arbeiten – Gustav – eigentlich – so fleißig *(eine Powerpoint-Präsentation)*
....

3. sich ärgern – du *(die E-Mail einer Kollegin)*
....

4. denken – du – gerade *(meine geplante Urlaubsreise)*
....

5. reden wollen – Otto – mit dem Chef *(seine Beförderung)*
....

6. warten – du *(ein Anruf aus München)*
....

7. sich interessieren – Marie *(nur Schuhe)*
....

8. sich beklagen – Frau Köhler – schon wieder *(ihr kleines Büro)*
....

9. schmecken – das Kantinenessen *(gar nichts)*
....

10. kämpfen – die Gewerkschaft – zurzeit *(kürzere Arbeitszeiten)*
....

11. sich vorbereiten – Max – so intensiv *(sein Bewerbungsgespräch)*
....

12. lachen – Frau Müller – so laut *(ein Witz vom Chef)*
....

13. warnen – der Informatiker – die Kollegen *(ein gefährlicher Computervirus)*
....

14. suchen – die Praktikantin – eigentlich *(ein wichtiges Schreiben für den Chef)*
....

15. gehen – es – heute – in der Besprechung *(das neue Projekt)*
....

6.2 Adverbien

Heute findet im Haus von Familie Feuerstein eine große Party statt.
↓
Temporaladverb

Hier feiert Paulchen seinen zehnten Geburtstag.
↓
Lokaladverb

Paulchen hat sich über seine Geschenke sehr gefreut.
↓
Modaladverb

▶ **Gebrauch**

→ Adverbien können die Zeit, die Häufigkeit, den Ort, die Art und Weise oder den Grund eines Geschehens angeben.

→ Sie beziehen sich auf
  ▸ den ganzen Satz: **Heute findet eine Party statt.**
  ▸ ein Verb: Paulchen hat sich **sehr gefreut.**
  ▸ ein Adjektiv: Oma hat Paulchen eine **sehr große** Überraschung bereitet.
  ▸ oder ein anderes Adverb: Wo liegt das Geschenkpapier? **Ganz oben** im Schrank.

→ Adverbien werden nicht dekliniert.

■ Lokale Adverbien

Otto geht/kommt ...

hinunter/herunter	hinauf/herauf	hinein/herein	hinaus/heraus	hinüber/herüber
umgangssprachlich:				
runter	**rauf**	**rein**	**raus**	**rüber**

hin → vom Sprecher weg   her → auf den Sprecher zu

▶ **Formen**

Ort: **Wo?**	hier, dort, da, überall, nirgendwo, links, rechts, oben, unten, vorn, hinten, innen, außen, draußen, drin/drinnen, drüben	Ich fühle mich **hier** richtig wohl. Der Wein ist **unten** im Keller. Otto steht **draußen** und friert.
Richtung: **Wohin?**	hierhin, dorthin, dahin, hinein, hinaus, hinauf, hinunter, hinüber, aufwärts, abwärts, vorwärts, rückwärts, geradeaus **mit Präposition:** nach links, nach rechts, nach oben, nach unten	Leg den Brief bitte **dorthin.** Er sah **hinüber** zum anderen Ufer. Es geht wieder **aufwärts**! Fahren Sie bitte erst **nach links**, dann **geradeaus.**
Richtung: **Woher?**	hierher, dorther, daher, herein, heraus, herauf, herunter, herüber **mit Präposition:** von links, von rechts, von oben, von unten, von innen, von drinnen	Mein Mann kommt aus Leipzig. Ich komme auch **dorther.** Das Auto kam **von links.**

▶ **Hinweise**

→ Die Adverbien: *hinunter/herunter, hinauf/herauf, hinein/herein, hinaus/heraus, hinüber/herüber* bzw. nur *hin-* und *her-* können mit Verben verbunden werden.
Reichst du mir mal das Salz herüber (rüber)?　　　　→ herüberreichen
Du hast mir meine Lieblings-CD weggenommen. Gib die wieder her! → hergeben

→ Aus einigen Adverbien kann man Adjektive bilden.
  ▸ *dort* + *-ig*: die dortigen Verhältnisse
  ▸ *innen/außen/oben/unten/hinten*: die innere Sicherheit, die äußere Schale, das obere Stockwerk, die untere Schublade, die hinteren Reihen
  ▸ *rechts/links*: auf der rechten Seite, am linken Bildrand

■ ■ ■ **Übungen**

1) **Wie heißt das Gegenteil?**

● aufwärts ↔ *abwärts*

1. drinnen ↔ ....
2. rein ↔ ....

3. unten ↔ ....
4. vorwärts ↔ ....
5. links ↔ ....

6. rauf ↔ ....
7. überall ↔ ....
8. hinten ↔ ....

2) **Eine Party bei Otto**
Ergänzen Sie die passenden lokalen Adverbien.　(37)

‣ rein · drüben · draußen · hier · nach unten · unten · rauf · runter · von innen · da ‣

☐ Hallo Otto!
△ Hallo, ihr Zwei. Schön, dass ihr *da* seid. Kommt doch ....!
☐ Oh ja, gerne. .... ist es wahnsinnig kalt.
△ .... ist es warm, keine Sorge. Eure Mäntel könnt ihr dort .... an die Garderobe hängen. Wollt ihr euch gleich ein bisschen .... aufwärmen und einen heißen Tee trinken?
☐ Also ein Glas Wein wäre mir lieber.
△ Geht schon mal ins Wohnzimmer, ich komme sofort. Ich muss noch mal schnell .... und ein paar Flaschen Wein holen. Die stehen im Keller.
☐ Soll ich mit .... kommen und dir beim Tragen helfen?
△ Oh ja, das ist eine gute Idee.
○ Ich hoffe nicht, dass ihr da .... bleibt und den ganzen Wein alleine trinkt!
△ Keine Angst, Ottilie, wir kommen gleich wieder ....

3) **Ergänzen Sie die fehlenden lokalen Adverbien.**

‣ links · drin · runter · rauf · drinnen · geradeaus · raus · rüber ‣

1. ☐ Die Sonne scheint, lass uns *raus* in den Park gehen.
   △ Nein, ich bleibe lieber ....

2. ☐ Wie komme ich zum Museum?
   △ Bis zur nächsten Kreuzung .... und dann nach ....

3. ☐ Gibst du mir bitte mal die Dose mit dem Zucker ....?
   △ Tut mir leid, in der Dose ist kein Zucker mehr ....

4. ☐ Mein Wintermantel hängt noch oben auf dem Dachboden. Kannst du mir den mal .... bringen?
   △ Bin ich dein Butler? Geh doch selber .... und hol ihn dir.

■ Temporale Adverbien

▶ Formen

Zeitpunkt: Vergangenheit	einst, früher, damals, ehemals, gestern, vorgestern, neulich, kürzlich, vorhin, gerade, soeben	**Früher** war alles anders. Ich habe den Schauspieler **kürzlich** in einer TV-Show gesehen.
Zeitpunkt: Gegenwart	zurzeit, heute, jetzt, nun, momentan, gerade	Ich bin **jetzt** im Büro. Ich habe **gerade** sehr viel zu tun.
Zeitpunkt: Zukunft	sofort, gleich, morgen, übermorgen, bald, demnächst, später	Ich habe **morgen** einen Termin. Das mache ich **später**.
zeitliche Abfolge: Gleichzeitigkeit	zugleich, gleichzeitig, zeitgleich, währenddessen, unterdessen, inzwischen	Sie können nicht **gleichzeitig** den Computer starten und die Programme öffnen.
zeitliche Abfolge: Nach- bzw. Vorzeitigkeit	zuerst, zunächst, vorher, zuvor, anfangs zuletzt, schließlich, danach, hinterher	**Zuerst** müssen Sie den Computer starten. **Danach** öffnen Sie das Programm.
Häufigkeit Wiederholung	immer, meistens, oft, manchmal, selten, nie immer wieder, montags, vormittags	Ich trinke **selten** Tee. **Montags** spiele ich Tennis.
Dauer	immerfort, stets, zeitlebens	Man sollte **zeitlebens** an sich arbeiten.

■ ■ ■ Übungen

4) **Ersetzen Sie die unterstrichenen Satzteile durch temporale Adverbien.**

a) **Zeitpunkt**

demnächst · vorhin · soeben · einst · kürzlich · früher · ~~gleich~~

● Ich bin <u>in einer Sekunde</u> fertig.
   Ich bin gleich fertig.

1. <u>Vor wenigen Augenblicken</u> gewann Liechtenstein das Endspiel der Fußballweltmeisterschaft.

2. In diesem Wald lebte <u>vor ganz langer Zeit</u> eine böse Hexe.

3. Der ehemalige Ministerpräsident übernimmt <u>in absehbarer Zeit</u> einen wichtigen Posten in einem großen Unternehmen.

4. <u>Vor ein paar hundert Jahren</u> sind die Menschen im Durchschnitt nur ca. 40 Jahre alt geworden.

5. Wo warst du <u>vor einer Stunde</u>, als ich dich angerufen habe?

6. Weißt du, wen ich <u>vor nicht allzu langer Zeit</u> ganz zufällig im Supermarkt getroffen habe?

b) **Häufigkeit, Dauer**

immer · zeitlebens · mittwochs · meistens · manchmal

1. Die Abteilungssitzung findet <u>jeden Mittwoch</u> statt.
2. Ich nehme <u>in der Regel</u> an der Sitzung teil.
3. <u>Bei einigen Sitzungen</u> muss ich das Protokoll schreiben.
4. Unser neuer Direktor arbeitet <u>Tag und Nacht</u>.
5. Unsere letzte Besprechung werde ich <u>mein ganzes Leben lang</u> nicht vergessen. Die war wirklich eine Katastrophe.

5) Ordnen Sie die Stichpunkte und erläutern Sie anschließend die Struktur Ihres Vortrages zum Thema „Auto und Verkehr" mithilfe der Adverbien *zuerst, danach, dann, hinterher, schließlich, zuletzt.*

• die Maßnahmen der Regierung erläutern	*Zuerst möchte ich ...* ....
• über die Entwicklung der Verkehrssituation in den letzten zehn Jahren sprechen	....
• einen Ausblick für die Zukunft geben	....
• etwas über die Zunahme des Verkehrs auf den Autobahnen sagen	....
• die Situation der öffentlichen Verkehrsmittel beschreiben	....
• die eigene Meinung darlegen	....
• Vorschläge zur Lösung der Verkehrsprobleme machen	....

6) Was passt: *gleichzeitig/zeitgleich* oder *inzwischen/währenddessen*?

▸ Die Adverbien *gleichzeitig* oder *zeitgleich* bedeuten: zur gleichen Zeit.
Die Adverbien *inzwischen* und *währenddessen* bedeuten: in dieser Zeit.

● Die Polizei verhaftete heute einen Manager wegen Steuerbetrugs. *Gleichzeitig/Zeitgleich* durchsuchten Polizeibeamte sein Büro.

1. Ich schäle die Kartoffeln, du kannst .... schon mal das Wasser aufsetzen.
2. Man sagt, Frauen können .... fernsehen und telefonieren.
3. Es sind jetzt vier Jahre vergangen. Was hast du .... alles gemacht?
4. Der Sieger ließ sich gestern Abend ausgiebig feiern. .... wurde das Resultat der positiven Dopingprobe bekannt gegeben.
5. Wir fahren morgen für drei Wochen in den Urlaub. Du kannst .... bei uns wohnen und die Blumen gießen.

■ Modale und kausale Adverbien

▶ **Formen**

Art und Weise	anders, gern, leider	Ich habe **leider** keine Zeit.
Art und Weise: Graduierung	**Verstärkung:** sehr, überaus, besonders, ganz	Er liebt sie **sehr.** Darüber habe ich mich **besonders** gefreut.
	Verstärkung einer Negation: gar, überhaupt	Das Bild gefällt mir **überhaupt** nicht.
	Abschwächung: einigermaßen, ein bisschen, fast, halbwegs, kaum, relativ, vergleichsweise, wenig, ziemlich, ganz	Ich habe mich am Wochenende **einigermaßen** erholt. Die Probleme waren **relativ** klein.
Art und Weise: Vermutung	vielleicht, möglicherweise, wohl, vermutlich, wahrscheinlich, sicher, bestimmt, zweifellos	**Möglicherweise** war die Tür nicht abgeschlossen.
Art und Weise: Beurteilung durch den Sprecher	freundlicherweise, dummerweise, glücklicherweise, netterweise, verständlicherweise	**Dummerweise** hat er den Vertrag schon unterschrieben.
Grund	anstandshalber, vorsichtshalber, umständehalber	Ich habe **vorsichtshalber** einen Regenschirm mitgenommen.
Bedingung	schlimmstenfalls, bestenfalls, notfalls, keinesfalls	**Schlimmstenfalls** wirst du gefeuert.

▶ **Hinweise**

→ Das Adverb *ganz* kann eine Verstärkung oder Abschwächung bewirken.
In Verstärkungsbedeutung ist es betont: Der Pullover ist ganz weich.
In Abschwächungsbedeutung ist es unbetont: Wie geht es dir? Ach, ganz gut.
(oft in Kombination mit *gut, nett, schön*)

→ *Überhaupt* bedeutet „generell". Es steht meistens mit einer Negation, kann aber auch in Sätzen ohne Negation
stehen: Es schneit. Die Frage ist, ob die Züge überhaupt fahren.

■ ■ ■ **Übungen**

7) **Verstärken Sie die Aussagen mit *sehr, ganz, gar* oder *überhaupt*.**

● Der Wein schmeckt mir nicht.   *Der Wein schmeckt mir gar nicht.*

1. Das verstehe ich nicht. ....

2. Das Restaurant war leer. ....

3. Ich habe keine Zeit. ....

4. Das war eine tolle Party! ....

5. Die Entscheidung kann ich nicht nachvollziehen. ....

6. Mir geht es gut. ....

7. Ich kann nichts sagen. Ich habe keine Ahnung, was passiert ist. ....

8) **Ersetzen Sie die unterstrichenen Satzteile durch modale oder kausale Adverbien.**

bestenfalls · anstandshalber · notfalls · vergleichsweise · möglicherweise · netterweise · dummerweise ·
schlimmstenfalls · keinesfalls · ~~verständlicherweise~~ · umständehalber

● Frau Müller hat sich über den Chef geärgert. <u>Das kann ich verstehen.</u>
Frau Müller hat sich *verständlicherweise* über den Chef geärgert.

1. <u>Es wäre anständig</u>, unsere Nachbarn über die geplante Party zu informieren.
Wir sollten unsere Nachbarn .... über die geplante
Party informieren.

2. <u>Ich vermute</u>, dass Otto noch im Büro ist.
Otto ist .... noch im Büro.

3. <u>Wenn der beste Fall eintritt, dann</u> hat das Computervirus gar keine Auswirkungen – <u>im schlimmsten Fall</u> legt es das gesamte System lahm.
.... hat das Computervirus gar keine Auswirkungen –
.... legt es das gesamte System lahm.

4. Ich werde mich <u>unter gar keinen Umständen</u> an der Aktion beteiligen.
Ich werde mich .... an der Aktion beteiligen.

5. <u>Im Vergleich zu anderen Produkten</u> finde ich diese Kaffeemaschine teuer.
Ich finde diese Kaffeemaschine .... teuer.

6. Er hat mich vom Bahnhof abgeholt. <u>Das fand ich sehr nett von ihm.</u>
Er hat mich .... vom Bahnhof abgeholt.

7. <u>Wenn es unbedingt notwendig ist</u>, kann ich deine Aufgaben übernehmen.
.... kann ich deine Aufgaben übernehmen.

8. <u>Weil die Umstände gerade sehr ungünstig sind</u>, müssen wir den Beginn der Arbeiten um zwei Wochen verschieben.
.... müssen wir den Beginn der Arbeiten um zwei Wochen verschieben.

9. Ich habe der Arbeitszeitverlängerung schon zugestimmt. <u>Das war sehr dumm von mir.</u>
Ich habe der Arbeitszeitverlängerung .... schon zugestimmt.

6.3   Redepartikeln

□ *Oh, mir ist gestern etwas Furchtbares passiert!*

△ *Was ist denn passiert, Ottilie?*

□ *Stellt euch vor, ich wollte mir gestern neue Schuhe kaufen und beim Anprobieren der Schuhe hat mir jemand mein Portemonnaie gestohlen!*
Das ist doch unglaublich, oder?

△ *Das ist ja schrecklich! Wie viel Geld war denn im Portemonnaie?*

□ *500 Euro.*

△ *500 Euro! Davon kann man sich ja fünf Paar Schuhe kaufen!*

denn, doch, ja → Redepartikeln

▶ **Gebrauch**

→ Redepartikeln gehören zur gesprochenen Sprache und geben dem Satz einen bestimmten emotionalen Ausdruck. Man kann auf diese Weise zum Beispiel Überraschung, Ärger oder Interesse ausdrücken. Die meisten Partikeln haben mehrere Bedeutungen.

→ Redepartikeln werden nicht dekliniert.

▶ **Formen: Fragesätze**

Interesse ausdrücken	denn	Wann ist **denn** deine Prüfung?
	eigentlich	Haben Sie **eigentlich** die neue Ausstellung gesehen?
Überraschung ausdrücken	denn	Was ist **denn** hier los?
Bitten formulieren	mal	Können Sie mir das **mal** erklären?
	vielleicht	Können Sie mir **vielleicht** helfen?
eine positive Reaktion erwarten	doch	Das ist **doch** toll, oder?

▶ **Formen: Aussage- oder Aufforderungssätze**

Überraschung ausdrücken	ja	Das ist **ja** schrecklich!
	doch	Das ist **doch** ein fantastisches Ergebnis!
	aber	Das ist **aber** ein schönes Geschenk!
Ärger ausdrücken	doch	Das weißt du **doch**!
	vielleicht	Hier ist **vielleicht** eine Stimmung im Raum!
eine Ermunterung ausdrücken	ruhig	Bewerben Sie sich **ruhig**. Sie haben gute Chancen.
eine Warnung verstärken	bloß	Lass **bloß** die Finger davon!
	ja	Lass dich **ja** nicht erwischen!
eine Bitte/einen Rat formulieren	doch mal	Kommen Sie **doch mal** vorbei.
	doch	Setzen Sie sich **doch**.
eine Beruhigung formulieren	schon	Das kommt **schon** wieder in Ordnung!

■ ■ ■ Übungen

1) **Drücken Sie Interesse oder Überraschung aus.**
Formulieren Sie Fragen mit *denn* oder *eigentlich*.

● Frau Kümmel – zur Sitzung – kommen
Kommt Frau Kümmel <u>denn</u> zur Sitzung?   *Kommt Frau Kümmel <u>eigentlich</u> zur Sitzung?*

1. wie – du – den neuen Chef – finden
....

2. warum – du – nicht – um den Direktorposten – sich bewerben
....

3. deine neue Arbeit – dir – Spaß machen
....

4. was – das – für ein Chaos – hier – sein
....

5. was – du – in meinem Büro – an meinem Schreibtisch – machen
....

6. wann – die nächste Konferenz – stattfinden
....

2) **Ergänzen Sie in den Sätzen die Redepartikeln *ja, doch (mal), aber, ruhig* oder *bloß*.**

● Das ist eine Überraschung!   *Das ist <u>ja</u> eine Überraschung!*

1. Die Gläser sind sehr zerbrechlich. Sei vorsichtig damit!   ....

2. Du brauchst hier nicht so gelangweilt rumzusitzen.   ....
   Du kannst ein bisschen mithelfen.

3. Die Eingangstür war schon wieder nicht abgeschlossen.   ....
   Das ist merkwürdig!

4. Lies den Artikel hier im „Spiegel"! Der ist wirklich interessant.   ....

5. Sprich den Chef heute nicht an. Er hat schlechte Laune.   ....

6. Du wusstest, dass ich deine Hilfe brauche!   ....

3) **Auf der Party**   (38)
Bringen Sie Emotionen in die Sätze. Ergänzen Sie die passenden Redepartikeln.

ja · denn · doch *(6 x)* · aber *(2 x)* · eigentlich *(2 x)* · vielleicht · mal

☐ Hallo Max, du bist *ja* (0) auch hier! Bist du allein? Ist .... (1) Martina nicht mitgekommen?

△ Nein, Martina hat .... (2) eine neue Stelle und muss wahnsinnig viel arbeiten.

☐ Na, zu viel Arbeit ist .... (3) auch nicht gesund! Was machst du .... (4) im Moment?
   Arbeitest du immer noch bei FETEX?

△ Oh nein, schon lange nicht mehr. Ich hatte .... (5) so viel Ärger mit meinem Chef. Der ist mir
   .... (6) auf die Nerven gegangen!

☐ Ach, wem sagst du das! Wir haben seit Kurzem eine neue Abteilungsleiterin und die
   hat gleich angefangen, unsere Arbeitszeiten zu kontrollieren. Stell dir das
   .... (7) vor!

△ Das ist .... (8) kein Ausdruck von besonderem Vertrauen.

☐ Genau! Ich habe .... (9) meine Arbeitszeiten fast immer eingehalten – abgesehen von den zwei Tagen in der Woche, an denen ich eher nach
   Hause gegangen bin. Das ist .... (10) .... (11) nicht
   viel, oder?

△ Naja, das finde ich, ehrlich gesagt, ... (12) ein bisschen übertrieben.

☐ Ach was! Komm, lass uns zum Buffet gehen und was zum Essen holen. Das
   sieht .... (13) sehr lecker aus, oder?

7 Einfache Sätze

Kerstin *macht* jeden Morgen Gymnastik.
Sie *möchte* fit und gesund bleiben. → Aussagesätze

Was *ist* Ihre Lieblingssportart? → Fragesatz mit Fragewort

Machen Sie gern Gymnastik? → Fragesatz ohne Fragewort

Bewegen Sie sich regelmäßig!
Sie *sollten* einmal in der Woche Sport treiben. → Aufforderungssätze

Ich *wäre* gern schlank.
Wäre das Fitnessstudio doch nicht so teuer!
Wenn das Fitnessstudio doch nicht so teuer *wäre*! → Wunschsätze
(➤ Seite 81: *Konjunktiv II*)

▶ **Gebrauch**

→ Es gibt im Deutschen verschiedene Satzformen: einfache Sätze, zusammengesetzte Sätze und mehrfach zusammengesetzte Sätze. Einfache Sätze sind Sätze mit nur einer konjugierten Verbform.
→ Man kann Sätze nach ihrer Funktion in folgende Satzarten einteilen: Aussagesätze, Fragesätze, Aufforderungssätze und Wunschsätze.
→ Das Verb ist der Kern des Satzes. Die Position des Verbs ist klar geregelt. In Hauptsätzen steht das konjugierte Verb an zweiter oder erster Stelle, in Nebensätzen an letzter Stelle.
→ Normalerweise können Nebensätze nicht allein stehen, sie gehören deshalb zu den zusammengesetzten Sätzen (➤ Seite 201). Eine Ausnahme ist der Wunschsatz im Konjunktiv II.
Wenn das Fitnessstudio doch nicht so teuer wäre!

7.1 Position der Verben

▶ **Formen: Das konjugierte Verb steht an Position 2.**

	Position 1	Position 2 (Anfang der Satzklammer)	Mittelfeld	Satzende (Ende der Satzklammer)
Aussagesatz	Seit September	studiert	Klaus in Dresden.	
Aussagesatz mit trennbarem Verb	Kathrin Sie	gibt leitet	das Passwort wichtige E-Mails an den Chef	ein. weiter.
Aussagesatz mit Modalverb	Otto Heute	kann muss	sehr gut Frau Müller den Brief unbedingt	kochen. abschicken.
Aussagesatz im Perfekt	Max In München	hat sind	ein Gedicht 50 alte Autos durch die Innenstadt	geschrieben. gefahren.
Aussagesatz im Passiv	Der Minister Im letzten Jahr	wird sind	heute in Deutschland weniger Autos	interviewt. verkauft worden.
Fragesatz mit Fragewort	Wann Wann	beginnt hat	das Konzert? das Konzert	begonnen?
Aufforderungssatz (Empfehlung)	Sie	sollten	nicht mehr	rauchen.
Wunschsatz	Ich	wäre	gern	schlank.

▶ **Hinweise**

→ Das konjugierte Verb steht an Position 2. **Trennbare Verben** und **mehrteilige Prädikate** bilden eine **Satzklammer**. Das trennbare Präfix, der Infinitiv oder das Partizip stehen am Satzende.

→ Alle anderen Satzglieder kann man verschieben. Normalerweise steht das Subjekt an Position 1. Es können auch andere Satzglieder an erster Stelle stehen. In diesen Fällen folgt das Subjekt oft direkt nach dem konjugierten Verb.

▶ **Formen: Das konjugierte Verb steht an Position 1.**

	Position 1	Mittelfeld	Satzende
Fragesatz ohne Fragewort	Beginnt Hast	das Konzert um 20.00 Uhr? du schon mit Agnes	telefoniert?
Aufforderungssatz	Rufen Setz	Sie mich doch bitte morgen dich!	an!
irrealer Wunschsatz	Wäre Hättest	das Fitnessstudio doch nicht so teuer! du mich doch	angerufen!

▶ **Hinweise**

→ Im Fragesatz ohne Fragewort, im Aufforderungssatz und oft im Wunschsatz steht das konjugierte Verb an erster Stelle.

■ ■ ■ **Übungen**

1) **Der Chef hat viele Aufträge für Frau Müller.**
Formulieren Sie Aufforderungssätze wie im Beispiel. Achten Sie auf den Satzbau.

● die Kollegen – über die Teamsitzung – informieren   *Informieren Sie die Kollegen über die Teamsitzung.*

1. ein Angebot – an die Firma Siemens – schreiben ....

2. die Zahlungseingänge – kontrollieren – bitte ....

3. gleich danach – die Mahnungen – verschicken ....

4. den Termin – mit Frau Krüger – absagen – bitte ....

5. die neuen Aufgaben – mit der Praktikantin – besprechen ....

6. alle Anrufe – entgegennehmen – bitte – für mich ....

2) **Ein Brief aus Berlin**
Formulieren Sie aus den vorgegebenen Wörtern einen Antwortbrief. Die unterstrichenen Satzglieder stehen an erster Stelle. Achten Sie auf die richtige Form und Stellung der Verben.

Liebe Eva, lieber Klaus,

ganz herzlich – sich bedanken möchten – <u>ich</u> – für Euren netten Brief • nach Berlin – <u>gerne</u> – ich –
mal wieder – kommen • passen – mir – <u>am besten</u> – es – am übernächsten Wochenende • am Freitag
und am Montag – <u>ich</u> – nämlich – frei haben • ich – <u>deshalb</u> – nehmen müssen – für die Reise –
keine extra Urlaubstage • sehr praktisch – finden – ich – <u>das</u> • ich – buchen – <u>mein Hotelzimmer</u> –
selbst • ihr – sich nicht zu kümmern brauchen – <u>darum</u> – kennen – ein sehr nettes kleines Hotel –
<u>ich</u> – in der Nähe der Museumsinsel • ein Besuch im Neuen Museum – auf meinem Programm –
<u>auf jeden Fall</u> – stehen • <u>vielleicht</u> – zusammen – wir – ins Museum – gehen – und – danach –
fahren – auf den Fernsehturm – können • eine wunderbare Sicht – auf ganz Berlin – haben – man – <u>vom Fernsehturm</u>
<u>aus</u> • sich sehr freuen – <u>ich</u> – auf unser Wiedersehen • ich – meine genauen Reisezeiten – <u>morgen</u> – mailen – Euch

ich möchte mich ganz herzlich für Euren netten Brief bedanken. ....

Bis bald, Eure Annette

7.2 Position der anderen Satzglieder
7.2.1 Wortstellung im Mittelfeld

Andreas fotografiert einen Schmetterling in seinem Garten.
Andreas fotografiert in seinem Garten einen Schmetterling.

▶ **Gebrauch**

→ Verben haben obligatorische und fakultative Ergänzungen. Außer dem Subjekt stehen die Ergänzungen normalerweise im Mittelfeld des Satzes. Ihre Reihenfolge ist im Deutschen nicht so strikt festgelegt wie die Stellung der Verben. Oft spielt die Aussageabsicht eine wichtige Rolle. Hervorgehobene oder neue Informationen stehen am Ende, bekannte Informationen stehen vorn. Die Betonung liegt auf der hervorgehobenen oder der neuen Information.

→ Trotz der Verschiebbarkeit der verschiedenen Satzglieder (außer den Verben) gibt es einige Regeln zur ihrer Position im Satz.

■ **Kasusergänzungen**

Gestern habe ich meinem Kollegen das Computerprogramm erklärt.

| Subjekt | Ergänzung | Ergänzung |
| Nominativ | Nomen im Dativ | Nomen im Akkusativ |

Paul hat ihm das Programm auch schon ausführlich erklärt.

| Subjekt | Ergänzung | Ergänzung |
| Nominativ | Pronomen im Dativ | Nomen im Akkusativ |

Und Mathias hat es ihm vor zwei Wochen schon gezeigt.

| Subjekt | Ergänzung | Ergänzung |
| Nominativ | Pronomen im Akkusativ | Pronomen im Dativ |

▶ **Formen**

	Position 1	Position 2	Mittelfeld	Satzende
Beispiel 1	Gestern	habe	**ich dir das Programm** genau	erklärt.
Beispiel 2	Paul	hat	**es dir** auch schon	erklärt.
Beispiel 3	Das Haus	kostet	**ihn ein Vermögen.**	
Beispiel 4	Wir	gratulieren	**dir zum Geburtstag.**	
Beispiel 5	Frau Müller	erinnert	**den Chef an den Termin.**	

▶ **Hinweise**

→ Normalerweise ist die Reihenfolge der Ergänzungen: Nominativ, Dativ, Akkusativ (▶ Beispiel 1).
→ Gibt es als Kasusergänzungen zwei Pronomen, steht der Akkusativ vor dem Dativ (▶ Beispiel 2).
→ Pronomen stehen vor Nomen (▶ Beispiel 3).
→ Dativ- oder Akkusativergänzungen stehen vor präpositionalen Ergänzungen (▶ Beispiele 4 und 5).
→ Pronomen stehen direkt nach dem Verb (▶ Beispiele 3 und 4) bzw. nach dem Subjekt, wenn das Subjekt im Mittelfeld steht (▶ Beispiel 1).

■ Angaben

Ferdinand fährt <u>nach der Arbeit</u> <u>mit dem Auto</u> <u>nach Hause.</u>
　　　　　　　↓　　　　　↓　　　　↓
　　　　Temporalangabe　Modalangabe　Lokalangabe

▶ Formen

	Position 1	Position 2	Mittelfeld	Satzende
Beispiel 1	Ferdinand	fährt	**nach der Arbeit mit dem Auto nach Hause.**	
Beispiel 2	Paul	geht	**heute aus Zeitgründen** nicht **in die Kantine.**	
Beispiel 3	Ich	möchte	**mir in diesem Winter einen neuen Mantel**	kaufen.
Beispiel 4	Frau Müller	hat	**den Chef gestern in der Kantine an den Termin**	erinnert.

▶ Hinweise

→ Die Reihenfolge der Angaben ist meistens: 1. temporal (wann?) • 2. kausal (warum?) • 3. modal (wie? mit wem? womit?) • 4. lokal (wo? wohin?) (➤ Beispiele 1 und 2).
Kleine Eselsbrücke: te – ka – mo – lo

→ Die Angaben stehen oft zwischen zwei Kasusergänzungen (➤ Beispiele 3 und 4).

→ Achtung: Je nach Aussageabsicht kann die Reihenfolge der Kasusergänzungen und Angaben verändert werden. Überraschende, hervorgehobene oder neue Informationen stehen am Ende, Quellenangaben stehen oft an Position 1.
Gerüchten zufolge hat sich die Prinzessin mit ihrem neuen Liebhaber **im Hotel Ritz** getroffen.
Gerüchten zufolge hat sich die Prinzessin im Hotel Ritz **mit ihrem neuen Liebhaber** getroffen.

■ ■ ■ Übungen

1) **Ergänzen Sie die fehlenden Personalpronomen.**

● Franz wollte schon immer dieses wunderbare Gemälde.
Sein Vater schenkte *es* *ihm* zum Geburtstag.

1. Kannst du mir mal ein bisschen Geld leihen? –
Nein, aber frag doch mal Otto, vielleicht leiht ....

2. In diesem großen Haus wohnt unser Chef.
.... kostet .... jeden Monat ein kleines Vermögen.

3. Hast du Martina schon das neue Programm erklärt? –
Nein, ... erkläre .... später.

4. Gibst du mir mal das Rundschreiben vom Direktor? –
.... habe .... gerade per Mail geschickt.

5. Glaubst du auch, dass Herr Kümmel die Idee von Otto geklaut hat?
Ja, ... hat .... gestohlen, das steht für mich fest.

6. Hat dir der Chef schon deinen Sommerurlaub genehmigt?
Ja, ... hat .... schon vor zwei Wochen genehmigt.

2) **Gesunde Ernährung**
Bilden Sie Sätze. Achten Sie auf die Wortstellung und die richtige Verbform.

● auf gesunde Ernährung – mehr Wert – Familien mit Kindern – legen
Familien mit Kindern legen mehr Wert auf gesunde Ernährung.

1. des Allensbach-Instituts – eine aktuelle Studie – dieses Ergebnis – zeigen
....

2. im Supermarkt – laut Umfrage – regelmäßig – 40 % der Eltern – Bioprodukte – kaufen
....

3. von Obst und Gemüse – außerdem – sie – auf den regelmäßigen Verzehr – achten
....

4. noch immer – von Kindern – aber – Spaghetti – das Lieblingsessen – sein
....

5. liegen – der Hamburger – nur auf Platz zehn – überraschenderweise
....

6. gelegentlich – über Essenswünsche – mit ihren Kindern – fast alle Eltern – reden
....

7. sehr wichtig – das Vorbild der Eltern – sein – bei der Ernährung
....

8. häufig – Kinder – mehr Spaß – haben – von ernährungsbewussten Eltern – am Essen
....

9. bei den Tischmanieren – in letzter Zeit – es – die deutlichsten Veränderungen – geben
....

10. vor dem Essen – im Gegensatz zu früher – ein Tischgebet – nur noch wenige Familien – heute – sprechen
....

11. vor dem Essen – unverändert – die Notwendigkeit des Händewaschens – bleiben
....

3) **Workshop: „Trinkwasser für alle"**
Schreiben Sie zwei kurze Briefe. Benutzen Sie die vorgegebenen Wörter.
Setzen Sie dabei die Verben in die richtige Form.

a) **Einladung zum Workshop**

Sehr geehrte Frau Dr. Köhler,

- auch in der Öffentlichkeit – im September letzten Jahres – spätestens seit der Konferenz – die Bedeutung des Themas „Trinkwasser für alle" – präsent – sein – in Wien
- an die Realisierung entsprechender Projekte – damit – der Anspruch – wachsen
- zu diesem Thema – einen ganztägigen Workshop – wir – nun – planen
- für einen Gedankenaustausch über Konzeption, Umsetzung und Ergebnisse bereits bestehender Projekte – als Plattform – dienen – sollen – dieser Workshop
- die bessere Vernetzung der Projekte – ein weiteres Ziel – sein
- herzlich – zu diesem Workshop – einladen – aufgrund Ihrer Expertise – wir – möchten – Sie – in dem Bereich
- am 21. Februar – von 9.30 Uhr bis ca. 17.30 Uhr – er – in Hamburg – stattfinden
- Sie – Ihre Zusage bzw. Absage – verbindlich – mitteilen – bitte – uns – bis zum 30. November

Mit Dank und freundlichen Grüßen
Siegmar Kunze

b) **Weitere Informationen**

Sehr geehrte Frau Dr. Köhler,

- für Ihre schnelle Rückmeldung – vielen Dank
- sehr – über Ihre Zusage – freuen – uns – wir
- im Seminargebäude der Universität – der Workshop – stattfinden
- rechtzeitig – wir – den Raum – bekannt geben
- im Hotel „Krone" – wir – vom 20. bis 22. Februar – für Sie – reserviert haben – bereits – ein Einzelzimmer
- in der Markusstraße – direkt neben dem Seminargebäude – befinden – das Hotel – sich
- Ihnen – für weitere Fragen – jederzeit – wir – zur Verfügung – stehen

Mit freundlichen Grüßen
Siegmar Kunze

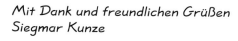

7.2.2 Satzglieder im Nachfeld

■ Vergleiche

Der Kuchen hat 20 Cent mehr gekostet als vor einem Jahr.

▶ **Formen**

Position 1	Position 2 (Anfang der Satzklammer)	Mittelfeld	Ende der Satzklammer	Nachfeld
Sie	sah	so schön	aus	wie immer.
Der Kuchen	hat	20 Cent mehr	gekostet	als vor einem Jahr.

▶ **Hinweise**

→ In Vergleichssätzen können Angaben mit *als* und *wie* nach der Satzklammer stehen.

■ Sonderfall: Ausklammerung

2006 hat der Fotograf Andreas Gursky sein Foto „99 Cent" für 2,25 Millionen Dollar verkauft.

2006 hat der Fotograf Andreas Gursky sein Foto „99 Cent" verkauft für 2,25 Millionen Dollar.

▶ **Formen**

Position 1	Position 2 (Anfang der Satzklammer)	Mittelfeld	Ende der Satzklammer	Nachfeld
2006	hat	der Fotograf Andreas Gursky sein Foto „99 Cent"	verkauft	für 2,25 Millionen Dollar.

▶ **Hinweise**

→ In seltenen Fällen (hauptsächlich in der gesprochenen Sprache) kann ein Satzglied auch nach der rechten Satzklammer stehen.
Wenn man ein Satzglied ausklammert und betont, verleiht man ihm besonderen Nachdruck. Ist das ausgeklammerte Satzglied unbetont, wirkt es eher beiläufig.

■ ■ ■ Übungen

1) **Der Winter und seine Folgen**
Bilden Sie Sätze in der angegebenen Zeitform wie im Beispiel. Ergänzen Sie *als* oder *wie*.

● schneller – der Wintereinbruch – kommen • vorhergesagt *(Perfekt)*
Der Wintereinbruch ist schneller gekommen als vorhergesagt.

1. besser – die öffentlichen Verkehrsmittel – funktionieren • im letzten Jahr *(Perfekt)*
....

2. nicht so drastisch – auf den Autobahnen – das Chaos – sein • befürchtet *(Präteritum)*
....

3. allerdings – nicht so reibungslos – der Flugverkehr – verlaufen • erhofft *(Perfekt)*
....

4. mehr – zu kämpfen haben – Großbritannien und Frankreich – mit dem Schnee • Deutschland *(Präteritum)*
....

5. weniger Flugzeuge – in Paris und London – starten und landen können • in Frankfurt *(Präteritum)*
....

6. viel mehr Winterreifen – die Autohändler – verkaufen • erwartet *(Perfekt)*
....

7. von dem schlechten Wetter – auch – die Schuhhändler – mehr – profitieren • in den vergangenen Jahren *(Perfekt)*
....

8. die Hotelbesitzer – in den Touristengebieten – nicht so hohe Gewinne – verzeichnen können • erwünscht *(Präteritum)*
....

2) **Bei Privatdetektiv Rudi Rotzig wurde nachts eingebrochen.** (39)
Er beschreibt der Polizei die Vorgänge in dramatischer Form.
Klammern Sie die unterstrichenen Satzglieder aus und verleihen Sie ihnen damit besonderen Nachdruck.
Lesen Sie den Text laut mit besonderer Betonung auf den ausgeklammerten Satzgliedern.

Gestern bin ich <u>so gegen Mitternacht</u> plötzlich wach geworden. Ich habe verdächtige Schritte <u>im Nebenraum</u> gehört. Ich bin sofort aufgestanden und habe in meinem Schreibtisch nach meiner Pistole gesucht. Danach habe ich meinen Hausmantel angezogen und bin mit der Pistole in den Nebenraum gegangen. Zwei Diebe haben in der Ecke <u>direkt vor meinem Tresor</u> gestanden. Als sie mich bemerkten, sind sie geflüchtet. Der Tresor war geöffnet, der Schaden ist ziemlich groß.

Die Diebe haben wichtige Dokumente, <u>zum Beispiel Fotos von Politikern in heiklen Situationen</u>, aus dem Tresor entwendet. Das wird einigen Leuten in höheren Positionen gar nicht gefallen! Ich habe die Fotos rein zufällig, <u>ohne böse Absicht</u> gemacht. Ich hätte die Fotos niemals gegen jemanden verwendet und wollte sie eigentlich in den nächsten Tagen zur Polizei bringen.

Gestern bin ich plötzlich wach geworden so gegen Mitternacht. ....
....
....
....
....
....
....
....
....
....
....

7.3 Besonderes Satzglied: Apposition

Der höchste Berg Deutschlands, die Zugspitze, ist 2962 Meter hoch.
Die Zugspitze, der höchste Berg Deutschlands, ist 2962 Meter hoch.

Auf dem höchsten Berg Deutschlands, der Zugspitze, hat man eine wunderbare Aussicht.
Auf der Zugspitze, dem höchsten Berg Deutschlands, hat man eine wunderbare Aussicht.

▶ **Gebrauch**

→ Eine Apposition ist eine Nomengruppe, die sich auf ein vorangestelltes Nomen bezieht und dieses näher beschreibt oder erklärt.

→ Die Apposition steht im gleichen Kasus wie das Bezugswort. Sie wird normalerweise durch Kommas abgetrennt.

→ Zur Apposition rechnet man auch nachgestellte Eigennamen und Namensergänzungen.
Der höchste Berg Deutschlands, **die Zugspitze**, ist 2962 Meter hoch. König Ludwig **der Zweite** lebte in Bayern.
Namensergänzungen sind die einzigen Appositionen, die in der Regel nicht in Kommas stehen.

■ ■ ■ **Übungen**

1) **Ergänzen Sie die Apposition im richtigen Kasus.**

● Ich habe mir von Frau Müller *(die Sekretärin des Chefs)* einen Termin geben lassen.
  Ich habe mir von Frau Müller, der Sekretärin des Chefs, einen Termin geben lassen.

1. Danach sprach ich lange mit Herrn Meier *(der Leiter der Forschungsgruppe)*.
   ....

2. Wir unterhielten uns über die neueste Entwicklung *(ein Apparat zum Messen des Fettgewebes im Körper)*.
   ....

3. Das Gerät wurde von Otto Friedrich *(ein Ingenieur der Forschungsgruppe)* entwickelt.
   ....

4. Die Entwicklung wurde beim Europäischen Patentamt in Deutsch *(eine offizielle Amtssprache)* als Patent eingereicht.
   ....

2) **Ludwig II. von Bayern. Ergänzen Sie in dem folgenden Text die Apposition *der Zweite* jeweils im richtigen Kasus. Achtung: *Der Zweite* wird wie ein Adjektiv dekliniert.** (➤ Seite 131)

Ludwig *der Zweite* wurde am 25. August 1845 in München geboren. Nach dem Tod seines Vaters Maximilian 1864 wurde Ludwig im Alter von 18 Jahren als Ludwig .... zum König von Bayern gekrönt. Von Anfang an engagierte er sich für die Förderung der Kultur. So konnte zum Beispiel mit der finanziellen Unterstützung Ludwigs .... Richard Wagners „Ring der Nibelungen" entstehen.
Im Gegensatz zu seinem Engagement für die schönen Künste stand das Desinteresse Ludwigs .... an der Politik. Schon bald nach seiner Krönung überließ er die politischen Fragen seinen Ministern und zog sich auf seine Schlösser zurück, die er für viel Geld ausbauen ließ. Ludwig .... verbrachte die meiste Zeit auf seinem Märchenschloss Neuschwanstein und beschäftigte sich hauptsächlich mit romantischen Träumereien. Oft hatten die Minister Mühe, Unterschriften für die Staatsgeschäfte von Ludwig .... zu erhalten.

Der Schuldenberg für den Ausbau der Schlösser wuchs ins Unermessliche. Anfang 1886 verweigerte das bayrische Kabinett Ludwig .... die Bürgschaft für einen Kredit in Höhe von sechs Millionen Gulden und leitete seine Entmündigung ein. Ärzte befürworteten die Entmündigung und beschrieben Ludwig .... als „seelengestört". Am 11. Juni 1886 reiste eine Regierungskommission nach Neuschwanstein und informierte Ludwig .... über das Gutachten der Ärzte und den Verlust seines Amtes.
Am 13. Juni brachen der Arzt Professor von Gudden und Ludwig .... zu einem Spaziergang im Schlosspark auf. Sie starben am selben Abend im flachen Uferwasser des Starnberger Sees. Um den Tod Ludwigs .... ranken sich bis heute zahlreiche Gerüchte. Einige Theorien gehen von einem Mord aus.

7.4 Negation

Der Wein hat mir nicht geschmeckt.

Ich habe nicht den roten Hauswein getrunken, sondern den weißen.

Paul trinkt überhaupt keinen Wein.

Otto trinkt gar nichts.

Niemand trinkt nach dem Essen Kaffee.

Marie hat noch nie Kaffee getrunken.

▶ **Gebrauch**

→ Bei der Negation unterscheiden wir zwischen der Negation eines Satzes, der Negation eines Satzteils und der Negation eines einzelnen Wortes (Artikel, Pronomen oder Adverb).

→ Mit *nicht* kann man Sätze oder Satzteile negieren.

→ *Kein, nichts, niemand, nie, nirgends, nirgendwo* negieren Artikel, Pronomen oder Adverbien.
Der negative Artikel *kein* steht immer vor einem Nomen oder einer Nomengruppe.

▶ **Formen: Satznegation**

Position von *nicht*	Position 1	Position 2	Mittelfeld	Satzende
am Ende	Ich Der Chef	beantworte kommt	diese E-Mail **nicht**. heute **nicht**.	
vor dem zweiten Teil des Verbs	Wir Sie	können leitete	morgen leider **nicht** das Dokument **nicht**	kommen. weiter.
vor Ergänzungen, die eng zum Verb gehören	Otto Heute	kann habe	**nicht** Schach ich **nicht** Tennis	spielen. gespielt.
vor präpositionalen Ergänzungen	Frau Müller Marie	hat interessiert	**nicht** mit dem Chef sich **nicht** für alte Autos.	telefoniert.
vor bestimmten Adverbien	Der Minister Mir	hat gefällt	**nicht** sofort das Bild **nicht** besonders gut.	reagiert.
vor lokalen Angaben	Wir Bist	gehen du	heute **nicht** ins Kino. **nicht** nach Frankreich	gefahren?

▶ **Formen: Teilnegation**

Position von *nicht*	Position 1	Position 2	Mittelfeld	Satzende
vor dem Satzteil, der negiert wird	Der Chef Er	hat hat	**nicht** Paul Ferdinand	befördert. befördert.

▶ **Hinweise**

→ In der Satznegation steht *nicht* möglichst weit am Ende des Satzes.

→ In der Teilnegation steht *nicht* vor dem Satzteil, der negiert wird.

▶ **Formen: Negation von Artikeln, Pronomen und Adverbien**

	positiv	negativ	
Artikel	ein, eine	kein, keine	Ich habe **kein** eigenes Büro.
Pronomen	einer, eine, ein(e)s	keiner, keine, kein(e)s	Ich habe auch **keins**.
Indefinit-pronomen	etwas, alles jemand, alle	nichts niemand, keiner	Die Zeugen haben **nichts** gesehen. **Niemand** kann den Täter beschreiben.
Adverb	manchmal, oft, immer	nie, niemals	Er hat seine Tante **nie** im Krankenhaus besucht.
	schon mal	noch nie	Ich war **noch nie** in New York.
	überall, irgendwo	nirgends, nirgendwo	Ich konnte meinen Schlüssel **nirgendwo** finden.

■ ■ ■ Übungen

1) **Negieren Sie die Sätze. Ergänzen Sie das Wort** *nicht.*

● Martin hat mit der Konkurrenz gesprochen.　　*Martin hat nicht mit der Konkurrenz gesprochen.*

1. Ich komme am Wochenende vorbei.
2. Susanne kann gut Ski fahren.
3. Der Chef hat der Gehaltserhöhung zugestimmt.
4. Knut geht heute Abend in die Oper.
5. Opa erinnert sich gern an seine Schulzeit.
6. War der Zug pünktlich?
7. Ich fand den Film besonders gut.
8. Die Fußballmannschaft erfüllte die Hoffnungen der Fans.
9. Gehst du zur Weihnachtsfeier?

2) **Gutes Benehmen im Geschäftsleben**
Geben Sie Empfehlungen wie im Beispiel. Benutzen Sie *nicht* **oder** *kein.*

● Kunden oder Gäste warten lassen　　*Man sollte Kunden oder Gäste nicht warten lassen.*

1. unvorbereitet an Besprechungen teilnehmen
2. durch seine Kleidung auffallen: schrille Farbkombinationen, weiße Socken zum dunklen Anzug, Krawatten mit Comicfiguren tragen
3. die Namen der Kollegen oder Kunden vergessen
4. über Kollegen lästern
5. bei Gesprächen zu nahe an den Gesprächspartner herantreten
6. den Gesprächspartner gleich duzen
7. beim Smalltalk über Beziehungsprobleme oder Krankheiten sprechen
8. fehlerhafte E-Mails schreiben
9. vertrauliche Mitteilungen per E-Mail versenden

3) **Geografisches über Deutschland. Sie wissen es besser!**
Korrigieren Sie die folgenden Aussagen wie im Beispiel.

● Der längste Fluss in Deutschland ist die Elbe. *(Donau)*
Der längste Fluss in Deutschland ist nicht die Elbe, sondern die Donau.

1. Der geografische Mittelpunkt Deutschlands liegt in Berlin. *(500 Meter nördlich des Ortes Niederdorla in Thüringen)*

2. Das größte Bundesland in Deutschland ist Niedersachsen. *(Bayern)*

3. Aachen ist die nördlichste Großstadt in Deutschland. *(westlichste)*

4. Der höchste Berg Deutschlands, die Zugspitze, ist 5 000 Meter hoch. *(2 962 Meter)*

4) **Beantworten Sie die Fragen negativ.**

● Habt ihr schon etwas gegessen?　　*Nein, wir haben noch nichts gegessen.*

1. Hast du irgendwo meine Brille gesehen?
2. Warst du schon mal in Athen?
3. Habt ihr einen Farbdrucker?
4. Weißt du etwas über die geplante Umstrukturierung?
5. War gestern irgendjemand in meinem Zimmer?
6. Hast du noch ein bisschen Geld für mich?

8 Zusammengesetzte Sätze

Hauptsatz + Hauptsatz:

Martin <u>macht</u> im Winter in den Alpen Urlaub, *denn* er <u>fährt</u> gern Ski.
↓
Konjunktion

Hauptsatz + Hauptsatz:

Martin <u>fährt</u> gern Ski, *deshalb* <u>macht</u> er im Winter in den Alpen Urlaub.
↓
Konjunktionaladverb

Hauptsatz + Nebensatz:

Martin <u>macht</u> im Winter in den Alpen Urlaub, *weil* er gern Ski <u>fährt</u>.
↓
Subjunktion

Hauptsatz + Nebensatz (indirekter Fragesatz):

Martin <u>weiß</u> noch nicht, *wann* er Urlaub <u>hat</u>.
↓
Fragewort

Hauptsatz + Infinitiv mit *zu*:

Martin <u>hat</u> die Absicht, dieses Jahr nach Achenkirch *zu fahren*.
↓
zu + Infinitiv

▶ **Gebrauch**

→ Zusammengesetzte Sätze bestehen aus mehreren Teilsätzen. Das können Hauptsätze, Nebensätze oder Infinitiv-konstruktionen sein.

→ Nebensätze und Infinitivkonstruktionen ergänzen Hauptsätze. Sie können in der Regel nicht allein stehen.

8.1 Hauptsätze
8.1.1 Satzverbindung: Konjunktionen

Martin <u>macht</u> im Winter in den Alpen Urlaub, *denn* er <u>fährt</u> gern Ski.
↓
Konjunktion

▶ **Gebrauch**

→ Konjunktionen verbinden zwei Hauptsätze miteinander.

→ Sie stehen zwischen den Sätzen. Ihre Position ist nicht veränderbar.

→ Sätze mit *denn, aber* und *sondern* werden durch Komma getrennt. Bei Sätzen mit *oder* und *und* wird in der Regel kein Komma gesetzt.

■ Einteilige Satzverbindungen

▶ **Formen**

	Hauptsatz 1	Konjunktion	Hauptsatz 2
Grund (Kausalangabe)	Martin **macht** im Winter in den Alpen Urlaub,	**denn**	er **fährt** gern Ski.
Gegensatz (Adversativangabe)	Früher **habe** ich im Sommer Urlaub gemacht,	**aber**	heute **fahre** ich lieber im Winter **weg**.
	Karla **fährt** dieses Jahr <u>nicht</u> in den Winterurlaub,	**sondern**	sie **fliegt** im August nach Spanien.
Alternative	Vielleicht **fahren** wir in die Berge	**oder**	wir **fahren** ans Meer.
Aufzählung (Addition)	Wir **fahren** im Januar nach Österreich	**und**	im Sommer **fahren** wir nach Irland.

▶ **Hinweise**

→ Im zweiten Hauptsatz steht das konjugierte Verb an zweiter Stelle nach der Konjunktion.

→ Die einteiligen Konjunktionen *aber* und *sondern* bezeichnen einen Gegensatz. *Sondern* steht nach einer Negation und stellt Informationen aus dem ersten Satz richtig.

→ Wenn in beiden Sätzen Subjekt oder Subjekt und Verb identisch sind, kann der zweite Satz verkürzt werden. (Ausnahme: Sätze mit *denn*)

Der Dieb schaltete den Alarm aus und **er** betrat das Museum durch den Hintereingang.
→ **Der Dieb** schaltete den Alarm aus und betrat das Museum durch den Hintereingang.

Vielleicht **fahren wir** in die Berge oder **wir fahren** ans Meer.
→ Vielleicht **fahren wir** in die Berge oder ans Meer.

■ ■ ■ Übungen

1) **Bilden Sie Sätze wie im Beispiel.**
Achten Sie auf die Satzstellung und die Form der Verben.

● Ich putze die Fenster • ihr – und – euer Zimmer – aufräumen
Ich putze die Fenster und ihr räumt euer Zimmer auf.

1. Wir machen die Besprechung heute • den Termin – verschieben – oder – wir – auf nächste Woche
....

2. Wir gehen dieses Wochenende nicht zu Oma • kommen – Oma – zu uns – sondern
....

3. Ich bleibe heute Vormittag zu Hause • ich – den Monteur – denn – erwarten
....

4. Olga möchte im Juli in die Berge fahren • aber – ihr Mann – lieber ans Meer – wollen
....

5. Er kam heute früh zur Arbeit • er – aber – als erster – auch – nach Hause – gehen
....

6. Wir können uns direkt in der Stadt treffen • ich – oder – abholen – dich – zu Hause
....

7. Erika möchte nicht mit den anderen Kindern spielen • sondern – sie – sich zurückziehen – wollen – in ihr Zimmer
....

8. Sei bitte pünktlich • wir – denn – nicht – warten können
....

9. Christine lernt für die Prüfung • die Einkäufe – und – Jan – erledigen
....

10. Max muss heute Abend nicht kochen • in ein Restaurant – er – gehen – denn
....

2) Ergänzen Sie die fehlenden Konjunktionen *denn, aber, und* oder *sondern*.

Der gute Mensch von der Autobahn

Wer regelmäßig die Nachrichten verfolgt, der kann schon den Glauben an die Menschheit verlieren, *denn* (0) Katastrophen, Not und Gewalt scheinen die Welt zu bestimmen.

Doch manchmal gibt es sie noch, die guten Menschen, die einfach nur das Richtige tun: Fast 30 Jahre lang war der französische Lkw-Fahrer Alexandre auf den Straßen in der Normandie unterwegs .... (1) arbeitete zuverlässig für wenig Geld. In der Zeit der Wirtschaftskrise wurde sein fester Arbeitsplatz immer unsicherer, ... (2) die Firma, bei der er angestellt war, stand kurz vor der Pleite. Nebenbei spielte Alexandre regelmäßig Lotto .... (3) eines Tages überraschte ihn ein Scheck über zehn Millionen Euro. Er hatte den Jackpot geknackt! Entgegen allen Erwartungen

setzte sich Alexandre mit seinem Geld nicht zur Ruhe, ... (4) kaufte die marode Speditionsfirma auf .... (5) sanierte sie. Damit rettete er seinen 14 Kollegen den Arbeitsplatz. Auch sein ehemaliger Chef durfte bleiben, allerdings als Angestellter. Auf die Frage, warum er sich mit so viel Geld nicht eine Villa in der Karibik gekauft habe, antwortete er nur: „Ich habe getan, was getan werden musste. Außer mir hätte ja niemand die Firma gekauft .... (6) das wäre das Ende gewesen." Alexandre lebt weiterhin sehr bescheiden, ... (7) einen kleinen Luxus im Alltag gönnt er sich doch: Er ist nicht mehr mit einem Lkw unterwegs, ... (8) fährt nun einen schicken Geländewagen. Dass ein Angestellter von seinem Lottogewinn die Firma kauft, bei der er arbeitet, ist in der Lottogeschichte einzigartig.

■ Zweiteilige Satzverbindungen

▶ **Formen**

	Hauptsatz 1	**Konjunktion**	**Hauptsatz 2**
Einschränkung (Konzessivangabe)	Die Verkehrsregeln **klingen** zwar einfach,	aber	ihre Umsetzung **fällt** manchen Menschen schwer.
Alternative	Martin **fährt** entweder nach Österreich	oder	er **bleibt** zu Hause.
Aufzählung – Positiv (Addition)	Martin **fährt** nicht nur gut Ski,	sondern	er **kann** auch gut schwimmen.

▶ **Hinweise**

→ Im zweiten Hauptsatz steht das konjugierte Verb an zweiter Stelle nach *aber, oder, sondern*.

→ Wenn in beiden Sätzen Subjekt und Verb identisch sind, kann der zweite Satz verkürzt werden.
  Martin fährt entweder nach Österreich oder er fährt in die Schweiz.
  → Martin fährt entweder nach Österreich oder in die Schweiz.
  Martin spielt nicht nur gut Fußball, sondern er spielt auch gut Tennis.
  → Martin spielt nicht nur gut Fußball, sondern auch gut Tennis.

■ ■ ■ Übungen

3) **Aussagen über Stephan**
  Ergänzen Sie die zweiteiligen Konjunktionen *nicht nur … sondern auch, zwar … aber, entweder … oder*.

● Stephan ist ein vielseitiger Mensch: Er ist *nicht nur* ein guter Sportler, *sondern* er interessiert sich *auch* für Kunst.

1. Stephan kennt viele Leute: Er ist .... mit seinen Kollegen befreundet, ... er hat .... viele Freunde außerhalb der Arbeit.

2. An Wochentagen muss er .... meist länger arbeiten, ... er nimmt sich auch Zeit für seine Familie.

3. Freitagabend geht er oft aus: Er trifft sich .... mit Freunden .... er geht mit seiner Frau ins Theater.

4. Stephan spricht .... ausgezeichnet Französisch, ... er verfügt .... über sehr gute Spanischkenntnisse.

5. Für dieses Wochenende hat er zwei Einladungen bekommen: Er kann .... zur Geburtstagsparty eines Freundes gehen .... mit einem anderen Freund in die Berge fahren.

6. Stephan ist .... noch jung, ... er hat schon ganz genaue Vorstellungen über seine Zukunft.

4) **Die wohltuenden Wirkungen von Yoga**
Verbinden Sie die Sätze mit den vorgegebenen Konjunktionen.

● Yoga hat positive Effekte auf die körperliche Gesundheit. Es wirkt sich auch auf die Psyche günstig aus. *(nicht nur – sondern auch)*

Yoga hat nicht nur positive Effekte auf die körperliche Gesundheit, sondern es wirkt sich auch auf die Psyche günstig aus.

1. Es kann bei Rückenschmerzen und anderen körperlichen Beschwerden helfen. Es hat eine positive Wirkung bei Schlafstörungen, Angst, Depression und chronischen Kopfschmerzen. *(nicht nur – sondern auch)*

....
....
....

2. Mit den verschiedenen Yoga-Haltungen werden Muskelkraft, Flexibilität und Gleichgewichtssinn trainiert. Es verbessert sich die geistige Leistungsfähigkeit. *(nicht nur – sondern auch)*

....
....
....

3. Yoga hilft, innere Ruhe und Gleichgewicht zu finden. Es hat Einfluss auf das Verhalten gegenüber den Mitmenschen. *(nicht nur – sondern auch)*

....
....

4. Die Wurzeln von Yoga liegen im Hinduismus. Es wird von Menschen unterschiedlicher Religionen und Weltanschauungen praktiziert. *(zwar – aber)*

....
....

5. Yoga macht man zu Hause. Man meldet sich zu einem Yogakurs an. *(entweder – oder)*

....
....

6. Yoga gilt nicht als Therapie. Im Rahmen der Prävention werden die Kosten für Yogakurse manchmal von der Krankenkasse bezahlt. *(zwar – aber)*

....
....

5) **Das Restaurant Hiltl in Zürich**
Ergänzen Sie den Text mit den passenden ein- und zweiteiligen Konjunktionen.

zwar … aber • und *(3 x)* • denn *(2 x)* • nicht nur … sondern auch *(2 x)* • sondern

Das Restaurant Hiltl in Zürich ist *nicht nur* (0) das älteste vegetarische Restaurant der Schweiz, *sondern auch* das älteste vegetarische Restaurant in Europa. Das Restaurant ist immer noch in Familienbesitz .... (1) wird heute vom Urenkel des Mannes geführt, der es 1898 gegründet hat.

Das Lokal, das früher den Namen „Vegetarierheim und Abstinenz Café" trug, lief am Anfang nicht gut, ... (2) Vegetarier hatten damals keinen guten Ruf: Sie wurden als „Grasfresser" verspottet. Einige Gäste gingen deshalb nicht durch die Eingangstür ins Restaurant, ... (3) sie betraten es nur durch die Hintertür.

Ambrosius Hiltl, der in der Anfangszeit das Restaurant führte, war ursprünglich kein Vegetarier. Wegen einer schweren Erkrankung im Jahr 1901 musste er eine vegetarische Diät machen .... (4) wurde nach seiner Heilung überzeugter Vegetarier.

Einen großen Einfluss auf das heutige Angebot hat seine Schwiegertochter, Margrith Hiltl. Sie nahm 1951 als Schweizer Delegierte an einem Vegetarierkongress in Neu-Delhi teil, ... (5) sie interessierte sich sehr für die indische Küche. In Indien erlernte sie die indische Kochkunst .... (6) fuhr mit neuen Ideen zurück in die Schweiz.

Am Anfang wollte die Familie .... (7) von den indischen Rezepten nichts wissen, ... (7) Margrith konnte sie vom Geschmack der neuen Speisen überzeugen. Heute ist das indische Buffet ein Markenzeichen des Restaurants.

2007 wurde das Hiltl umgebaut und erweitert: Seitdem gibt es .... (8) ein Restaurant, ... (8) man kann .... in einem Kochstudio vegetarisch kochen lernen.

8.1.2 Satzverbindung: Konjunktionaladverbien

Martin __fährt__ gern Ski, deshalb __macht__ er im Winter in den Alpen Urlaub.
↓
Konjunktionaladverb

Martin __fährt__ gern Ski, er __macht__ deshalb im Winter in den Alpen Urlaub.
↓
Konjunktionaladverb

▶ Gebrauch

→ Auch Adverbien können Hauptsätze miteinander verbinden.

→ Adverbien sind eigenständige Satzglieder. Sie können an verschiedenen Positionen des Satzes stehen. Meistens stehen sie vor oder nach dem konjugierten Verb (▶ Seite 176: *Adverbien*).

→ Sätze mit Adverbien als Verbindung werden immer durch Komma getrennt.

■ Einteilige Satzverbindungen

▶ Formen

	Hauptsatz 1	Hauptsatz 2
Zeit: gleichzeitig ablaufende Handlungen (Temporalangabe)	Du **redest** mit dem Lehrer,	**inzwischen/währenddessen kümmere** ich mich um die Skier.
Zeit: nicht gleichzeitig ablaufende Handlungen (Temporalangabe)	Martin **aß** gestern in einem italienischen Restaurant, Martin **ging** gestern ins Kino,	**anschließend/danach/dann ging** er ins Kino. **davor aß** er in einem italienischen Restaurant.
Grund (Kausalangabe)	Martin **fährt** gern Ski,	**deshalb/deswegen/darum/daher macht** er im Winter in den Alpen Urlaub.
Folge (Konsekutivangabe)	Martin **fährt** gern Ski, Man **muss** regelmäßig Ski fahren,	**folglich/infolgedessen/demzufolge fährt** er jedes Jahr in den Winterurlaub. **sonst/andernfalls verlernt** man es wieder.
Einschränkung (Konzessivangabe)	Gustav **kann** nicht Ski fahren,	**trotzdem/dennoch macht** er im Winter in den Alpen Urlaub.
Gegensatz (Adversativangabe)	Gustav **kann** nicht Ski fahren,	**dagegen fährt** Martin ausgezeichnet Ski.
Alternative	Gustav **fährt** heute nicht Ski,	**stattdessen wandert** er in den Bergen.

▶ Hinweise

→ Das konjugierte Verb steht in beiden Hauptsätzen an Position zwei.

→ Die Konjunktionaladverbien *deshalb/deswegen/darum/daher* verweisen auf den Grund, der im ersten Hauptsatz angegeben wird.

→ Die Konjunktionaladverbien *folglich/infolgedessen/demzufolge* verweisen auf eine Folge im zweiten Hauptsatz.

■ ■ ■ Übungen

1) **Im Büro ist wieder viel los. Bilden Sie Sätze mit den angegebenen Adverbien.**

● Frau Müller – die Rechnungen – schreiben • Otto – Briefumschläge – aus dem Lager holen – währenddessen
Frau Müller schreibt die Rechnungen, währenddessen holt Otto Briefumschläge aus dem Lager.

1. die Besprechung – bis 15.00 Uhr – gehen • Frau Müller – das Protokoll – verschicken – an alle – anschließend
....

2. der Chef – heute – sich nicht wohlfühlen • er – ins Büro – kommen *(Perfekt)* – trotzdem
....

3. Susanne – große Probleme – mit dem Schreiben von Geschäftsbriefen auf Englisch – haben • Martina – Englisch beherrschen – in Wort und Schrift – dagegen
....
....

4. Gustav – in dieser Woche – nicht – an seinem Projekt – weiterarbeiten • er – an einem Seminar für Managementstrategien – teilnehmen – stattdessen
....

5. Friedrich – heute – bis 20.00 Uhr – arbeiten müssen • er – seine Verabredung mit Katja – absagen *(Perfekt)* – deshalb
....

6. Frau Müller – um 17.00 Uhr – nach Hause – gehen wollen • sie – die Briefe – noch frankieren müssen – davor
....

2) **Trotzdem** oder *deshalb*? **Verbinden Sie die Sätze.**

● Frank liest gern. Er besucht jedes Jahr die Leipziger Buchmesse.

1. Marie hat Fieber und ist erkältet. Sie bleibt nicht im Bett liegen.

2. Friedrich hat morgen eine wichtige Prüfung. Er hat noch nicht einmal in sein Lehrbuch geschaut.

3. Wir interessieren uns für zeitgenössische Kunst. Wir besichtigen die Neue Pinakothek in München.

4. Ich möchte Japanisch lernen. Ich habe mich zu einem Sprachkurs angemeldet.

5. Oliver ist arbeitslos geworden. Er sucht nicht nach einer neuen Stelle.

6. Meine Kinder sind müde. Sie wollen nicht ins Bett.

Frank liest gern, deshalb besucht er jedes Jahr die Leipziger Buchmesse.
....
....
....
....
....
....
....
....

3) **Kausal- und Konsekutivangaben**
Verbinden Sie die Sätze mit einem passenden Konjunktionaladverb. Wählen Sie verschiedene Adverbien.

● Frau Mahler hatte noch nie einen iPod. Sie konnte nicht wissen, wie das Gerät funktioniert.
Frau Mahler hatte noch nie einen iPod, folglich konnte sie nicht wissen, wie das Gerät funktioniert.

1. Herr Schuster wurde nach Stuttgart versetzt. Seine ganze Familie muss nach Stuttgart umziehen.
....

2. Robert hat sich von seiner Freundin getrennt. Er sucht jetzt eine kleinere Wohnung.
....

3. Marianne und Vera sind alte Schulfreundinnen. Sie kennen sich so gut.
....

4. Der Autofahrer parkte im Parkverbot. Er muss eine Strafe zahlen.
....

5. Ulrike hat fünf Jahre in Peking verbracht. Sie spricht fließend Chinesisch.
....

6. Der Minister war in eine Korruptionsaffäre verwickelt. Er musste zurücktreten.
....

7. Letzte Woche war ich krank. Ich konnte die Bestellung noch nicht abgeben.
....

4) **Ratschläge für die neue Kollegin**
Bilden Sie Sätze mit *sonst/andernfalls*. **Orientieren Sie sich am Beispiel.**

● morgen – mit dem Auto – fahren • nicht rechtzeitig – zur Arbeit – kommen
Sie sollten morgen mit dem Auto fahren, sonst/andernfalls kommen Sie nicht rechtzeitig zur Arbeit.

1. an der Besprechung – teilnehmen • wichtige Entscheidungen – verpassen

   ....

2. nicht zu früh – nach Hause – gehen • Ärger – mit dem Chef – bekommen

   ....

3. ab und zu – eine Pause – machen • nicht gut – sich konzentrieren können

   ....

4. Ihre Fahrtkostenabrechnung – pünktlich – einreichen • sehr lange – auf das Fahrgeld – warten müssen

   ....

5. sich – für die Fortbildung – anmelden • sich – fachlich – nicht – weiterentwickeln können

   ....

6. alle wichtigen E-Mails – speichern • bestimmte Vorgänge – nicht mehr – dokumentieren können

   ....

■ Zweiteilige Satzverbindungen

▶ **Formen**

	Hauptsatz 1	Hauptsatz 2
Einschränkung (Konzessivangabe)	Ich **kann** zwar nicht Ski fahren,	**trotzdem fahre** ich jeden Winter nach Österreich.
Gegensatz (Adversativangabe)	Einerseits **mag** ich das Meer,	andererseits **verbringe** ich meinen Urlaub gerne in den Bergen.
Aufzählung negativ (Addition)	Otto **fährt** weder gut Ski	noch **kann** er gut schwimmen.

▶ **Hinweise**

→ Die zweiteiligen Satzverbindungen *zwar – trotzdem/dennoch, einerseits – andererseits* und *weder – noch* zählen zu den Adverbien. Sie können an verschiedenen Positionen des Satzes stehen.
Ich kann **zwar** nicht Ski fahren, **trotzdem** fahre ich jeden Winter nach Österreich.
→ **Zwar** kann ich nicht Ski fahren, ich fahre **trotzdem** jeden Winter nach Österreich.

→ Wenn in beiden Sätzen Subjekt und konjugiertes Verb identisch sind, kann der zweite Satz verkürzt werden.
Otto kann weder gut Ski fahren noch kann er gut schwimmen.
→ Otto kann weder gut Ski fahren noch gut schwimmen.

■ ■ ■ Übungen

5) **Julia möchte vielleicht den Arbeitsplatz wechseln. Sie erwägt Vor- und Nachteile.**
Ergänzen Sie die zweiteiligen Satzverbindungen *einerseits … andererseits, zwar … trotzdem* **oder** *weder … noch*.

● Meine Kollegen sind *zwar* nett, *trotzdem* fühle ich mich hier nicht wirklich wohl.

1. .... will ich einen interessanten Job, ... brauche ich auch soziale Sicherheit.

2. Ich spreche .... nicht so gut Englisch oder andere Fremdsprachen, ... möchte ich bei einer Firma arbeiten, die Kontakte zum Ausland hat.

3. Ich will .... den ganzen Tag alleine in einem Büro sitzen .... möchte ich immer nur in der Gruppe arbeiten.

4. .... finde ich, dass meine Arbeit hier nicht genug geschätzt wird, ... befürchte ich, dass es bei einer anderen Firma auch nicht anders sein wird.

5. Ich bin .... belastbar, ... möchte ich keine Stelle, bei der ich bis 20.00 Uhr im Büro sitzen muss.

6. Ich möchte .... bei einer zu kleinen Firma .... bei einem multinationalen Großunternehmen arbeiten.

6) **Alles ist kompliziert!**
   Bilden Sie Sätze mit *einerseits … andererseits* oder *zwar … trotzdem*.

● Robert findet es schön, viel Zeit mit seiner Freundin zu verbringen. Er will seine Freiheit nicht aufgeben.
   Zwar findet es Robert schön, viel Zeit mit seiner Freundin zu verbringen, trotzdem will er seine Freiheit nicht aufgeben.

1. Dora legt sehr viel Wert auf Pünktlichkeit. Sie schafft es nicht immer, ihre Termine einzuhalten.
   ....

2. Du hast recht. Du kannst deinen Vorgesetzten nicht so undiplomatisch kritisieren.
   ....

3. Bertus ist ein sehr begabter Musiker. Er will sein Talent nicht nutzen.
   ....

4. Wir möchten in die Stadt ziehen. Wir mögen unsere Ruhe auf dem Lande.
   ....

5. Ich interessiere mich sehr für Management. Auf eine Karriere als Wissenschaftler will ich nicht verzichten.
   ....

7) **Gesamtwiederholung: Hauptsätze**
   Ergänzen Sie die passenden ein- oder zweiteiligen Konjunktionen oder Konjunktionaladverbien.

⟨40⟩

und · deshalb *(3 x)* · zwar … trotzdem · dagegen · zwar … aber · danach *(2 x)* · infolgedessen ·
währenddessen · nicht nur … sondern auch *(3 x)* · einerseits … andererseits · stattdessen

Ein Politiker als Erfinder

● Der erste deutsche Bundeskanzler Konrad Adenauer war *nicht nur* Politiker, *sondern* er betätigte sich *auch* sehr eifrig als Erfinder.

1. Als Politiker war er sehr erfolgreich, als Erfinder .... konnte er nur wenige Erfolge feiern.

2. Während des Ersten Weltkrieges reichte Konrad Adenauer in England eine Patentanmeldung ein .... erhielt 1918 vom englischen König sein erstes Patent für die „Wurst mit Friedensgeschmack", eine Sojawurst mit nur sehr geringen Spuren von Fleisch.

3. .... hatte er nun das Wurstpatent vom englischen König, ... er stieß mit seiner Sojawurst beim Kaiserlichen Patentamt in Deutschland auf Ablehnung.

4. Die Rezeptur der „Wurst mit Friedensgeschmack" lässt sich mit dem bundesdeutschen Lebensmittelgesetz nicht vereinbaren, ... darf die Wurst in Deutschland bis heute nicht hergestellt werden.

5. In den Kriegsjahren hungerten viele Menschen, ... entwickelte Konrad Adenauer neben der Sojawurst noch ein „Rheinisches Schrotbrot".

6. Normalerweise wird Brot aus Roggen- oder Weizenmehl hergestellt, ... verwendete Konrad Adenauer Maismehl, Gerste, Reismehl und Kleie – eine günstige und nahrhafte Alternative.

7. Das „Schrotbrot" konnte .... zur Linderung des Hungers während der Kriegsjahre beitragen, ... dauerte es eine Weile, bis der Kölner Politiker sein „Erfinderrecht" bekam, das Patent vom Kaiserlichen Patentamt.

8. Das „Schrotbrot" geriet bis zur Produktion eines Films über Konrad Adenauer in den 1980er-Jahren in Vergessenheit, erst .... begann eine traditionsreiche Rhöndorfer Bäckerei, nach Adenauers Rezept „Schrotbrot" zu backen – und sie backt es noch heute.

9. Adenauer war zur Zeit des Ersten Weltkrieges als Oberbürgermeister der Stadt Köln für die Versorgung der notleidenden Bevölkerung zuständig, ... haben seine Erfindungen aus dieser Zeit etwas mit Nahrung zu tun.

10. 1933 ergriffen die Nationalsozialisten in Deutschland die Macht, gleich .... entließen sie Adenauer aus seinem Amt als Kölner Oberbürgermeister.

11. Von 1933 bis 1945 hatte Adenauer Berufsverbot. Er verbrachte die Jahre zurückgezogen in Rhöndorf und erfand .... allerlei skurrile Dinge.

12. Er entwickelte .... Geräte für den Haushalt wie einen von innen beleuchteten Toaster, ... er wollte .... Autofahrer mit seinen Ideen beglücken. Zum Beispiel bastelte er an einer „Vorrichtung zur Verhinderung von Zugluft in einem mit geöffnetem Fenster fahrenden Auto".

13. Als begeisterter Gärtner ärgerte er sich .... über Schädlinge, ... wollte er aber keine Pestizide einsetzen. .... baute er einen „elektrischen Insektentöter".

14. In Serie gegangen ist der Insektentöter allerdings nicht. Die Stromstöße würden .... die Schädlinge töten, ... Bäume und Menschen gefährden. Das stand in einem Gutachten über die Erfindung.

8.2 Adverbiale Nebensätze

Martin macht im Winter in den Alpen Urlaub, weil er gern Ski fährt.

↓

Subjunktion

▶ Gebrauch

→ Subjunktionen leiten Nebensätze ein. Im Nebensatz steht das konjugierte Verb an letzter Stelle.

→ Nebensätze ergänzen Hauptsätze. Sie können vor oder nach dem Hauptsatz stehen.

→ Hauptsatz und Nebensatz werden immer durch Komma getrennt.

▶ Satzbau

Hauptsatz			Nebensatz		
	konjugiertes Verb		Subjunktion		konjugiertes Verb
Martin	**macht**	im Winter in den Alpen Urlaub,	weil	er gern Ski	**fährt.**

Nebensatz			Hauptsatz	
Subjunktion		konjugiertes Verb	konjugiertes Verb	
Weil	er gern Ski	**fährt,**	**macht**	Martin im Winter in den Alpen Urlaub.

▸ Wenn der Nebensatz vor dem Hauptsatz steht, folgt das konjugierte Verb direkt nach dem Nebensatz.

8.2.1 Temporale Nebensätze

▶ Formen

	Hauptsatz	Nebensatz
gleichzeitig ablaufende Handlungen	Ich **besuche** dich,	**wenn** ich in München **bin.**
	Ich **besuchte** ihn,	**als** ich in München **war.**
	Er **verbesserte** sein Englisch enorm,	**während** er in Lancaster **studierte.**
	Oma **sollte** ihre Traumreise machen,	**solange** sie noch so fit **ist.**
Gleichzeitigkeit: Betonung von Anfangs- bzw. Endpunkt	Er **hat** noch nicht angerufen,	**seit/seitdem** er nach Berlin umgezogen **ist.**
	Ich **warte,**	**bis** du mit dem Essen fertig **bist.**
nicht gleichzeitig ablaufende Handlungen	Bitte **ruf** mich an,	**bevor/ehe** du **kommst.**
	Dem Patienten **ging** es besser,	**nachdem/sobald/als** er die Tablette eingenommen **hatte.**
	Frau Müller **schreibt** die E-Mail,	**nachdem/sobald/wenn** sie sich mit dem Chef abgestimmt **hat.**
	Du **darfst** nicht fernsehen,	**solange** du noch nicht aufgegessen **hast.**

▶ **Hinweise**

→ In temporalen Nebensätzen verwendet man *wenn* in der Gegenwart, in der Zukunft und bei mehrmaligen Ereignissen in der Vergangenheit.
Wenn ich in München bin, komme ich mal bei dir vorbei.
Immer **wenn** Paul in München war, besuchte er das Deutsche Museum.

→ *Als* gebraucht man bei einmaligen Ereignissen oder Zuständen in der Vergangenheit.
Als ich in München war, habe ich zufällig Herrn Kühn getroffen.
Als ich ein Kind war, hatte ich Angst vor Gespenstern.

→ *Solange* zeigt eine Gleichzeitigkeit von Handlungen an (wie bei *während*).
Oma sollte ihre Traumreise machen, **solange** sie noch so fit ist.

Es kann aber auch Vorzeitigkeit ausdrücken.
Du darfst nicht fernsehen, **solange** du noch nicht aufgegessen hast.

Die Handlung des Hauptsatzes findet nach der Handlung des Nebensatzes statt.

→ Bei Sätzen mit *nachdem* oder *sobald* wird die zeitliche Abfolge zusätzlich mit einem Zeitformwechsel der Verben unterstrichen.
Frau Müller schreibt die E-Mail, **nachdem/sobald** sie sich mit dem Chef abgestimmt hat.
→ Hauptsatz im Präsens, Nebensatz im Perfekt
Dem Patienten ging es besser, **nachdem/sobald** er die Tablette eingenommen hatte.
→ Hauptsatz im Präteritum, Nebensatz im Plusquamperfekt (➤ Seite 33)

→ Auch *wenn* oder *als* können nicht gleichzeitig ablaufende Handlungen beschreiben und synonym zu *nachdem* und *sobald* verwendet werden.
Frau Müller schreibt die E-Mail, **wenn/nachdem/sobald** sie sich mit dem Chef abgestimmt hat.
Dem Patienten ging es besser, **als/nachdem** er die Tablette eingenommen hatte.

■ ■ ■ **Übungen**

1) **Das Neue Museum in Berlin**
Gleichzeitigkeit: Verbinden Sie die Sätze mit *wenn* oder *als*.

● Ich fahre am Wochenende nach Berlin. Ich besuche das Neue Museum.
 Wenn ich am Wochenende nach Berlin fahre, besuche ich das Neue Museum.

1. Ich war das letzte Mal in Berlin. Das Neue Museum befand sich noch im Wiederaufbau.
 ....

2. 1841 hatte Friedrich Wilhelm IV., König von Preußen, für die Präsentation seiner Kunstsammlungen nicht mehr ausreichend Platz. Er befahl den Bau eines neuen Museums.
 ....

3. 1850 wurde der Bau fertiggestellt. Die berühmte ägyptische Sammlung konnte den Besuchern erstmalig gezeigt werden.
 ....

4. Der Zweite Weltkrieg tobte. Bomben verursachten schwere Schäden am Gebäude und an den Kunstobjekten.
 ....

5. 1999 wurde ein Gesamtkonzept für die Museumsinsel in Berlin entwickelt. Man beschloss den Wiederaufbau des Neuen Museums.
 ....

6. 2009 war das Neue Museum fertig. Der Schlüssel wurde dem Generaldirektor der Staatlichen Museen zu Berlin feierlich übergeben.
 ....
 ....

7. Ich bin am Wochenende endlich im Neuen Museum. Ich fotografiere die Nofretete.
 ....

8. Ich sehe mir eine interessante Ausstellung an. Ich kaufe mir immer einen Katalog.
 ....

2) Rudolf Diesel – der Erfinder des Dieselmotors
Verbinden Sie die Sätze.

a) Gleichzeitigkeit
Formulieren Sie Nebensätze mit *als*.

● Rudolf Diesel war noch klein. Er lebte mit seinen Eltern in Paris.
  Als Rudolf Diesel noch klein war, lebte er mit seinen Eltern in Paris.

1. Er war neun Jahre alt. Er besuchte die Weltausstellung in Paris und machte erste Bekanntschaft mit den neuen Maschinen und Motoren.
   ....

2. Der Krieg brach 1870 aus. Die Familie flüchtete nach London.
   ....

3. Die Familie geriet in wirtschaftliche Schwierigkeiten. Rudolf musste zu seinem Onkel nach Augsburg ziehen.
   ....

4. Er studierte am Polytechnikum in München. Er beschäftigte sich schon mit der Dampfmaschine.
   ....

b) Zeitliches Nacheinander
Formulieren Sie Nebensätze mit *nachdem*. Achten Sie auf die Zeitform des Nebensatzes.

● Er schloss sein Studium ab. Danach entwickelte er die Idee für eine neue „Wärmekraftmaschine", die effektiver mit Energie umgeht.

  Nachdem er sein Studium abgeschlossen hatte, entwickelte er die Idee für eine neue „Wärmekraftmaschine", die effektiver mit Energie umgeht.

1. Er experimentierte jahrelang an der Entwicklung eines neuen Motors. Er konnte im Jahre 1897 das erste funktionstüchtige Modell vorzeigen.
   ....
   ....
   ....

2. Er stellte die Leistungsfähigkeit des Motors unter Beweis. Danach war der Siegeszug des Dieselmotors nicht mehr aufzuhalten.
   ....
   ....

3. Er gründete 1898 die Dieselmotorenfabrik Augsburg. Danach kam es zur Gründung der Allgemeinen Gesellschaft für Dieselmotoren.
   ....
   ....

4. Er legte sein verdientes Geld falsch an. Er war finanziell ruiniert.
   ....

5. Er verhandelte erfolgreich mit der Firma Consolidated Diesel Manufacturing Ltd. in London. Er fuhr am 20. September 1913 mit dem Schiff zu einem Treffen nach England.
   ....
   ....
   ....

6. Er ging auf dem Schiff nach dem Abendessen in seine Kabine. Er wurde nie wieder gesehen.
   ....

7. Fischer fanden eine Leiche im Wasser. Rudolf Diesel konnte anhand persönlicher Gegenstände identifiziert werden.
   ....

3) Zeitliches Nacheinander
Formulieren Sie Sätze mit *ehe/bevor* in der Ich-Form.

● sich um eine Stelle bewerben – sich das Stellenprofil genau durchlesen
  Bevor/Ehe ich mich um eine Stelle bewerbe, lese ich mir das Stellenprofil genau durch.

1. meine Bewerbungsunterlagen abschicken – die Unterlagen von einer anderen Person Korrektur lesen lassen
   ....

2. zum Bewerbungsgespräch gehen – sich über die Firma im Internet informieren
   ....

3. eine Stelle annehmen – die Arbeitsbedingungen genau prüfen
   ....

4. eine Stelle ablehnen – eine Alternative suchen
   ....

4) **Anfangs- und Endpunkt**
Formulieren Sie Nebensätze.

a) **Karl Theodor geht es gut.**
Formulieren Sie Nebensätze mit *seit/seitdem*. Die Nebensätze stehen im Perfekt.

Karl Theodor geht es gut, …
● er – seine Abschlussprüfung – bestehen   *seit/seitdem er seine Abschlussprüfung bestanden hat.*
1. in Annika – sich verlieben   ....
2. nach Berlin – umziehen   ....
3. eine feste Stelle – bekommen   ....
4. neue Freunde – finden   ....

b) **Ziele. Formulieren Sie Nebensätze mit *bis* im Präsens.**

● Jean-Marc will so lange Deutsch lernen • er – es – perfekt beherrschen
Jean-Marc will so lange Deutsch lernen, bis er es perfekt beherrscht.
1. Professor Günter will das Projekt so lange betreuen • wir – es – erfolgreich abschließen können
....
2. Oskar will sich so oft bewerben • er – seinen Traumjob – finden
....
3. Kerstin will ihr altes Auto so lange fahren • es – auseinanderfallen
....
4. Irina will so oft beim Kundendienst anrufen • jemand – den Hörer – abnehmen
....
5. Wir beschäftigen uns so lange mit dem Problem • eine Lösung – in Sicht sein
....

5) **Ein besonderer Politiker. Formen Sie die Präpositionalgruppen in temporale Nebensätze um.**
Achten Sie auf die passende Subjunktion und die richtige Verbform.

● <u>Seit seinem Amtsantritt</u> steigt die Beliebtheit des Politikers. *(sein Amt antreten)*
<u>*Seit*</u> *er sein Amt* <u>*angetreten hat*</u>*, steigt die Beliebtheit des Politikers.*
1. <u>Gleich nach seiner Amtsübernahme</u> leitete er Reformen ein. *(sein Amt übernehmen)*
....
2. <u>Bis zu den nächsten Wahlen</u> muss er erste Erfolge vorweisen. *(die nächsten Wahlen stattfinden)*
....
3. <u>Bei dem Besuch der Buchmesse in Frankfurt</u> sprach er über die Notwendigkeit von Bildung. *(die Buchmesse in Frankfurt besuchen)*
....
4. <u>Nach dem Ende seiner Rede</u> diskutierte er noch lange mit dem Publikum. *(seine Rede beenden)*
....
5. <u>Vor seiner Abreise aus Frankfurt</u> traf er sich mit dem Friedensnobelpreisträger. *(aus Frankfurt abreisen)*
....

6) **Pausen helfen dem Gedächtnis. Ergänzen Sie in dem Text die Subjunktionen *wenn, nachdem, bevor* oder *während*.**

.... (1) wir faulenzen oder nichts tun, tut unser Gehirn auch nichts – das denken wir jedenfalls. Eine wissenschaftliche Studie aus New York beweist nun das Gegenteil: .... (2) wir scheinbar unproduktiv sind, verarbeitet unser Gehirn zuvor aufgenommene Informationen. Im Experiment der amerikanischen Wissenschaftler wurden Versuchspersonen in zwei Gruppen eingeteilt, ... (3) sie gemeinsam verschiedene Bilder gesehen hatten.
Die Mitglieder der ersten Gruppe mussten Fragen zu den gezeigten Bildern beantworten, gleich .... (4) sie die Bilder betrachtet hatten. Die zweite Gruppe durfte dagegen eine Pause einlegen,

.... (5) ihr dieselben Fragen gestellt wurden. In der Studie schnitt die zweite Gruppe deutlich besser ab: Die Teilnehmer konnten sich an die gezeigten Informationen besser erinnern.
.... (6) sich die Kandidaten der zweite Gruppe in der Pause ausruhten, untersuchten die Forscher ihre Gehirnaktivität. Dabei stellten sie fest, dass jene Teile des Gehirns besonders intensiv arbeiteten, die beim Betrachten der Bilder angeregt wurden.
Die Forscher schlussfolgern daraus, dass unser Gehirn für uns arbeitet, ... (7) wir uns ausruhen. Deshalb sind kurze Pausen sehr wichtig für das Gedächtnis.

8.2.2 Kausale Nebensätze

▶ **Formen**

	Hauptsatz	Nebensatz
Grund	Ich **mache** am liebsten im Januar Urlaub,	**weil/da** ich den Schnee **liebe**.

▶ **Hinweise**

→ Nebensätze mit *weil* oder *da* geben den Grund für die Handlung im Hauptsatz an, wobei *da* seltener und eher schriftsprachlich gebraucht wird.

■ ■ ■ Übungen

1) **Was ist der Grund? Beantworten Sie die Fragen mit *weil*. Achten Sie auf die Zeitform der Verben.**

● Warum bist du so aufgeregt? *(jemand – mein Portemonnaie – stehlen) (Perfekt)*
Ich bin so aufgeregt, weil jemand mein Portemonnaie gestohlen hat.

1. Warum grüßt du nie deine Nachbarn? *(sie – auch nicht grüßen – mich) (Präsens)*
....

2. Warum sind Sie nicht zur Vernissage gekommen? *(ich – ein wichtiges Geschäftsessen – haben) (Präteritum)*
....

3. Warum seid ihr so leise? *(das Baby – schlafen) (Präsens)*
....

4. Warum gehst du zum Physiotherapeuten? *(ich – Rückenschmerzen – haben) (Präsens)*
....

5. Warum bist du so nervös? *(ich – in einer halben Stunde – eine Präsentation – müssen – halten) (Präsens)*
....

6. Warum sprecht ihr so laut? *(Oma – schwerhörig – sein) (Präsens)*
....

7. Warum seid ihr gestern so spät nach Hause gekommen? *(wir – zwei Stunden – im Stau stehen) (Perfekt)*
....

8. Warum arbeitest du nicht mehr an der Universität? *(mein Vertrag – auslaufen) (Perfekt)*
....

2) **Formen Sie die Sätze um wie im Beispiel.**

● Ich muss alle Termine absagen, denn ich muss dringend verreisen.
Weil ich dringend verreisen muss, muss ich alle Termine absagen.
Ich muss alle Termine absagen, weil ich dringend verreisen muss.

1. Wir müssen das Arbeitsverhältnis vorzeitig beenden, denn Sie haben Ihre Arbeitszeiten mehrfach nicht eingehalten.
....

2. Ich würde mit Ihnen gerne über den Vertrag sprechen, denn einige Punkte sind mir nicht klar.
....

3. Ich schlage vor, dass wir die Verhandlung morgen fortsetzen, denn es ist schon spät.
....

4. Ich nehme mir heute Nachmittag frei, denn das Wetter ist wunderschön.
....

5. Du solltest Helga keine wichtigen Aufträge geben, denn sie arbeitet nicht sehr zuverlässig.
....

6. Wir müssen uns heute zusammensetzen und eine Strategie überlegen, denn die Verhandlung ist schon morgen.
....

7. Ich habe mich zu einem Excel-Kurs angemeldet, denn ich brauche das Programm bei meiner neuen Arbeit.
....

8.2.3   Konditionale Nebensätze

▶ **Formen**

	Hauptsatz	Nebensatz
Bedingung	Ich **kann** dich nur besuchen,	wenn/falls ich Zeit **habe**.

▶ **Hinweise**

→ Nebensätze mit *wenn* und *falls* bezeichnen eine Bedingung.

→ *Wenn* kann auch temporale Bedeutung haben. Manchmal sind temporale und konditionale Bedeutung nicht klar voneinander zu trennen.
Wenn ich in München bin, besuche ich dich.

→ *Falls* hat ausschließlich konditionale Bedeutung.

■ ■ ■ **Übungen**

1) **Verbinden Sie die Sätze mit *wenn* oder *falls*.**

● Sie haben Fragen. Ich stehe Ihnen gerne zur Verfügung.
Wenn/Falls Sie Fragen haben, stehe ich Ihnen gerne zur Verfügung.

1. Sie sehen meine Kollegin, Frau Lüders. Sagen Sie ihr bitte, dass ich sie kurz sprechen möchte.
   ....

2. Beide Parteien haben den Vertrag unterschrieben. Bringen Sie ihn zur Post.
   ....

3. Die Geschäftspartner sind angekommen. Begleiten Sie sie in den Verhandlungsraum.
   ....

4. Sie möchten mehr über unsere Produkte erfahren. Wenden Sie sich bitte an unsere Produktmanagerin.
   ....

5. Uns sagen Ihre Bewerbungsunterlagen zu. Wir laden Sie zu einem Vorstellungsgespräch ein.
   ....

6. Sie haben Bemerkungen oder Vorschläge. Schreiben Sie uns eine E-Mail.
   ....

7. Sie möchten sich weiterbilden. Setzen Sie sich mit der Personalabteilung in Verbindung.
   ....

2) **Weibliche Schönheit als Handicap**
Bilden Sie Sätze mit *wenn*.

● der allgemeinen Auffassung – man – glaubt
  • haben es schöne Menschen leichter

Wenn man der allgemeinen Auffassung glaubt, haben es schöne Menschen leichter.

1. In manchen Berufen ist es jedoch für Frauen hinderlich
   • sie – allzu – sind – schön
   ....
   ....

2. Attraktivität ist für Frauen nur dann besonders nützlich
   • sie – als Sekretärin oder Empfangsdame –
   arbeiten möchten
   ....
   ....
   ....

3. In Bereichen wie dem höheren Management ist es
   für Frauen günstiger
   • eher durchschnittlich – sie – aussehen
   ....
   ....

4. Die Lage ist ganz anders
   • es – um Männer – sich – handelt
   ....
   ....

5. Männer – über die nötige Qualifikation – verfügen
   • spielt ihr Aussehen überhaupt keine Rolle
   ....
   ....

8.2.4 Konsekutive Nebensätze

▶ **Formen**

	Hauptsatz	Nebensatz
Folge	Es **schneite** in der Nacht sehr stark,	**sodass** die Wanderung abgesagt **wurde**.
	Otto **stürzte** beim Skifahren **so** schwer,	**dass** er sich den Fuß **brach**.

▶ **Hinweise**

→ Nebensätze mit *sodass* und *so … dass* geben die Folge aus der Handlung des Hauptsatzes an. Sie können deshalb nur hinter dem Hauptsatz stehen.

■ ■ ■ **Übungen**

1) **Geräte – Ursachen und Folgen**
Finden Sie das passende Satzende.

1. Die Stiftung „Umwelt und Fortschritt" hat das Forschungsprojekt komplett finanziert,

2. An der Oberseite ist eine lange Schlaufe befestigt,

3. Das Gerät ist vollkommen wasserdicht,

4. Es wurde am Gerät vieles verändert,

5. Die Leistungssprünge sind von Gerätegeneration zu Gerätegeneration sehr groß,

6. An der Unterseite des Gerätes befinden sich vier Gumminoppen,

a) sodass es sich vom Original grundlegend unterscheidet.

b) sodass dieses umweltfreundliche Gerät entwickelt werden konnte.

c) sodass das Gerät auf dem Schreibtisch nicht verrutschen kann.

d) sodass das Gerät auch um den Hals getragen werden kann.

e) sodass es bedenkenlos in Süß- und Salzwasser eingesetzt werden kann.

f) sodass die Geräte relativ schnell veralten.

2) **Verbinden Sie die Sätze wie im Beispiel.**

● Der Film war schlecht. Ich bin aus dem Saal gegangen.
Der Film war so schlecht, dass ich aus dem Saal gegangen bin.

1. Ludwig ist vergesslich. Man muss ihn an alle Termine erinnern.

   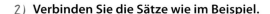 ....

2. Die Ausstellung hat mir gut gefallen. Ich will sie noch einmal sehen.

   ....

3. Es hat viel geschneit. Einige Flüge mussten annulliert werden.

   ....

4. Ich bin glücklich. Ich möchte die ganze Welt umarmen.

   ....

5. Das neue Buch des Autors ist erfolgreich. Es wird verfilmt.

   ....

6. Sie betrat das Zimmer leise. Niemand hörte ihre Schritte.

   ....

7. Wilhelm ist reich. Er kann sich drei Luxusautos leisten.

   ....

8. Die Wohnung, die wir kaufen möchten, kostet viel Geld. Wir müssen einen Kredit aufnehmen.

   ....

9. Der Sturm war heftig. Zahlreiche Bäume und Strommasten kippten um.

   ....

10. Einige Häuser sind stark beschädigt. Sie müssen abgerissen werden.

    ....

8.2.5 Konzessive Nebensätze

▶ **Formen**

	Hauptsatz	Nebensatz
Einschränkung/ Gegengrund	Ich **mache** am liebsten im Januar Urlaub,	obwohl/obgleich/obschon ich schnell **friere**.

▶ **Hinweise**

→ Nebensätze mit *obwohl, obgleich, obschon* beschreiben Umstände, die eigentlich gegen die Handlung des Hauptsatzes sprechen.

→ In der Regel gebraucht man im Deutschen *obwohl*. *Obgleich* und *obschon* werden immer seltener verwendet.

■ ■ ■ **Übungen**

1) **Otto gibt nicht so schnell auf.**
   Bilden Sie Nebensätze mit *obwohl, obschon* oder *obgleich*.

● Er ist schon viermal bei der Fahrprüfung durchgefallen. Er versucht es aufs Neue.
   Obwohl er schon viermal bei der Fahrprüfung durchgefallen ist, versucht er es aufs Neue.

1. Er kann überhaupt nicht singen. Er hat vor, Mitglied in einem Chor zu werden.
   ....

2. Er hatte noch nie eine Kamera in den Händen. Er will einen Kurzfilm drehen.
   ....

3. Er kann sehr schlecht Englisch. Er möchte sich bei einer amerikanischen Firma bewerben.
   ....

4. Er hat zwei linke Hände. Er will das kaputte Waschbecken selbst reparieren.
   ....

5. Er hat noch nie im Lotto gewonnen. Er kauft sich jede Woche einen Lottoschein.
   ....

6. Er kann sich keine Termine merken. Er hat keinen Terminkalender.
   ....

7. Seit dreißig Jahren erzählt er auf Partys immer denselben Witz. Niemand lacht darüber.
   ....

2) **Formen Sie die Sätze um.**
   Bilden Sie Nebensätze mit *obwohl* wie im Beispiel.

● Paul verdient sehr wenig, trotzdem kauft er sich jeden Monat ein neues Handy.

   Obwohl Paul sehr wenig verdient, kauft er sich jeden Monat ein neues Handy.

1. Rudi hat sehr viele Freunde, trotzdem feiert er seinen Geburtstag allein.
   ....
   ....

2. Rita hat unsere Verabredung vergessen, trotzdem bin ich ihr nicht böse.
   ....
   ....

3. Daniel ist ein charmanter junger Mann, trotzdem hat er nur wenig Selbstvertrauen.
   ....
   ....

4. Tina muss eigentlich für ihre Prüfung lernen, trotzdem verschwendet sie ihre Zeit mit anderen Dingen.
   ....
   ....

5. Karl macht immer eine Menge Fehler, trotzdem mögen ihn alle in der Firma.
   ....
   ....

6. Die Hälfte der Teilnehmer ist nicht gekommen, trotzdem fand der Wettbewerb statt.
   ....
   ....

7. Das Fußballspiel war überhaupt nicht wichtig, trotzdem wurde es von vielen Fernsehsendern übertragen.
   ....
   ....

8. Mein Fahrrad ist schon alt, trotzdem will ich mir kein neues kaufen.
   ....

8.2.6 Finale Nebensätze

▶ **Formen**

	Hauptsatz	Nebensatz
Ziel/Absicht	Ich **mache** das alles,	**damit** du dich wohlfühlst.

▶ **Hinweise**

→ Nebensätze mit *damit* drücken eine Absicht oder ein Ziel aus. Oft ist das Subjekt in Haupt- und Nebensatz unterschiedlich.
Ich mache das alles, **damit** du dich wohlfühlst.

→ Wenn das Subjekt in beiden Sätzen identisch ist, kann man auch eine Infinitivkonstruktion mit *um ... zu* verwenden (▶ Seite 213: *Sinngerichtete Infinitivkonstruktionen*).
Ich lerne Deutsch, **damit** ich bessere Berufschancen habe.
→ Ich lerne Deutsch, **um** bessere Berufschancen **zu** haben.

■ ■ ■ **Übungen**

1) **Alfred tut alles für seine Mitmenschen.**
Bilden Sie Finalsätze wie im Beispiel.

● Alfred räumt die Wohnung auf. • seine Frau – nach dem langen Arbeitstag – sich erholen können
Alfred räumt die Wohnung auf, damit sich seine Frau nach dem langen Arbeitstag erholen kann.

1. Alfred hört nie laut Musik. • seine Nachbarn – nicht gestört werden
....

2. Alfred kauft nur Bioprodukte. • seine Kinder – sich gesund ernähren
....

3. Alfred unternimmt viel mit seinen Kollegen. • die Stimmung am Arbeitsplatz – gut sein
....

4. Alfred hilft jungen Kollegen. • ihnen – die Einarbeitung – leichterfallen
....

5. Alfred finanziert Nachhilfestunden für seinen Sohn. • sein Sohn – in Chemie – gute Noten bekommen
....

6. Alfred erzählt seiner Tochter vor dem Einschlafen Märchen. • sie – gut schlafen können
....

2) **Alles für die Gäste**
Bilden Sie Finalsätze wie im Beispiel.

Hotel
~~einen Swimmingpool bauen~~ • WLAN in allen Zimmern installieren • die Zimmer neu einrichten • den Wellnessbereich ausbauen • einen Sternekoch engagieren • wissenschaftliche Vorträge organisieren • die Grünfläche vergrößern

Gäste
Interessantes über Natur und Geschichte der Gegend erfahren • verschiedene Behandlungen buchen können • mit dem Essen zufrieden sein • ~~baden können~~ • Internetzugang haben • mehr Platz zum Sonnen haben • sich wohlfühlen

● *Das Hotel baut einen Swimmingpool, damit die Gäste baden können.*

1. ....

2. ....

3. ....

4. ....

5. ....

6. ....

8.2.7 Modale Nebensätze

▶ Formen

	Hauptsatz	Nebensatz
Art und Weise	Man **lernt** Ski fahren am besten,	**indem** man an einem Skikurs **teilnimmt**.
Vergleich	Der Krimi **war** nicht so **spannend**,	**wie** ich erwartet **habe**.
	Der Krimi **war spannender**,	**als** ich erwartet **habe**.
fehlender Umstand/ fehlende Handlung	Er **kam** ins Zimmer,	**ohne dass** ich es **bemerkte**.

▶ Formen: Zweiteilige Satzverbindungen

	Hauptsatz	Nebensatz
Art und Weise	Die Tür **lässt** sich **dadurch** öffnen,	**dass** man den grünen Knopf **drückt**.

	Nebensatz	Hauptsatz
Vergleich	**Je** öfter man Ski **fährt**,	**desto/umso** besser **kann** man es.

▶ Hinweise

→ Nebensätze mit *indem* und *dadurch … dass* beschreiben die Art und Weise einer Handlung oder das Mittel, mit dem eine Handlung ausgeführt wird.

→ Bei Vergleichssätzen steht *als*, wenn im Hauptsatz der Komparativ steht.
Der Krimi war spannender, **als** ich erwartet habe.
Steht kein Komparativ im Hauptsatz, beginn der Nebensatz mit *wie*.
Der Krimi war nicht so spannend, **wie** ich erwartet habe.

→ Vergleichssätze mit *je … desto/umso* werden mit zwei Komparativen gebildet. Die Komparative stehen jeweils direkt hinter *je* bzw. *desto/umso* (▶ Seite 136: *Vergleiche*).

■ ■ ■ Übungen

1) **So funktioniert der Kopierer.**
Bilden Sie Sätze mit *indem*.

● Der Kopierer wird in Betrieb genommen.
Man drückt auf den Knopf an der Vorderseite des Geräts.

    Der Kopierer wird in Betrieb genommen, indem man auf den Knopf an der Vorderseite des Geräts drückt.

1. Die Kopie des Originaldokuments können Sie vergrößern oder verkleinern. Sie stellen unter dem Menüpunkt „Zoom" die gewünschte Größe ein.

2. Der Einzug des Dokuments erfolgt. Man legt das Dokument in die aufklappbare Abdeckung.

3. Sie können Größe, Kopierqualität und Anzahl der Kopien einstellen. Sie drücken die entsprechenden Schaltflächen.

4. Die Papierbehälter können Sie auffüllen. Sie öffnen das entsprechende Fach des Kopierers und legen Papier ein.

5. Gestautes Papier können Sie aus der Maschine entfernen. Sie folgen den auf dem Display erscheinenden Hinweisen.

6. Das Glas lässt sich leicht reinigen. Man wischt es mit einem feuchten und sauberen Tuch ab.

7. Sie können Fehler beim Gebrauch vermeiden. Sie lesen die Anleitung sorgfältig durch.

2) **Zweisprachigkeit und Konzentrationsfähigkeit**
Ergänzen Sie die fehlenden Satzverbindungen.

~~als~~ • dadurch … dass • indem • je … desto • ohne dass *(2 x)* • wie

Die Vorteile von Zweisprachigkeit zeigen sich viel eher, *als* (0) man bislang dachte.

Wenn man schon als Kleinkind eine zweite Sprache lernt, kann man einfacher zwischen unterschiedlichen Aufgaben wechseln, ... (1) man besondere Schwierigkeiten oder Konzentrationsprobleme bekommt. Das stellten kanadische Psychologen jetzt fest.

Die Wissenschaftler haben die Konzentrationsfähigkeit von mehr als sechzig einsprachigen oder zweisprachigen Zweijährigen getestet, ... (2) die Kinder verschiedene Aufgaben lösen mussten. Gleichzeitig wurden sie durch verschiedene Geräusche abgelenkt. Zweisprachige Kinder haben in der Studie besser abgeschnitten als die einsprachigen Probanden.

Diesen Vorteil haben die Kinder wahrscheinlich .... (3) erworben, ... (3) sie tagtäglich zwei Sprachen hören und anwenden mussten. Mit 24 Monaten hatten sie bereits einen vergleichbaren Wortschatz im Englischen und Französischen aufgebaut und eine gewisse Erfahrung darin, zwischen den beiden Sprachen zu wechseln.

Den Wissenschaftlern zufolge kann das frühe Lernen einer zweiten Sprache die Konzentrationsfähigkeit der Kleinen verbessern, ... (4) sich dieser Lernprozess auf andere Gebiete der Entwicklung negativ auswirkt, ... (5) das früher vermutet wurde.

Die Ergebnisse der Tests zeigen: .... (6) früher Kinder eine zweite Sprache lernen, ... (6) stärker wird ihre Konzentrationsfähigkeit.

8.2.8   Adversative Nebensätze

▶ **Formen**

	Hauptsatz	Nebensatz
Gegensatz	Die erste Gruppe **fuhr** einen kleinen Hügel hinunter,	**während/wohingegen/wogegen** die zweite Gruppe an einem steilen Berg **übte**.

▶ **Hinweise**

→ Nebensätze mit *während* können nicht nur zeitliches Geschehen beschreiben (▶ Seite 201: *Temporale Nebensätze*), sondern auch Gegensätze.

■ ■ ■ **Übungen**

1) **Was für Pauschalreisen!**
Formen Sie die Sätze um. Benutzen Sie den vorgegebenen Subjunktionen.

● Bei der letzten Reise waren die Hotelzimmer gemütlich eingerichtet und mit allem Komfort ausgestattet, aber dieses Jahr waren sie dunkel und klein. *(wogegen)*

Bei der letzten Reise waren die Hotelzimmer gemütlich eingerichtet und mit allem Komfort ausgestattet, wogegen sie dieses Jahr dunkel und klein waren.

1. Unsere Reiseleiterin vom letzten Jahr sprach fließend drei Sprachen, aber der Reiseleiter in diesem Jahr konnte nicht mal gut Englisch. *(während)*

....
....
....

2. Letztes Jahr haben wir viele interessante Orte besucht und Abenteuer erlebt, aber dieses Jahr haben wir nur langweilige Ausstellungen gesehen. *(wohingegen)*

....
....
....

3. Letztes Jahr konnten die Kinder an verschiedenen Aktivitäten teilnehmen, aber dieses Jahr gab es überhaupt keine Veranstaltungen für Kinder. *(während)*

....
....

4. Letztes Jahr hatten wir zahlreiche Möglichkeiten, die Kultur des Gastlandes selbst zu erkunden, aber dieses Jahr mussten wir in der Gruppe zusammenbleiben. *(wogegen)*

....

....

....

5. Letztes Jahr hatten wir zwei Wochen lang wunderschönes Wetter, aber dieses Jahr regnete es die ganze Zeit. *(wohingegen)*

....

....

....

6. Letztes Jahr habe ich mich mit den meisten Mitreisenden angefreundet, aber dieses Jahr konnte ich keine Kontakte knüpfen. *(wohingegen)*

....

....

....

7. Letztes Jahr hat sich der Busfahrer kein einziges Mal verfahren, aber dieses Jahr mussten wir ständig halten, um nach dem Weg zu fragen. *(während)*

....

....

....

8. Letztes Jahr konnten wir überall kulinarische Spezialitäten probieren, aber dieses Jahr mussten wir uns mit Brötchen und Fastfood zufriedengeben. *(wogegen)*

....

....

2) **Nicht mal Geschwister sind sich ähnlich.**
   Bilden Sie Sätze über Karl und Martin, zwei Brüder.
   Benutzen Sie verschiedene Subjunktionen.

● Karl: ein bescheidenes Leben führen
   Martin: auf großem Fuß leben
            Karl führt ein bescheidenes Leben,
            wogegen Martin auf großem Fuß lebt.

1. Karl: sich für Naturwissenschaften interessieren
   Martin: sich für Mode und Theater begeistern

   ....

2. Karl: am Wochenende am liebsten zu Hause bleiben
   Martin: gerne Ausflüge machen

   ....

3. Karl: sehr schüchtern sein
   Martin: mit jedem gerne reden

   ....

4. Karl: nie eine Lüge erzählen
   Martin: die Wahrheit oft verdrehen

   ....

5. Karl: lieber kein Risiko eingehen
   Martin: ziemlich risikofreudig sein

   ....

6. man: auf Karl zählen können
   man: sich auf Martin nicht immer verlassen können

   ....

7. Karl: immer pünktlich sein
   Martin: es mit der Zeit nicht so genau nehmen

   ....

8. Karl: wenig Geld für Kleidung und Essen ausgeben
   Martin: sein Geld zum Fenster rauswerfen

   ....

8.3   Sinngerichtete Infinitivkonstruktionen

Martin fährt in den Urlaub, um sich zu erholen.
Um sich zu erholen, fährt Martin in den Urlaub.

▶ **Gebrauch**

→ Mit sinngerichteten Infinitivkonstruktionen kann man ein Ziel, eine Absicht, eine nicht erfüllte Erwartung oder eine nicht genutzte Möglichkeit beschreiben.

→ Infinitivkonstruktionen haben kein eigenes Subjekt. Sie beziehen sich auf das Subjekt im Hauptsatz.

→ Infinitivkonstruktionen können vor oder nach dem Hauptsatz stehen.

→ Hauptsatz und sinngerichtete Infinitivkonstruktion werden immer durch Komma getrennt.

▶ **Formen**

	Hauptsatz	Infinitivkonstruktion
Ziel/Absicht (Finalangabe)	Martin **fährt** in den Urlaub,	um sich **zu erholen**.
Art und Weise: **fehlende Handlung** (Modalangabe)	Er **ging** nach Hause,	ohne sich **zu verabschieden**.
Alternative (Alternativangabe)	Sie **besuchte** eine Party,	(an)statt sich auf die Prüfung **vorzubereiten**.

▶ **Hinweise**

→ Infinitivkonstruktionen mit *ohne ... zu* drücken aus, dass eine erwartete Handlung nicht stattfindet.

→ Infinitivkonstruktionen mit *(an)statt ... zu* drücken aus, dass eine erwartete Handlung nicht stattfindet, dafür aber eine unerwartete Handlung realisiert wird.

→ Bei trennbaren Verben steht *zu* zwischen dem Präfix und dem Verbstamm.
    Sie besuchte eine Party, anstatt sich auf die Prüfung vor**zu**bereiten.

■ ■ ■ Übungen

1) **Beantworten Sie die Fragen mit der Infinitivkonstruktion *um ... zu*.**

● Warum gehst du in die Stadt? *(sich neue Schuhe kaufen)*
  Um mir neue Schuhe zu kaufen.

1. Warum ist Herr Berger früher weggegangen? *(sein Auto noch abholen können)*

  ....

2. Warum nehmt ihr Privatstunden? *(sich auf die Sprachprüfung vorbereiten)*

  ....

3. Warum ist Herr Kaiser nach Dortmund umgezogen? *(seiner Familie näher sein)*

  ....

4. Warum bleibst du heute Abend zu Hause? *(sich ausruhen und einen alten Film sehen)*

  ....

5. Warum sind Sie nicht mit dem Auto gekommen? *(nicht im Stau stehen müssen)*

  ....

6. Warum war Frau Veigel heute Vormittag beim Direktor? *(mit ihm über ihre Beförderung sprechen)*

  ....

7. Warum hast du Katja angerufen? *(ihr zu ihrem Diplom gratulieren)*

2) Wozu braucht man …?
Bilden Sie Sätze mit *um … zu*.

> immer erreichbar sein · sich wohlfühlen · ~~sich erholen~~ · bessere Berufschancen haben · angeben · mit jemandem über Probleme sprechen können · sich im Beruf nicht langweilen

● das Wochenende   *Man braucht das Wochenende, um sich zu erholen.*
1. einen Sportwagen   ....
2. ein Handy   ....
3. eine gemütliche Wohnung   ....
4. einen interessanten Job   ....
5. gute Freunde   ....
6. einen guten Schulabschluss   ....

3) Bilden Sie Sätze mit den Infinitivkonstruktionen *ohne zu* oder *(an)statt zu*.

● Jan hörte sich die ungerechten Vorwürfe an. Er sagte kein Wort dazu.
Jan hörte sich die ungerechten Vorwürfe an, ohne ein Wort dazu zu sagen.

1. Gabi war gestern Abend im Kino. Sie ist nicht zu meiner Geburtstagsparty gekommen.
....

2. Andreas ist aus dem Haus gegangen. Er hat die Tür nicht abgeschlossen.
....

3. Samuel hat heute Nachmittag einfach das Büro verlassen. Er hat dem Chef nicht Bescheid gesagt.
....

4. Dirk hat sich zwei große Schlangen gekauft. Er hatte vorher mit seiner Freundin nicht darüber gesprochen.
....

5. Stephanie sieht fern. Sie arbeitet nicht an ihrer Präsentation.
....

6. Friedrich redet einfach weiter. Er geht auf meine Fragen nicht ein.
....

4) Verbinden Sie die Sätze mit einer passenden Infinitivkonstruktion *(um … zu, ohne … zu* oder *(an)statt … zu)*.

● Martin sucht im Internet ein Hotel für das Wochenende. Eigentlich soll er dienstliche E-Mails beantworten.
    Martin sucht im Internet ein Hotel für das Wochenende, anstatt dienstliche E-Mails zu beantworten.

1. Ingrid blieb der Sitzung fern. Sie hat sich nicht abgemeldet.
....

2. Otto nimmt an der Weiterbildung teil. Er will seine Managementkenntnisse verbessern.
....

3. Wir haben die ganze Zeit gearbeitet. Wir haben keine Pause gemacht.
....

4. Marcus fährt zum Flughafen. Er will die Gäste abholen.
....

5. Frau Müller ist nach Hause gegangen. Sie hat den Computer nicht ausgeschaltet.
....

6. Otto hat die wichtigen Dateien gelöscht. Er hätte sie sichern sollen.
....

7. Martin besucht einen Kunden. Er hat seinen Besuch vorher nicht angekündigt.
....

8. Der Manager hat einen Fehler gemacht. Er schweigt. Er sollte sich entschuldigen.
....

8.4   Übersicht Adverbialsätze
Zuordnung nach semantischen Gesichtspunkten

➤ 8.1, 8.2 und 8.3

■ Temporalsätze: Angabe der Zeit

▶ **Formen: Gleichzeitig ablaufende Handlungen**

Hauptsatz – Hauptsatz (mit Konjunktionaladverb)	Du **redest** mit dem Lehrer,	**inzwischen/währenddessen kümmere** ich mich um die Skier.
Hauptsatz – Nebensatz	Ich **besuche** dich,	**wenn** ich in München **bin.**
	Ich **besuchte** ihn,	**als** ich in München **war.**
	Er **verbesserte** sein Englisch enorm,	**während** er in Lancaster **studierte.**
	Oma **sollte** ihre Traumreise machen,	**solange** sie noch so fit **ist.**
Hauptsatz – Nebensatz (Betonung von Anfangs- und Endpunkt)	Er **hat** noch nicht angerufen,	**seit/seitdem** er nach Berlin umgezogen **ist.**
	Ich **warte,**	**bis** du mit dem Essen fertig **bist.**

▶ **Formen: Nicht gleichzeitig ablaufende Handlungen**

Hauptsatz – Hauptsatz (mit Konjunktionaladverb)	Martin **aß** gestern in einem italienischen Restaurant,	**anschließend/danach/dann ging** er ins Kino.
	Martin **ging** gestern ins Kino,	**davor aß** er in einem italienischen Restaurant.
Hauptsatz – Nebensatz	Bitte **ruf** mich an,	**bevor/ehe** du **kommst.**
	Dem Patienten **ging** es besser,	**nachdem/sobald/als** er die Tablette eingenommen **hatte.**
	Frau Müller **schreibt** die E-Mail,	**nachdem/sobald/wenn** sie sich mit dem Chef abgestimmt **hat.**
	Du **darfst** nicht fernsehen,	**solange** du noch nicht aufgegessen **hast.**

■ Kausalsätze: Angabe eines Grundes

▶ **Formen**

Hauptsatz – Hauptsatz (mit Konjunktion)	Martin **macht** im Winter in den Alpen Urlaub,	**denn** er **fährt** gern Ski.
Hauptsatz – Hauptsatz (mit Konjunktionaladverb)	Martin **fährt** gern Ski,	**deshalb/deswegen/darum/daher macht** er im Winter in den Alpen Urlaub.
Hauptsatz – Nebensatz	Ich **mache** am liebsten im Januar Urlaub,	**weil/da** ich den Schnee **liebe.**

▸ Die Konjunktionaladverbien *deshalb, deswegen, darum, daher* verweisen auf den Grund, der im ersten Hauptsatz angegeben wird: <u>Martin fährt gern Ski</u>, **deshalb** macht er in den Alpen Urlaub.

▸ Sätze mit *denn* und *weil* oder *da* benennen den Grund: <u>Weil Martin gern Ski fährt</u>, macht er in den Alpen Urlaub. Martin macht in den Alpen Urlaub, **weil** <u>er gern Ski fährt</u>. Martin macht in den Alpen Urlaub, **denn** <u>er fährt gern Ski</u>.

■ Konditionalsätze: Angabe einer Bedingung

▶ **Formen**

Hauptsatz – Nebensatz	Ich **kann** dich nur besuchen,	**wenn/falls** ich Zeit habe.

■ Konsekutivsätze: Angabe einer Folge

▶ **Formen**

Hauptsatz – Hauptsatz (mit Konjunktionaladverb)	Martin **fährt** gern Ski,	**folglich/infolgedessen/demzufolge fährt** er jedes Jahr in den Winterurlaub.
	Man **muss** regelmäßig Ski fahren,	**sonst/andernfalls verlernt** man es wieder.
Hauptsatz – Nebensatz	Es **schneite** in der Nacht sehr stark,	**sodass** die Wanderung abgesagt **wurde**.
	Otto **stürzte** beim Skifahren **so** schwer,	**dass** er sich den Fuß **brach**.

■ Konzessivsätze: Angabe einer Einschränkung

▶ **Formen**

Hauptsatz – Hauptsatz (mit Konjunktion)	Die Verkehrsregeln **klingen zwar** einfach,	**aber** ihre Umsetzung **fällt** manchen Menschen schwer.
Hauptsatz – Hauptsatz (mit Konjunktionaladverb)	Gustav **kann** nicht Ski fahren,	**trotzdem/dennoch macht** er im Winter in den Alpen Urlaub.
	Ich **kann zwar** nicht Ski fahren,	**trotzdem fahre** ich jeden Winter nach Österreich.
Hauptsatz – Nebensatz	Ich **mache** am liebsten im Januar Urlaub,	**obwohl/obgleich/obschon** ich schnell **friere**.

▸ Die Konjunktionaladverbien *trotzdem, dennoch* und die Konjunktion *aber* verweisen auf die Einschränkung bzw. den Gegengrund im ersten Hauptsatz: <u>Ich kann nicht Ski fahren</u>, **trotzdem** fahre ich in die Alpen.

▸ Sätze mit *obwohl, obgleich, obschon* benennen die Einschränkung bzw. den Gegengrund: <u>**Obwohl** ich nicht Ski fahren kann</u>, fahre ich in die Alpen.

■ Finalsätze: Angabe einer Absicht, eines Ziels

▶ **Formen**

Hauptsatz – Nebensatz	Ich **mache** das alles,	**damit** du dich **wohlfühlst**.
Hauptsatz – Infinitivkonstruktion	Martin **fährt** in den Urlaub,	**um** sich **zu erholen**.

■ Modalsätze: Angabe der Art und Weise

▶ **Formen**

Hauptsatz – Nebensatz	Man **lernt** Ski fahren am besten,	**indem** man an einem Skikurs **teilnimmt**.
	Die Tür **lässt** sich **dadurch** öffnen,	**dass** man den grünen Knopf **drückt**.
	Der Krimi **war** nicht so spannend,	**wie** ich erwartet **habe**.
	Der Krimi **war** spannender,	**als** ich erwartet **habe**.
	Er **kam** ins Zimmer,	**ohne dass** ich es **bemerkte**.
Hauptsatz – Infinitivkonstruktion	Er **ging** nach Hause,	**ohne** sich **zu verabschieden**.
Nebensatz – Hauptsatz	**Je** öfter man Ski **fährt**,	**desto/umso** besser **kann** man es.

■ Adversativsätze: Angabe eines Gegensatzes

▶ **Formen**

Hauptsatz – Hauptsatz (mit Konjunktion)	Früher **habe** ich im Sommer Urlaub gemacht,	**aber** heute **fahre** ich lieber im Winter weg.
	Karla **fährt** dieses Jahr nicht in den Winterurlaub,	**sondern** sie **fliegt** im August nach Spanien.
Hauptsatz – Hauptsatz (mit Konjunktionaladverb)	Gustav **kann** nicht Ski fahren,	**dagegen fährt** Martin ausgezeichnet Ski.
	Einerseits mag ich das Meer,	**andererseits verbringe** ich meinen Urlaub gerne in den Bergen.
Hauptsatz – Nebensatz	Die erste Gruppe **fuhr** einen kleinen Hügel hinunter,	**während/wohingegen/wogegen** die zweite Gruppe an einem steilen Berg **übte**.

■ Alternativsätze: Angabe einer Alternative

▶ **Formen**

Hauptsatz – Hauptsatz (mit Konjunktion)	Vielleicht **fahren** wir in die Berge	**oder** wir **fahren** ans Meer.
	Martin **fährt entweder** nach Österreich	**oder** er **bleibt** zu Hause.
Hauptsatz – Hauptsatz (mit Konjunktionaladverb)	Gustav **fährt** heute nicht Ski,	**stattdessen wandert** er durch die Berge.
Hauptsatz – Infinitivkonstruktion	Sie **besuchte** eine Party,	**anstatt** sich auf die Prüfung **vorzu**bereiten.

■ Aufzählungen

▶ **Formen**

Hauptsatz – Hauptsatz (mit Konjunktion)	Wir **fahren** im Januar nach Österreich	**und** im Sommer **fahren** wir nach Irland.
	Martin **fährt nicht nur** gut Ski,	**sondern** er **kann auch** gut schwimmen.
Hauptsatz – Hauptsatz (mit Konjunktionaladverb)	Otto **fährt weder** gut Ski	**noch kann** er gut schwimmen.

■ ■ ■ Zusammenfassende Übungen

1) **Formen Sie die Sätze um. Verwenden Sie die in Klammern angegebene Satzverbindung und achten Sie bei der Umformung auf die veränderte Satzstellung.**

● Du rufst Herrn Fröhlich an, inzwischen beantworte ich die Mail der Firma Contex. *(während)*
  Während du Herrn Fröhlich anrufst, beantworte ich die Mail der Firma Contex.

1. Otto geht zum Mittagessen in die Kantine, davor muss er noch das Sitzungsprotokoll schreiben. *(bevor)*

2. Der letzte Betriebskoch hat miserabel gekocht, demzufolge wurde er gefeuert. *(so … dass)*

3. Obwohl sich viele Kollegen über sein Essen beschwert haben, hat die Betriebsleitung jahrelang nichts unternommen. *(trotzdem)*

4. Die führenden Manager essen normalerweise in einem besonderen Raum, trotzdem geht der Chef immer mit den Kollegen aus der Abteilung essen. *(obwohl)*

5. Unser Chef ist manchmal ein bisschen seltsam, trotzdem kann man gut mit ihm auskommen. *(zwar … aber)*

6. Wir hatten im Januar einen Teambildungsworkshop, damit sich die Zusammenarbeit noch weiter verbessert. *(um … zu)*

7. Wir können unsere Probleme lösen, indem wir besser kommunizieren. *(dadurch … dass)*

8. Mangelnde oder schlechte Kommunikation bringt Probleme mit sich, folglich werden die Arbeitsabläufe gestört. *(sodass)*

2) **Ergänzen Sie die fehlenden Satzverbindungen.**

a) **Bunte Steine als Kapitalanlage** 41

weil *(2 x)* • deshalb • wenn *(2 x)* • ~~als~~ • nicht nur … sondern auch • so … dass *(2 x)* • indem • zwar … aber • dagegen

So etwas bekommen selbst die Experten des Auktionshauses Sotheby's nur einmal im Leben zu sehen: einen rosafarbenen Diamanten von knapp 25 Karat. Sein Wert wurde auf ungefähr 30 Millionen Dollar geschätzt. *Als* (0) der Diamant bei der Auktion einen Preis von 46 Millionen Dollar erreichte, stockte den erfahrenen Händlern der Atem. Geboten hatte diese Summe der Londoner Juwelier Laurence Graff.

Die wenigen blauen, grünlichen, rosafarbenen und gelben Diamanten sind mittlerweile .... (1) teuer, ... (1) es keinen realen Anhaltspunkt mehr für ihre Preisgestaltung gibt. Selbst finanzstarke Edelsteinliebhaber können die Objekte ihrer Begierde nicht mehr bezahlen, ... (2) die Preise zurzeit astronomische Höhen erreichen.

Farbdiamanten sind extrem selten. Schätzungen zufolge kommt auf 10 000 farblose Diamanten ein farbiges Exemplar. Die Brillanz ihrer kräftigen Farben macht sie .... (3) einzigartig, ... (3) sie schon immer für die Herstellung von exklusivem Schmuck besonders geeignet waren und mit Vorliebe von Königinnen und Königen getragen wurden. .... (4) man einige der teuersten und begehrtesten Diamanten der Welt sehen möchte, sollte man das „Grüne Gewölbe" in Dresden besuchen. Besonders berühmt ist der blaue „Hope-Diamant", der auch „Unglücksdiamant" genannt wird. Immer, ... (5) der Diamant verkauft wurde, soll über die neuen Besitzer großes Unglück hereingebrochen sein.

.... (6) es so wenige echte Farbdiamanten auf der Welt gibt, kamen Diamantenhändler schon bald auf die Idee, Diamanten künstlich zu färben. Die Färbung der Diamanten erfolgt maschinell, ... (7) man sie extrem hohem Druck und hohen Temperaturen aussetzt.

Dieses Verfahren sichert .... (8) eine hohe Qualität in der Schmuckherstellung, ... (8) als Kapitalanlage sind die künstlich gefärbten Steine nicht zu empfehlen.

Selbst unter den natürlichen Farbdiamanten gibt es große Unterschiede. Rote, grüne und blaue Steine sind äußerst selten und wertvoll, ... (9) kommen schwarze Diamanten in der Natur viel häufiger vor. .... (10) liegen sie deutlich unter dem Wert der anderen farbigen Edelsteine.

Wer auf die Wertsteigerung bei Farbdiamanten spekulieren will, sollte beim Kauf .... (11) auf die Farbintensität achten, ... (11) Gewicht, Reinheit und Schliff des Diamanten im Auge behalten.

b) **Das schönste Lächeln der Welt** 42

und *(2 x)* • ohne … zu • wie • weil • um … zu • folglich • sondern • obwohl • wenn • nicht nur … sondern auch *(2 x)*

Lächeln ist die schönste Art der nonverbalen Kommunikation. Wir lächeln manchmal, ... (1) es .... (1) merken. Oder wir lächeln, ... (2) wir gerade angelächelt wurden. Lächeln ist nämlich ansteckend, meinen die Verhaltensforscher, ... (3) es ist angeboren.

Vor mehr als 500 Jahren hat Leonardo da Vinci das bis heute bekannteste und rätselhafteste Lächeln in Öl verewigt: das Lächeln der Mona Lisa.

.... (4) das Lächeln der Mona Lisa zu deuten ist, darüber machen sich seit vielen Jahren .... (5) Dichter und Philosophen Gedanken, ... (5) Forscher beschäftigen sich mit diesem Thema.

Der französische Schriftsteller Théophile Gautier beschrieb das berühmte Lächeln als Inbegriff der Weiblichkeit. Und mit dieser Interpretation steht er nicht allein. Millionen von Menschen besuchen bis heute den Pariser Louvre, ... (6) das Lächeln der Mona Lisa .... (6) bewundern.

Aber .... (7) das Lächeln gibt uns bisher Rätsel auf, ... (7) Mona Lisa selbst. .... (8) es zu diesem Thema schon viele Untersuchungen und Spekulationen gibt, ist bis heute nicht genau belegt, wer die Schöne eigentlich war. Leonardo hat sein Geheimnis nicht preisgegeben. Man weiß nur, dass er sich zu Lebzeiten nie von dem kleinen Bild trennen konnte. War Mona Lisa vielleicht seine große Liebe?

Ja, sagt jetzt der italienische Kunsthistoriker Silvano Vinceti .... (9) überrascht die Kunstwelt. .... (10) man ihm und seiner Forschung Glauben schenkt, dann ist das Lächeln der Mona Lisa gar nicht das Lächeln einer Frau. Vinceti glaubt belegen zu können, dass Leonardo sich von einem Mann inspirieren ließ: seinem Schüler Gian Giacomo Caprotti, auch bekannt als Salai. Vinceti hat eine große Ähnlichkeit mit Figuren anderer Leonardo-Bilder gefunden, ... (11) müsse es sich um jemanden handeln, der bereits zu einem früheren Zeitpunkt dem Maler Modell gestanden hat. Außerdem, so der Kunsthistoriker, soll man in den Augen der Mona Lisa zwei Buchstaben lesen können – ein L für Leonardo und ein S für Salai.

Wissenschaftler im Louvre halten diese Interpretation für sehr fragwürdig: Das seien keine Buchstaben in den Augen der Mona Lisa, ... (12) die Farbe habe im Laufe der Zeit Risse bekommen.

8.5 Verbabhängige Nebensätze und Infinitivkonstruktionen
8.5.1 *Dass*-Sätze

Martin <u>weiß</u>, *dass* im Winter in den Alpen Schnee <u>liegt</u>.
↓
Subjunktion

▶ **Gebrauch**

→ *Dass*-Sätze sind Verbergänzungen. Sie stehen oft für ein Akkusativobjekt.
Martin erwartet Schnee. Martin erwartet, dass es schneit.

→ *Dass*-Sätze sind Nebensätze. Das konjugierte Verb steht an letzter Stelle. *Dass*-Sätze können vor oder nach dem Hauptsatz stehen. Das Subjekt von Haupt- und Nebensatz ist oft nicht identisch.
<u>Wissenschaftler</u> haben herausgefunden, dass <u>Tiere</u> lachen können.

→ *Dass*-Sätze werden vom Hauptsatz durch Komma getrennt.

▶ **Formen**

▸ *Dass*-Sätze stehen oft **nach** oder **vor**:

unpersönlichen Aus-drücken mit *es*	Es ist richtig, Es ist wichtig, Es stimmt, Es tut mir leid, Es freut mich,	dass Frau Müller gekündigt hat. dass wir über die Ergebnisse reden. dass wir einen neuen Mitarbeiter bekommen. dass ich keine Zeit für dich hatte. dass du die Prüfung bestanden hast.
Wendungen zur Mei-nungsäußerung	Mir gefällt nicht, Ich bin der Meinung,	dass der Chef mich nicht informiert hat. dass wir etwas ändern müssen.
Verben der Kommuni-kation **... der persönlichen Erwartung** **... des Wissens** **... mit präpositionalen Ergänzungen**	Er sagte, Die Zeitungen berichten, Wissenschaftler haben herausgefunden, Martin erwartet, Ich glaube/hoffe, Ich weiß, Ich freue mich darüber, Ich warte darauf,	dass er nicht kommen kann. dass in Österreich sehr viel Schnee liegt. dass Tiere lachen können. dass es schneit. dass er sich dort wohlfühlt. dass wir im Moment ein Problem haben. dass du befördert wurdest. dass Otto mich anruft.

■ ■ ■ **Übungen**

1) **Wissenswertes über Mäuse. Ich habe gelesen, dass … Bilden Sie *dass*-Sätze.**

● Es gibt ungefähr 40 Mäusearten.　　*Ich habe gelesen, dass es ungefähr 40 Mäusearten gibt.*

1. Die meisten Mäusearten leben in Afrika und Asien. ....

2. Mäuse mögen keinen Käse, sondern Süßigkeiten. ....

3. Mäuse können auch klettern, schwimmen und für Menschen unhörbar singen. ....

4. Mäuse sind bevorzugt in den Morgen- und Abendstunden aktiv. ....

5. Seit dem Jahr 1664 dienen Mäuse als Versuchstiere in Medizinexperimenten. ....

6. Schon zwischen 1920 und 1930 gab es erste große Mäusezüchtungen für Forschungszwecke nach einer strengen Auslese. ....

7. Nicht alle Forschungsergebnisse mit Mäusen lassen sich auf den Menschen übertragen. ....

2) **Bürogeflüster: Wussten Sie schon, dass …?**
Bilden Sie *dass*-Sätze. Achten Sie auf die angegebene Zeitform und den Satzbau.

● ein neues Auto – Frau Müller – haben *(Präsens)*
Wussten Sie schon, dass Frau Müller ein neues Auto hat?

1. wir – für einen großen Auftrag – verlieren – die Ausschreibung *(Perfekt)*
....

2. in finanzielle Schwierigkeiten – geraten – die Firma – möglicherweise *(Präsens)*
....

3. das Management – Mitarbeiter – entlassen wollen *(Präsens)*
....

4. man – nachdenken – auch schon – über eine Kürzung des Urlaubsgeldes *(Präsens)*
....

5. nach China – fahren – der Chef *(Perfekt)*
....

6. suchen – dort – einen chinesischen Investor – er *(Präsens)*
....

7. übernehmen sollen – Herr Müller – das Forschungsprojekt *(Präsens)*
....

8. Otto – schon – um eine neue Stelle – sich bewerben *(Perfekt)*
....

9. das neue teure Softwareprogramm – funktionieren – nicht *(Präsens)*
....

10. sich beschweren – die Praktikantin – über die anstrengende Arbeit *(Perfekt)*
....

11. der Kantinenkoch – sich verlieben – in Susanne Fröhlich *(Perfekt)*
....

12. jemand – eine Maus – in der Kantinenküche – sehen *(Perfekt)*
....

13. einschalten – die Alarmanlage – gestern Nacht – nicht – der Hausmeister *(Perfekt)*
....

3) **Krisensitzung in der Firma**
Bilden Sie Sätze wie im Beispiel.

● Das Budget für Dienstreisen sollte gekürzt werden. *(ich bin der Meinung)*
Ich bin der Meinung, dass das Budget für Dienstreisen gekürzt werden sollte.

1. Die Firma gibt zu viel Geld für Dienstreisen aus. *(meinen Sie?)*
....

2. Wir sollten unsere Marketingstrategie ändern. *(ich bin davon überzeugt)*
....

3. Unsere Firma ist den neuen Herausforderungen nicht gewachsen. *(ich fürchte)*
....

4. Die Entlassung von Frau König und Herrn Fischer war keine leichte Entscheidung. *(wir wissen alle)*
....

5. Wir finden einen Kompromiss. *(es ist wichtig)*
....

6. Ich unterbreche Sie. *(entschuldigen Sie)*
....

7. Frau Kurz wollte etwas sagen. *(ich glaube)*
....

8. Wir können die Diskussion an dieser Stelle beenden. *(ich denke)*
....

8.5.2   Infinitiv mit *zu*

Martin hat die Absicht, dieses Jahr nach Achenkirch zu fahren.

↓

zu + Infinitiv

▶ **Gebrauch**

→ Infinitivkonstruktionen mit *zu* sind Verbergänzungen.

→ Infinitivkonstruktionen mit *zu* stehen nach dem Hauptsatz. Der Infinitiv steht an letzter Stelle.

→ Die Infinitivkonstruktion kann einen *dass*-Satz ersetzen, wenn das Subjekt in beiden Teilsätzen gleich ist.
Ich verspreche dir, dass ich immer meine Hausaufgaben mache.
→ Ich verspreche dir, immer meine Hausaufgaben zu machen.

→ Bei trennbaren Verben steht *zu* zwischen dem Präfix und dem Verbstamm: Ich versuche, dich ab**zu**holen.

→ Das Komma zwischen Hauptsatz und Infinitiv mit *zu* ist fakultativ. Bei erweiterten Infinitivkonstruktionen mit *zu* ist ein Komma zu empfehlen, um die Struktur des Satzes zu verdeutlichen.

▶ **Formen**

▸ Der Infinitiv mit *zu* steht oft **nach**:

unpersönlichen Ausdrücken wie	Es ist wichtig,	das Projekt schnell **zu beenden**.
	Es ist verboten,	hier **zu parken**.
	Es ist erlaubt,	auf dem Platz Fußball **zu spielen**.
	Es ist schwer,	den Termin **zu halten**.
Nomen in Verbindung mit *haben*	Ich habe keine Lust,	auf dich **zu warten**.
	Ich habe keine Zeit,	die E-Mail **zu schreiben**.
	Ich habe die Absicht,	Französisch **zu lernen**.
	Ich habe den Wunsch,	mein Englisch **zu verbessern**.
Verben der Erlaubnis, Absicht oder Empfehlung	Ich erlaube dir,	mit Paul ins Kino **zu gehen**.
	Ich habe vor,	immer meine Hausaufgaben **zu machen**.
	Ich empfehle dir,	mehr Sport **zu treiben**.
Verben des Gefühls	Ich freue mich,	mal wieder etwas von dir **zu hören**.
anderen Verben wie	Ich versuche,	dich **abzuholen**.
	Ich höre auf,	Witze über den Chef **zu machen**.

▸ Der Infinitiv mit *zu* kann **nicht** stehen **nach**:

Modalverben	dürfen, können, mögen,	Sie dürfen hier rauchen.
	müssen, sollen, wollen,	Ich muss meine Hausaufgaben machen.
	möchte(n)	Ich möchte nicht mitkommen.
Verben der Kommunikation	sagen, fragen, berichten	Sag mir die Wahrheit!
Verben der Wahrnehmung	sehen, hören, riechen	Ich rieche das Meer.
Verben des Wissens	kennen	Ich kenne den neuen Chef schon.
anderen Verben wie	lassen	Lass mich gehen!

■ ■ ■ **Übungen**

1) **Ratschläge gegen Stress**
Formen Sie die Sätze um wie im Beispiel.

● Sie sollten Kopfschmerzen oder unruhigen Schlaf als Stresssymptome wahrnehmen.
Ich rate Ihnen, Kopfschmerzen oder unruhigen Schlaf als Stresssymptome wahrzunehmen.

1. Sie sollten regelmäßig Sport treiben.
Beginnen Sie damit, ...

2. Sie sollten auf ungesunde Ernährung verzichten. *(sich ernähren)*
Hören Sie auf, ...

3. Sie sollten ab und zu mal Nein sagen.
Fangen Sie endlich an, ...

4. Sie sollten sich mit einer spannenden Lektüre von Ihren Sorgen ablenken.
Ich empfehle Ihnen, ...

5. Sie sollten regelmäßig Ruhepausen einlegen.
Ich rate Ihnen, ...

6. Sie sollten immer positiv denken.
Es wäre für Sie gut, ...

2) **Was haben die Kollegen vor? Bilden Sie jeweils einen Satz mit und ohne Modalverb wie im Beispiel.**

● Marcus – Direktor werden
   a) *Marcus will Direktor werden.*   b) *Marcus hat vor, Direktor zu werden.*
      Marcus möchte Direktor werden.   *Marcus hat sich vorgenommen, Direktor zu werden.*
                                                   Marcus hat die Absicht, Direktor zu werden.
                                                   Marcus beabsichtigt, Direktor zu werden.

1. Frau Müller – weniger arbeiten   a) ....
                                                       b) ....

2. Herr Klein – sich für einen Posten im Vorstand   a) ....
   bewerben   b) ....

3. Kathrin – so schnell wie möglich kündigen   a) ....
                                                       b) ....

4. Otto – mit dem Chef über eine   a) ....
   Gehaltserhöhung sprechen   b) ....

5. der Chef – die Ergebnisse der Abteilung   a) ....
   verbessern   b) ....

6. Ferdinand – auf der nächsten Konferenz   a) ....
   das neue Produkt präsentieren   b) ....

3) **Mit Strom gegen Matheschwäche**
Ergänzen Sie das passende Verb mit oder ohne *zu*.

bewältigen • lernen • ~~erhöhen~~ • behandeln • helfen • durchführen • lösen • haben • steigern

Eine elektrische Reizung bestimmter Hirnbereiche hilft offenbar, mathematische Leistungen *zu erhöhen* (0). Zu diesem Ergebnis kamen britische Wissenschaftler, die versuchten, Menschen mit Rechenschwierigkeiten mithilfe schwacher Stromflüsse .... (1).
In einem Experiment mussten 15 Probanden sechs Tage lang mathematische Symbole .... (2). Dabei setzten die Forscher einen kleinen Teil des Gehirns der Teilnehmer unter Strom. Das Ergebnis war erstaunlich: Die elektrische Stimulation verbesserte das Vermögen der Kandidaten, mathematische Aufgaben .... (3). Dieser Effekt hielt sechs Monate an und schien keinen Einfluss auf andere Fähigkeiten .... (4). Die Stimulation verwandelt zwar niemanden in Albert Einstein, aber die Methode führt dazu, das Leistungsvermögen von Menschen mit Rechenschwäche .... (5). Sie könnte auch alten Menschen im Alltag .... (6), die kaum noch in der Lage sind, Situationen wie zum Beispiel das Zählen von Wechselgeld beim Einkaufen .... (7).
Die Forscher raten natürlich niemandem, das Experiment im Selbstversuch .... (8).

8.6 Fragesätze als Nebensätze

Frage mit Fragewort:

Wie viele Sterne hat das Hotel „Bergsicht"?

Martin weiß nicht, wie viele Sterne das Hotel „Bergsicht" hat.

        ↓

       Fragewort

Frage ohne Fragewort (Ja-Nein-Frage):

Liegt im April am Achensee noch Schnee?

Niemand weiß, ob im April am Achensee noch Schnee liegt.

       ↓

      Subjunktion: *ob*

▶ **Gebrauch**

→ Indirekte Fragen sind Nebensätze. Das konjugierte Verb steht an letzter Stelle.

→ Bei Fragen mit Fragewort benutzt man das Fragewort als Einleitung des Nebensatzes.
Martin weiß nicht, **wie viele** Sterne das Hotel „Bergsicht" hat.
Bei Fragen ohne Fragewort gebraucht man die Subjunktion *ob*.
Niemand weiß, **ob** im April am Achensee noch Schnee liegt.

→ Indirekte Fragesätze werden vom Hauptsatz durch Komma getrennt.

▶ **Formen**

Frage mit Fragewort		Können Sie mir sagen,	Ich weiß nicht,
	Wann landet das Flugzeug? **Wer** eröffnet die Ausstellung? **Mit wem** hat der Chef gesprochen? **Wofür** interessiert sich der Fußballtrainer?	**wann** das Flugzeug landet? **wer** die Ausstellung eröffnet? **mit wem** der Chef gesprochen hat? **wofür** sich der Fußballtrainer interessiert?	**wann** das Flugzeug landet. **wer** die Ausstellung eröffnet. **mit wem** der Chef gesprochen hat. **wofür** sich der Fußballtrainer interessiert.
Frage ohne Fragewort	Hat die deutsche Mannschaft gewonnen?	**ob** die deutsche Mannschaft gewonnen hat?	**ob** die deutsche Mannschaft gewonnen hat.

■ ■ ■ **Übungen**

1) **Die großen Fragen der Menschheit. Formen Sie die Sätze um wie im Beispiel.**

● Gibt es Leben auf anderen Planeten? Das möchten viele Menschen wissen.
Viele Menschen möchten wissen, ob es Leben auf anderen Planeten gibt.

1. Was war vor dem Urknall? Die Astronomen haben noch keine Antwort auf die Frage.

....

2. Wie ist das Leben auf der Erde entstanden? Das wissen wir heute noch nicht genau.

....

3. Können Pflanzen Schmerz empfinden? Das untersuchen Biologen.

....

4. Sind Menschen in jeder Hinsicht intelligenter als Tiere? Das fragen sich viele Forscher.

....

5. Wie sind die Dinosaurier ausgestorben? Darüber gibt es verschiedene Theorien.

....

6. Was bedeuten die ägyptischen Hieroglyphen? Das erforschten Historiker jahrhundertelang.

....

7. Wann können wir endlich den Krebs besiegen? Das fragen sich vor allem kranke Menschen.

....

2) **Ein Politiker aus Berlin besucht die Provinz vor wichtigen Wahlen.**

a) **Er will sich über die Lage vor Ort informieren und stellt seinen Parteifreunden verschiedene Fragen. Helfen Sie ihm dabei. Formulieren Sie indirekte Fragen wie im Beispiel. Achten Sie auf die richtige Form der Verben.**

● die größten Probleme – wo – liegen – hier
Können Sie mir sagen, wo hier die größten Probleme liegen?
Wissen Sie vielleicht, wo hier die größten Probleme liegen?

1. die Arbeitslosigkeit – wie hoch – sein
....

2. jeder Jugendliche – einen Ausbildungsplatz – bekommen
....

3. welche Themen – bei der Bevölkerung – gerade – gut ankommen
....

4. in den Meinungsumfragen – vorn stehen – welche Partei
....

5. wer – unsere Partei – wählen – eigentlich
....

6. wie – noch Stimmen – gewinnen können – wir
....

7. welche Tageszeitung – auf unserer Seite – stehen
....

8. die nächste Pressekonferenz – wann – stattfinden
....

9. unsere politischen Gegner – welche Argumente – haben
....

10. welche Prominenten – uns – bei der Wahl – noch unterstützen können
....

b) **Nach einem Gespräch mit Bürgern will die Frau des Politikers wissen, was ihr Mann die Menschen gefragt hat. Ergänzen Sie den Dialog mit indirekten Fragen wie im Beispiel.**

Hast du die Menschen … gefragt?
● nach Ihren Problemen

Ja, ich habe gefragt, ob sie Probleme haben.
Ja, ich habe gefragt, welche Probleme sie haben.
Ja, ich habe gefragt, ob es Probleme gibt.

1. nach der Zufriedenheit mit der jetzigen Politik   *Ja,* ....

2. nach den Erwartungen an die Politik   *Ja,* ....

3. nach ihren Ängsten   *Ja,* ....

4. nach ihrem Einkommen   *Nein,* ....

3) **Sie möchten bei der Firma KLAR fünf Kopierer für Ihre Firma kaufen.**
Vorher brauchen Sie aber noch einige Informationen. Formulieren Sie indirekte Fragen wie im Beispiel.

● Farbe *(geben)*

Mich würde interessieren, in welchen Farben es das Gerät gibt.
Mich würde interessieren, ob es das Gerät in verschiedenen Farben gibt.
Ich möchte gerne wissen, in welchen Farben es das Gerät gibt.
Ich möchte gerne wissen, ob es das Gerät in verschiedenen Farben gibt.

1. Preis pro Stück *(kosten)*   ....

2. Rabatt für fünf Kopierer *(gewähren)*   ....

3. Zusatzfunktionen *(verfügen über)*   ....

4. Seiten pro Minute *(schaffen)*   ....

5. Lieferzeit für die Geräte *(sein)*   ....

6. Garantie *(laufen)*   ....

7. Farbpatronen *(überall kaufen können)*   ....

8.7   Relativsätze

Martin <u>nimmt</u> die Skier <u>mit</u>, *die* er schon vor zehn Jahren gekauft <u>hat</u>.
↓
Relativpronomen

Martin <u>wohnt</u> in einem Hotel, *in dem/wo* er schon Stammgast <u>ist</u>.
↓
Relativpronomen

Martin <u>macht</u> im Urlaub nur das, *was* ihm wirklich Spaß <u>macht</u>.
↓
Relativpronomen

▶ **Gebrauch**

→ Mit einem Relativsatz beschreibt man Personen oder Sachen näher. Der Relativsatz ist ein Nebensatz. Er wird mit einem Relativpronomen eingeleitet und steht nach dem Hauptsatz.

→ Der Relativsatz wird durch Komma vom Hauptsatz getrennt.

■ Relativsätze mit *der, die, das*

▶ **Formen**

Kasus	Singular			Plural
	maskulin	feminin	neutral	
Nominativ	der	die	das	die
Akkusativ	den	die	das	die
Dativ	dem	der	dem	denen
Genitiv	dessen	deren	dessen	deren

▶ **Hinweise**

→ Das Relativpronomen richtet sich in Genus und Numerus nach dem Bezugswort im Hauptsatz, im Kasus nach der Stellung im Relativsatz.

→ Bei Relativsätzen mit präpositionalen Ausdrücken steht die Präposition vor dem Relativpronomen. Der Kasus richtet sich nach der Präposition.

→ Die Relativpronomen *welcher, welche, welches* als Alternative zu *der, die, das* werden selten und hauptsächlich in der Schriftsprache verwendet.

■ ■ ■ Übungen

1) **Kennen Sie diese berühmten Maler? Formen Sie die Sätze in Relativsätze um.**

● Kennen Sie Neo Rauch? Er gilt international als bedeutendster Künstler der „Neuen Leipziger Schule".
Kennen Sie Neo Rauch, der international als bedeutendster Künstler der „Neuen Leipziger Schule" gilt?

1. Kennen Sie Lyonel Feininger? Er arbeitete von 1919 bis 1932 am Bauhaus.
....

2. Kennen Sie Claude Monet? Sein schlechtes Sehvermögen im Alter löste bei ihm Depressionen aus.
....

3. Kennen Sie Marc Chagall? Ihn interessierten hauptsächlich Motive aus der Bibel oder aus dem Zirkusleben.
....

4. Kennen Sie Franz Marc? Seine Tiergemälde zählen zu den berühmtesten Werken des Expressionismus.
....

5. Kennen Sie Vincent van Gogh? Viele Leute hielten ihn für verrückt.
....

2) **Was dick macht, kann auch reich machen.** (43)
   Ergänzen Sie die passenden Relativpronomen.

Hier eine leichte Frage: Wie viele Kilokalorien haben zu-sammengerechnet ein Hamburger, *der* (0) mit Speck und Soße serviert wird, und eine Portion Pommes, ... (1) frisch aus dem Frittierfett kommt? Nun, grob geschätzt handelt es sich hier um eine Mahlzeit, ... (2) zwischen 1 200 und 1 500 Kilokalorien enthält. Nächste Frage: Wie viele Kilokalorien sollte ein erwachsener Mann, ... (3) einer ganz normalen Bürotätigkeit nachgeht, am Tag zu sich nehmen? Das haben wir inzwischen von den zahlreichen Fernseh-sendungen, ... (4) uns über gesunde Er-nährung aufklären, gelernt: rund 2 500. Letzte Frage: Wie viele Fastfood-Mahlzei-ten kann also ein Mann, ... (5) im nächsten Sommer die Badehose noch pas-sen soll, am Tag essen? Richtig. Maximal zwei. Und sonst nichts.

Was aber sollen die armen Menschen tun, ... (6) in einem Fastfood-Restau-rant arbeiten und .... (7) den ganzen

Tag die Hamburger duftend und kostenfrei vor der Nase rumstehen? Sollen ausgerechnet diejenigen, ... (8) den ganzen Tag Pommes verkaufen, selbst keine essen? Und was passiert eigentlich, wenn so ein Mitarbeiter, ... (9) aus Qualitätsgründen ab und zu einen Hamburger prüft, zu dick wird? Die Antwort ist klar: Dann ist der Arbeitgeber schuld! Das entschied jetzt ein Gericht in Brasilien, bei .... (10) ein Mitarbeiter einer Fastfood-Kette Klage eingereicht hatte. Das Gericht in Porto Ale-gre sah es als erwiesen an, dass der Arbeitgeber am Übergewicht des Klägers, ... (11) in zwölf Jahren 30 Kilo zugenommen hatte, schuld ist. Das Urteil lautet: 12 500 Euro Schadensersatz für den jetzt nicht mehr so armen, aber immer noch sehr dicken Mitar-beiter, ... (12) aus den genannten Gründen für sein Körpergewicht nichts kann. Für 12 500 Euro bekommt man übrigens 3 125 Hamburger mit Speck.

3) **Selftracking: Datensammler in eigener Sache**
   Ergänzen Sie die Relativpronomen.

● Heutzutage gibt es immer mehr Menschen, *die* minutiös Daten aus ihrem Lebensalltag erfassen.

1. Sie werden (mit einem Wort, ... aus dem Englischen kommt) als Selftrackers bezeichnet.

2. Datenorientierte Selbstbeobachtung ist eine Freizeitbeschäftigung, ... sich immer mehr verbreitet.

3. Zur Gruppe der Selftrackers gehören beispielsweise Menschen, ... das Erfassen von eigenen Daten ein Gefühl von Sicherheit gibt.

4. Andere hoffen die ersten Anzeichen von Krankheiten, vor .... sie sich fürchten, wahrzunehmen.

5. Psychologen nutzen solche Datensammlungen bei Patienten, ... typische Verhaltensmuster sie sonst nicht erkennen könnten.

6. Mittlerweile gibt es zahllose elektronische Geräte, ... Selftrackers nutzen können.

7. Manche Apparate haben eingebaute Sensoren, ... fast jede körperliche Aktivität des Trägers messen.

8. Es gibt zum Beispiel Geräte, ... registrieren können, wie lange und mit welcher Geschwindigkeit der Benutzer liest oder wie viele Stunden er mit Facebook oder Twitter verschwendet.

9. Im Trend liegen zurzeit sogenannte Schlafhilfe-Programme, mit .... man genau dokumentieren kann, wie oft man nachts aufwacht und wann man am tiefsten schläft.

4) **Bilden Sie Relativsätze wie im Beispiel.**

● Die Autoren haben Protest eingelegt. Ihre Bücher wurden im Internet ohne Genehmigung veröffentlicht.
   Die Autoren, deren Bücher im Internet ohne Genehmigung veröffentlicht wurden, haben Protest eingelegt.

1. Einige Politiker mussten zurücktreten. Ihre Doktorarbeiten wurden als Plagiate enttarnt.

   ....

2. Viele Universitäten klagen über Personalmangel und Platzprobleme. An ihnen haben sich in diesem Jahr zwei Abiturientenjahrgänge eingeschrieben.

   ....

3. Alle Seminarräume brauchen interaktive Whiteboards. In ihnen befinden sich nur ein Overheadprojektor und eine Tafel.

   ....

■ Relativsätze mit *wo(-)*

▶ Formen: Lokalangaben

Beispielsätze	Verwendung
Das alte Haus, **in dem** ich wohne, wird renoviert.* Das alte Haus, **wo** ich wohne, wird renoviert.	Beide Relativpronomen sind möglich.
Die Stadt, **in die** ich umgezogen bin, gefällt mir gut.* Die Stadt, **wohin** ich umgezogen bin, gefällt mir gut. Die Stadt, **aus der** ich komme, war mir zu hektisch.* Die Stadt, **woher** ich komme, war mir zu hektisch.	Beide Relativpronomen sind möglich.
Leipzig, **wohin** ich umgezogen bin, gefällt mir gut.	Nach Städte- und Ländernamen steht nur *wo* oder *wohin/woher*.

* in den meisten Fällen die stilistisch bessere Variante

▶ Formen: Präpositionalangaben

Beispielsätze	Verwendung
Die Stadtverwaltung hat den Abriss der alten Kirche beschlossen, **wogegen** die Bürger sofort protestiert haben.	Der Relativsatz besteht aus einem Verb mit Präposition und bezieht sich auf die gesamte Aussage des Satzes.

■ ■ ■ Übungen

5) Ergänzen Sie die Relativpronomen mit einer Präposition oder *wo, wohin, woher*.

● Die Firma, *bei der* ich im Moment arbeite, hat finanzielle Schwierigkeiten.

1. Das Museum, ... wir gerade kommen, verfügt über eine reiche Sammlung von impressionistischen Gemälden.
2. Das Haus, ... wir im Sommer einziehen, muss noch renoviert werden.
3. Kennst du ein gutes Hotel in Hamburg, ... wir übernachten könnten?
4. Die neue Schule, ... unser Sohn ab September gehen wird, macht einen guten Eindruck.
5. Rate mal, wer in dem Supermarkt arbeitet, ... ich heute Nachmittag eingekauft habe.
6. Der Platz, ... das neue Denkmal stehen soll, liegt am Stadtrand.
7. Die Bankfiliale, ... der Überfall geschah, hat schon wieder geöffnet.
8. Die Universität, ... unsere Tochter studieren will, veranstaltet morgen einen Informationstag.

6) Lokale Neuigkeiten
Ergänzen Sie Relativpronomen mit *wo-*.

● Dem Fußballer wurde vorgeschlagen, seinen Vertrag um zwei Jahre zu verlängern, *worauf* er sofort eingegangen ist.

1
Die Stadtzeitung hat die Aussagen des Wirtschafts-experten fehlerhaft wiederge-geben, ... sich der Interviewte sehr geärgert hat.

2
Daraufhin bot die Redaktion dem Experten ein einjähriges kostenloses Abonnement an, ... er aber verzichtete.

3
Nach einem Vorschlag des Präsidenten soll eine staatliche Agentur das Monopol auf die Nachrichtenverbreitung erhalten, ... viele Journalisten protestierten.

4
Der Journalistenverband forderte neue Verhandlungen, ... die Regierung nicht einging.

5
In der letzten Pressekonferenz wurde dem Bauverantwort-lichen der Stadt Korruption vorgeworfen, ... der Betroffene nicht reagierte.

6
Inzwischen konnte dem Bauverantwortlichen Korrupti-on in mehreren Fällen nachge-wiesen werden, ... viele Menschen entsetzt waren.

■ Relativsätze mit *was* und *wer*

▶ Formen

Beispielsätze	Verwendung
Nichts, **was** du mir versprochen hast, hast du gehalten. Alles, **was** er bei der Polizei ausgesagt hat, war gelogen. Essen Sie nur das, **was** Ihnen schmeckt.	nach den Indefinitpronomen *nichts, alles, etwas, einiges, weniges* und *das*
Das ist das Schönste, **was** ich je gesehen habe.	nach nominalisiertem Superlativ
Er schenkte mir rote Rosen, **was** mich sehr überrascht hat.	Der Relativsatz bezieht sich auf die gesamte Aussage des Satzes.
Wer Lust hat, (der) kann mitkommen. **Wem** das Kantinenessen nicht schmeckt, der soll sich melden.	bei Bezug auf eine unbestimmte Person

■ ■ ■ Übungen

7) **Tipps fürs Büro**
   Ergänzen Sie die fehlenden Wörter.

vieles • alles *(2 x)* • das *(2 x)* • nichts *(2 x)*

● Schreiben Sie jeden Morgen *alles* auf, was Sie an dem Tag erledigen möchten.
1. Nehmen Sie sich .... vor, was von vornherein nicht realisierbar ist.
2. Erledigen Sie immer zuerst ...., was Ihnen am wenigsten Spaß macht.
3. Tun Sie ...., was Sie fachlich nicht vertreten können.
4. Speichern Sie ...., was wichtig ist, auf der Festplatte. Löschen Sie den Rest.
5. Regen Sie sich nicht über .... auf, was Sie sowieso nicht ändern können.
6. Es gibt im Büroalltag ...., was man effektiver gestalten könnte.

8) **Das ist …**
   Bilden Sie Relativsätze mit *was* wie im Beispiel. Achten Sie auf die angegebene Zeitform.

● alles • ich – finden können *(Präteritum)* — *Das ist alles, was ich finden konnte.*
1. nichts • mich – begeistern können *(Präsens)* — ....
2. das Beste • du – bisher – schreiben *(Perfekt)* — ....
3. das Schlimmste • du – mir – antun können *(Präteritum)* — ....
4. etwas • mich – nicht interessieren *(Präsens)* — ....
5. genau das • ich – suchen *(Präsens)* — ....

9) **Informationen für Mitarbeiter**
   Bilden Sie Relativsätze mit *wer*.

● noch Urlaub haben
  Wer noch Urlaub hat, muss diesen bis Ende Mai nehmen.
1. unter zu hoher Arbeitsbelastung leiden
   ...., kann sich an die Gewerkschaft wenden.
2. am Betriebsausflug teilnehmen wollen
   ...., muss sich in diese Liste eintragen.
3. seinen Sommerurlaub noch nicht beantragt haben
   ...., sollte das ganz schnell nachholen.
4. noch Vorschläge für Projekte haben
   ...., muss sie bis Freitag an den Chef schicken.
5. seine Fahrtkostenabrechnung noch nicht eingereicht haben
   ...., sollte dies umgehend tun.
6. in diesem Jahr noch keine Fortbildung gemacht haben
   ...., kann sich für das nächste Seminar bewerben.

9 Anhang

9.1 Wichtige Regeln zur Rechtschreibung und Zeichensetzung

■ Rechtschreibung

A Laut-Buchstaben-Zuordnung

Regel	Beispiele
• Schreibt man *ss* oder *ß*? Nach kurzem Vokal steht *ss*. Bei *dass* als Subjunktion steht *ss*. Nach langem Vokal steht *ß*. Nach Diphthongen *(ei, eu, au, äu)* steht *ß*.	Fluss, müssen, muss, Masse, Stress dass Fußball, Grüße, Maß, groß Fleiß, Strauß
• **Fremdwörter** können „im Original" oder eingedeutscht geschrieben werden.	Spaghetti **oder** Spagetti Joghurt **oder** Jogurt Delphin **oder** Delfin
• Treffen bei **Wortzusammensetzungen** drei gleiche Buchstaben aufeinander, kann man sie zusammen oder (bei Nomen) mit Bindestrich schreiben.	Schifffahrt **oder** Schiff-Fahrt Bestellliste **oder** Bestell-Liste Geschirrreiniger **oder** Geschirr-Reiniger

B Groß- und Kleinschreibung

Regel	Beispiele
• **Nomen** schreibt man **groß**. **Alle anderen Wortarten** schreibt man, außer am Satzanfang, **klein**.	das Haus, die Sonne, der Baum Ich tue das alles nur für dich.
• **Als Nomen gebrauchte Wörter** schreibt man **groß**.	das Essen, der Dicke und der Dünne, das Grün der Wiese
• **Nomen in Verbindung mit Verben** schreibt man **groß**. → Verschiedene **Nomen in Verbindung mit** *sein*, *bleiben* und *werden* schreibt man **klein**.	Ich habe Angst. Ich fahre gerne Auto. Franz spielt Fußball. Die Firma **ist** pleite. Ich **bin** schuld.
• Als **Nomen gebrauchte Ordnungszahlen** und **Tageszeiten** nach *gestern, heute, morgen* schreibt man **groß**.	Wir treffen uns am vierten Zweiten (= Februar). Wer ist der Erste? morgen Abend, übermorgen Nachmittag
• **Adjektive** wie *italienisch, deutsch* usw. schreibt man **klein**. → Wenn sie **als Sprachbezeichnung gebraucht** werden, schreibt man sie **groß**.	Ich esse gern italienisch. Paul arbeitet bei einer deutschen Firma. Ich spreche Italienisch. Der Vortrag ist auf Deutsch.
• Die **Höflichkeitsanrede** *(Sie/Ihnen/Ihr)* schreibt man **groß**. → Die informelle Anrede *(du/ihr/dein/euer)* schreibt man **klein**, nur in Briefen kann man sie **groß** schreiben.	Soll ich Sie abholen? Wie geht es Ihnen? Soll ich dich abholen? Wie geht es dir? Im Brief: Soll ich dich/Dich abholen? Wie geht es dir/Dir? Wie geht es deinem/Deinem Mann?
• In **festen Wendungen** aus **Präposition** und **dekliniertem Adjektiv** kann man das Adjektiv **groß** <u>oder</u> **klein schreiben**.	bei Weitem – bei weitem ohne Weiteres – ohne weiteres von Neuem – von neuem

C Getrennt- und Zusammenschreibung

Regel	Beispiele
• **Verbindungen aus Nomen und Verb** schreibt man **getrennt.***	Auto fahren, eine Diät machen, Schlange stehen, Ski laufen
→ Diese Verbindungen werden zusammengeschrieben.	eislaufen, leidtun, teilnehmen, schlussfolgern
• **Verbindungen aus Verb** (Infinitiv oder Partizip) **und Verb** schreibt man getrennt.*	spazieren gehen, kochen lernen, ein Wort getrennt schreiben, etwas geschenkt bekommen
→ **Verbindungen** mit *bleiben* und *lassen*, die **mehrere Bedeutungen** haben, können bei **übertragener Bedeutung zusammengeschrieben** werden.	stehen lassen – stehenlassen (sich abwenden) sitzen bleiben – sitzenbleiben (in der Schule eine Klasse wiederholen)
• **Verbindungen aus Adjektiv und Verb** schreibt man **getrennt.***	etwas ernst nehmen, gut gehen, etwas klein schneiden
• **Verbindungen aus Adverb und Adjektiv/Adverb** schreibt man getrennt.	allgemein verständlich, wie oft, wie viel
• **Verbindungen mit** *sein* schreibt man **getrennt.**	zusammen sein, dabei sein
• **Verbindungen mit** *irgend-* schreibt man **zusammen.**	irgendjemand, irgendetwas

* In verschiedenen Fällen kann man getrennt oder zusammenschreiben.

■ Zeichensetzung

A Komma

Regel	Beispiele
• **Hauptsatz und Nebensatz** werden durch **Komma** getrennt.	Ich komme nicht, weil ich krank bin. Ich weiß, dass du keine Zeit hast. Peter fragte, wie sie heißt. Ist das der Mann, den du magst?
• **Hauptsatz und Hauptsatz** werden durch **Komma** getrennt.	Er spielte Tennis, sie lernte Deutsch. Ich fahre im September nach Italien, denn dort ist es noch warm. Ich möchte eine Prüfung machen, deshalb lerne ich fleißig.
→ Wenn **zwei Hauptsätze** mit *und* oder *oder* verbunden sind, steht **kein Komma.** Zur Gliederung in **komplizierten Sätzen** kann man ein **Komma** setzen.	Er spielte Tennis und sie lernte Deutsch. Kommst du mit oder bleibst du hier?
• **Nebensatz und Nebensatz** werden durch **Komma** getrennt.	Paul weiß, dass ich komme, obwohl ich krank bin.
• **Infinitivgruppen** können durch **Komma** abgetrennt werden, wenn es der Gliederung des Satzes dient.	Ich habe heute keine Lust(,) zu lernen. Sie nahm sich vor(,) ihre Hausaufgaben zu machen.
→ Man muss ein **Komma** setzen, wenn die **Infinitivgruppe** mit *statt/anstatt, ohne, um* oder *außer/als* eingeleitet wird.	Sie sah fern, **statt/anstatt** zu lernen. Er ging, **ohne** zu grüßen. Er fuhr nach Spanien, **um** sich zu erholen. Sie konnte nichts tun, **als/außer** die Polizei zu informieren.
→ Man muss ein **Komma** setzen, wenn die **Infinitivgruppe** mit einem **hinweisenden Wort** angekündigt wird.	Ich bitte Sie **darum**, die Rechnung sofort zu bezahlen.
• **Partizipialsätze** kann man durch **Komma** trennen.	Vergeblich auf ihren Freund wartend(,) saß die junge Frau auf einer Bank im Park.
• **Erklärungen wie Appositionen** werden in **Kommas** eingeschlossen.	Die Zugspitze, der höchste Berg Deutschlands, ist 2 962 Meter hoch.
• **Außerdem steht ein Komma** bei **Aufzählungen**, aber nicht vor *und/oder.* Ein **Komma** steht bei der **Anrede im Brief.** Ein **Komma** steht bei der **Datumsangabe.**	Sie brauchen Ihren Pass, ein Visum und Ihren Impfausweis. Liebe Frau Müller, … Leipzig, den 18.9.2012

B Bindestrich

Regel	Beispiele
• Ein Bindestrich steht bei **Wortkombinationen mit Einzelbuchstaben**. Er steht auch bei **Wortkombinationen mit Abkürzungen**. Und er steht bei **Wortkombinationen mit Zahlen**. → **Aber:** Bei **Suffixen** steht **kein** Bindestrich. → Mit Bindestrich können **Wortzusammensetzungen** geschrieben werden, wenn drei gleiche Buchstaben aufeinandertreffen.	E-Mail, T-Shirt VIP-Bereich, Lkw-Fahrer 50-prozentig, 18-Jährige die 68er Schiff-Fahrt Kaffee-Ersatz

C Doppelpunkt

Regel	Beispiele
• Ein **Doppelpunkt** steht vor der **direkten Rede**. Ein **Doppelpunkt** steht vor **Zitaten**. Ein **Doppelpunkt** steht vor **Resultaten, Folgerungen, Erklärungen**. → **Achtung:** Wenn ein selbstständiger Satz folgt, wird nach dem Doppelpunkt großgeschrieben.	Der Minister sagte: „Wir suchen nach einer Lösung." Hier bestätigt sich wieder die alte Weisheit: Man soll den Tag nicht vor dem Abend loben. Das Resultat der Untersuchung war: Die Hälfte der Pflanzen ging ein.

9.2 Übersicht: Unregelmäßige Verben

A Modalverben

Infinitiv	3. Person Singular Präsens	3. Person Singular Präteritum	3. Person Singular Perfekt*
dürfen	er darf	er durfte	er hat gedurft
können	er kann	er konnte	er hat gekonnt
mögen	er mag	er mochte	er hat gemocht
müssen	er muss	er musste	er hat gemusst
sollen	er soll	er sollte	er hat gesollt
wollen	er will	er wollte	er hat gewollt

* Diese Form wird nur gebraucht, wenn das Modalverb als Vollverb auftritt. Zusammen mit einem anderen Verb wird die Perfektform mit *haben* und doppeltem Infinitiv gebildet: Er hat nicht kommen können.

B Hilfsverben *haben, sein* und *werden*

Infinitiv	3. Person Singular Präsens	3. Person Singular Präteritum	3. Person Singular Perfekt
haben	er hat	er hatte	er hat gehabt
sein	er ist	er war	er ist gewesen
werden	er wird	er wurde	er ist geworden

C Wichtige unregelmäßige Verben und Verben aus dem Buch

Infinitiv	3. Person Singular Präsens	3. Person Singular Präteritum	3. Person Singular Perfekt
backen *(einen Kuchen)*	er backt/bäckt	er backte/buk	er hat gebacken
befehlen *(dem Soldaten Gehorsam)*	er befiehlt	er befahl	er hat befohlen
beginnen *(mit der Vorbereitung)*	er beginnt	er begann	er hat begonnen
(der Hund) beißen verbeißen *(sich in eine Aufgabe)*	er beißt er verbeißt sich	er biss er verbiss sich	er hat gebissen er hat sich verbissen
betrügen *(jemanden)*	er betrügt	er betrog	er hat betrogen
(die Krise) bewegen* *(die Politiker zum Handeln)*	sie bewegt	sie bewog	sie hat bewogen
biegen *(einen Stab)* einbiegen *(in eine Straße)* verbiegen *(ein Stück Metall)*	er biegt er biegt ein er verbiegt	er bog er bog ein er verbog	er hat gebogen er ist eingebogen er hat verbogen
bieten *(guten Service)* anbieten *(ein Produkt)* verbieten *(jemandem das Rauchen)*	er bietet er bietet an er verbietet	er bot er bot an er verbot	er hat geboten er hat angeboten er hat verboten
binden *(ein Buch/eine Schleife)* unterbinden *(ein Gesprächsthema)* verbinden *(jemanden am Telefon/etwas)*	er bindet er unterbindet er verbindet	er band er unterband er verband	er hat gebunden er hat unterbunden er hat verbunden
bitten *(jemanden um Hilfe)*	er bittet	er bat	er hat gebeten
(der Wind) blasen	er bläst	er blies	er hat geblasen

Infinitiv	3. Person Singular Präsens	3. Person Singular Präteritum	3. Person Singular Perfekt
bleiben	er bleibt	er blieb	er ist geblieben
braten *(das Fleisch)*	er brät	er briet	er hat gebraten
(das Glas) brechen	es bricht	es brach	es ist gebrochen
abbrechen *(ein Gespräch)*	er bricht ab	er brach ab	er hat abgebrochen
aufbrechen *(eine Kiste/mitten in der Nacht)*	er bricht auf	er brach auf	er hat/ist aufgebrochen
einbrechen *(in ein Museum)*	er bricht ein	er brach ein	er ist eingebrochen
unterbrechen *(jemanden/eine Diskussion)*	er unterbricht	er unterbrach	er hat unterbrochen
(die Liebe) zerbrechen	sie zerbricht	sie zerbrach	sie ist zerbrochen
(das Holz) brennen/*(etwas auf eine CD)*	es brennt	es brannte	es hat gebrannt
(die Scheune) abbrennen	sie brennt ab	sie brannte ab	sie ist abgebrannt
bringen *(jemandem ein Glas Wasser)*	er bringt	er brachte	er hat gebracht
anbringen *(einen Schalter an der Wand)*	er bringt an	er brachte an	er hat angebracht
beibringen *(jemandem das Lesen)*	er bringt bei	er brachte bei	er hat beigebracht
(das Geschäft) einbringen *(Geld)*	es bringt ein	es brachte ein	es hat eingebracht
mitbringen *(jemandem ein Brötchen)*	er bringt mit	er brachte mit	er hat mitgebracht
denken *(an die Arbeit)*	er denkt	er dachte	er hat gedacht
ausdenken *(sich eine Ausrede)*	er denkt sich aus	er dachte sich aus	er hat sich ausgedacht
nachdenken *(über ein Problem)*	er denkt nach	er dachte nach	er hat nachgedacht
überdenken *(eine Entscheidung)*	er überdenkt	er überdachte	er hat überdacht
empfangen *(jemanden)*	er empfängt	er empfing	er hat empfangen
empfehlen *(jemandem ein Restaurant)*	er empfiehlt	er empfahl	er hat empfohlen
empfinden *(große Trauer)*	er empfindet	er empfand	er hat empfunden
entscheiden *(sich für etwas/jemanden)*	er entscheidet sich	er entschied sich	er hat sich entschieden
(das Feuer) erlöschen	es erlischt	es erlosch	es ist erloschen
erschrecken*	er erschrickt	er erschrak	er ist erschrocken
erwägen *(Maßnahmen)*	er erwägt	er erwog	er hat erwogen
essen *(ein Schnitzel)*	er isst	er aß	er hat gegessen
fahren	er fährt	er fuhr	er ist gefahren
abfahren	er fährt ab	er fuhr ab	er ist abgefahren
erfahren *(eine Neuigkeit/Leid)*	er erfährt	er erfuhr	er hat erfahren
(der Dollar) fallen	er fällt	er fiel	er ist gefallen
(der Strom) ausfallen	er fällt aus	er fiel aus	er ist ausgefallen
(die Tasche) gefallen *(jemandem)*	sie gefällt mir	sie gefiel mir	sie hat mir gefallen
durchfallen *(bei einer Prüfung)*	er fällt durch	er fiel durch	er ist durchgefallen
fangen *(einen Fisch)*	er fängt	er fing	er hat gefangen
anfangen *(mit dem Studium)*	er fängt an	er fing an	er hat angefangen
finden	er findet	er fand	er hat gefunden
erfinden *(ein Gerät)*	er erfindet	er erfand	er hat erfunden
befinden *(sich an einem Ort)*	er befindet sich	er befand sich	er hat sich befunden
(eine Veranstaltung) stattfinden	sie findet statt	sie fand statt	sie hat stattgefunden
fliegen	er fliegt	er flog	er ist geflogen
(der Dieb) fliehen	er flieht	er floh	er ist geflohen
(das Wasser) fließen	es fließt	es floss	es ist geflossen
(der Hund) fressen	er frisst	er fraß	er hat gefressen
frieren	er friert	er fror	er hat gefroren

Infinitiv	3. Person Singular Präsens	3. Person Singular Präteritum	3. Person Singular Perfekt
gebären	sie gebiert/gebärt	sie gebar	sie hat geboren
geben (jemandem einen Brief)	er gibt	er gab	er hat gegeben
abgeben (ein Dokument)	er gibt ab	er gab ab	er hat abgegeben
angeben (mit dem neuen Handy)	er gibt an	er gab an	er hat angegeben
aufgeben (ein Vorhaben)	er gibt auf	er gab auf	er hat aufgegeben
eingeben (ein Passwort)	er gibt ein	er gab ein	er hat eingegeben
(die Untersuchung) ergeben	sie ergibt	sie ergab	sie hat ergeben
herausgeben (ein Buch)	er gibt heraus	er gab heraus	er hat herausgegeben
hingeben (sich jemandem/der Musik)	er gibt sich hin	er gab sich hin	er hat sich hingegeben
nachgeben (jemandem/dem Druck)	er gibt nach	er gab nach	er hat nachgegeben
wiedergeben (einen Text)	er gibt wieder	er gab wieder	er hat wiedergegeben
(die Pflanze) gedeihen	sie gedeiht	sie gedieh	sie ist gediehen
gehen	er geht	er ging	er ist gegangen
ausgehen (am Abend)	er geht aus	er ging aus	er ist ausgegangen
begehen (ein Verbrechen)	er begeht	er beging	er hat begangen
nachgehen (einer Beschäftigung)	er geht nach	er ging nach	er ist nachgegangen
umgehen (mit einem Schicksalsschlag)	er geht um	er ging um	er ist umgegangen
(die Zeit) vergehen	sie vergeht	sie verging	sie ist vergangen
(das Experiment) gelingen (jemandem)	es gelingt	es gelang	es ist gelungen
gelten (als giftig)	er gilt	er galt	er hat gegolten
genießen (das Wochenende)	er genießt	er genoss	er hat genossen
geraten (in eine schwierige Situation)	er gerät	er geriet	er ist geraten
(etwas Schreckliches) geschehen	es geschieht	es geschah	es ist geschehen
gewinnen (eine Medaille)	er gewinnt	er gewann	er hat gewonnen
gießen (die Blumen)	er gießt	er goss	er hat gegossen
gleichen (jemandem/einem anderen Produkt)	er gleicht	er glich	er hat geglichen
ausgleichen (den Kontostand)	er gleicht aus	er glich aus	er hat ausgeglichen
(etwas) vergleichen (mit etwas)	er vergleicht	er verglich	er hat verglichen
(der Vogel) gleiten (am Himmel)	er gleitet	er glitt	er ist geglitten
graben (ein Loch)	er gräbt	er grub	er hat gegraben
greifen (das Glas/nach dem Glas)	er greift	er griff	er hat gegriffen
angreifen (eine Person/ein Land)	er greift an	er griff an	er hat angegriffen
ergreifen (eine Chance/das Wort)	er ergreift	er ergriff	er hat ergriffen
halten (ein Glas/jemanden für einen Experten)	er hält	er hielt	er hat gehalten
(das Produkt) enthalten (Giftstoffe)	es enthält	es enthielt	es hat enthalten
erhalten (eine E-Mail)	er erhält	er erhielt	er hat erhalten
unterhalten (sich mit jemandem über Fußball)	er unterhält sich	er unterhielt sich	er hat sich unterhalten
(das Handtuch) hängen* (im Bad)	es hängt	es hing	es hat gehangen
(etwas) abhängen (vom Wetter)	es hängt ab	es hing ab	es hat abgehangen
heben (eine Last)	er hebt	er hob	er hat gehoben
abheben (Geld vom Bankkonto)	er hebt ab	er hob ab	er hat abgehoben
aufheben (ein Andenken/etwas vom Boden/ Sanktionen)	er hebt auf	er hob auf	er hat aufgehoben
beheben (einen Fehler)	er behebt	er behob	er hat behoben
(die Bank) erheben (Gebühren)	sie erhebt	sie erhob	sie hat erhoben
heißen	er heißt	er hieß	er hat geheißen

Infinitiv	3. Person Singular Präsens	3. Person Singular Präteritum	3. Person Singular Perfekt
helfen *(einem Freund)*	er hilft	er half	er hat geholfen
weiterhelfen *(jemandem am Telefon)*	er hilft weiter	er half weiter	er hat weitergeholfen
kennen *(den neuen Direktor)*	er kennt	er kannte	er hat gekannt
erkennen *(jemanden von Weitem/einen Fehler)*	er erkennt	er erkannte	er hat erkannt
anerkennen *(eine Leistung/jemanden)*	er erkennt an	er erkannte an	er hat anerkannt
(das Angebot) klingen *(gut)*	es klingt	es klang	es hat geklungen
kommen	er kommt	er kam	er ist gekommen
ankommen *(um 15.00 Uhr)*	er kommt an	er kam an	er ist angekommen
bekommen *(ein Geschenk)*	er bekommt	er bekam	er hat bekommen
zurückkommen *(von einer Reise)*	er kommt zurück	er kam zurück	er ist zurückgekommen
(die Schlange) kriechen	sie kriecht	sie kroch	sie ist gekrochen
laden *(das Gewehr)*	er lädt	er lud	er hat geladen
aufladen *(eine Batterie)*	er lädt auf	er lud auf	er hat aufgeladen
einladen *(jemanden zu einem Fest)*	er lädt ein	er lud ein	er hat eingeladen
herunterladen *(etwas am Computer)*	er lädt herunter	er lud herunter	er hat heruntergeladen
lassen	er lässt	er ließ	er hat gelassen
hinterlassen *(eine Nachricht)*	er hinterlässt	er hinterließ	er hat hinterlassen
(das Interesse) nachlassen	es lässt nach	es ließ nach	es hat nachgelassen
überlassen *(jemandem das Büro)*	er überlässt	er überließ	er hat überlassen
verlassen *(etwas/jemanden/sich auf jemanden)*	er verlässt	er verließ	er hat verlassen
zulassen *(jemanden zu einer Prüfung)*	er lässt zu	er ließ zu	er hat zugelassen
laufen	er läuft	er lief	er ist gelaufen
(die Strecke) verlaufen *(von … bis/nach)*	sie verläuft	sie verlief	sie ist verlaufen
verlaufen *(sich im Wald)*	er verläuft sich	er verlief sich	er hat sich verlaufen
leiden *(an einer Krankheit/unter dem Lärm)*	er leidet	er litt	er hat gelitten
erleiden *(eine Niederlage)*	er erleidet	er erlitt	er hat erlitten
leihen *(jemandem eine CD)*	er leiht	er lieh	er hat geliehen
verleihen *(Fahrräder/einen Preis)*	er verleiht	er verlieh	er hat verliehen
lesen *(ein Buch)*	er liest	er las	er hat gelesen
durchlesen *(sich einen Artikel)*	er liest sich durch	er las sich durch	er hat sich durchgelesen
nachlesen *(etwas in einem Fachbuch)*	er liest nach	er las nach	er hat nachgelesen
vorlesen *(eine Geschichte)*	er liest vor	er las vor	er hat vorgelesen
liegen *(im Bett)*	er liegt	er lag	er hat gelegen
lügen	er lügt	er log	er hat gelogen
meiden *(Menschenmengen, jemanden)*	er meidet	er mied	er hat gemieden
vermeiden *(Fehler)*	er vermeidet	er vermied	er hat vermieden
messen *(die Temperatur)*	er misst	er maß	er hat gemessen
nehmen *(ein Bier)*	er nimmt	er nahm	er hat genommen
abnehmen	er nimmt ab	er nahm ab	er hat abgenommen
einnehmen *(Tabletten)*	er nimmt ein	er nahm ein	er hat eingenommen
entnehmen *(Geld aus der Kasse)*	er entnimmt	er entnahm	er hat entnommen
teilnehmen *(an einer Veranstaltung)*	er nimmt teil	er nahm teil	er hat teilgenommen
übernehmen *(Verantwortung/ein Projekt)*	er übernimmt	er übernahm	er hat übernommen
unternehmen *(etwas/Anstrengungen)*	er unternimmt	er unternahm	er hat unternommen
vornehmen *(sich etwas)*	er nimmt sich vor	er nahm sich vor	er hat sich vorgenommen
wahrnehmen *(jemanden/einen Termin)*	er nimmt wahr	er nahm wahr	er hat wahrgenommen
(der Sturm) zunehmen	er nimmt zu	er nahm zu	er hat zugenommen
nennen *(jemanden einen Idioten)*	er nennt	er nannte	er hat genannt

Infinitiv	3. Person Singular Präsens	3. Person Singular Präteritum	3. Person Singular Perfekt
pfeifen *(ein Lied)*	er pfeift	er pfiff	er hat gepfiffen
raten *(jemandem, gesund zu leben)*	er rät	er riet	er hat geraten
abraten *(jemandem von einer Reise)*	er rät ab	er riet ab	er hat abgeraten
beraten *(einen Kunden)*	er berät	er beriet	er hat beraten
verraten *(ein Geheimnis)*	er verrät	er verriet	er hat verraten
reiben *(Möhren)*	er reibt	er rieb	er hat gerieben
einreiben *(den Fuß mit einer Salbe)*	er reibt ein	er rieb ein	er hat eingerieben
(der Strick) reißen	er reißt	er riss	er ist gerissen
herunterreißen *(Vorhänge)*	er reißt herunter	er riss herunter	er hat heruntergerissen
zerreißen *(ein Stück Papier)*	er zerreißt	er zerriss	er hat zerrissen
reiten	er reitet	er ritt	er ist geritten
rennen	er rennt	er rannte	er ist gerannt
riechen *(das Meer/nach dem Meer)*	er riecht	er roch	er hat gerochen
ringen *(um eine Lösung)*	er ringt	er rang	er hat gerungen
rufen *(jemanden)*	er ruft	er rief	er hat gerufen
abrufen *(E-Mails)*	er ruft ab	er rief ab	er hat abgerufen
anrufen *(jemanden)*	er ruft an	er rief an	er hat angerufen
widerrufen *(ein Geständnis)*	er widerruft	er widerrief	er hat widerrufen
(das Pferd) saufen	es säuft	es soff	es hat gesoffen
schaffen* *(ein Kunstwerk)*	er schafft	er schuf	er hat geschaffen
(die Sonne) scheinen	sie scheint	sie schien	sie hat geschienen
(das Buch) erscheinen	es erscheint	es erschien	es ist erschienen
schieben *(ein kaputtes Fahrrad)*	er schiebt	er schob	er hat geschoben
verschieben *(einen Termin)*	er verschiebt	er verschob	er hat verschoben
schießen *(ein Tor)*	er schießt	er schoss	er hat geschossen
schlafen	er schläft	er schlief	er hat geschlafen
einschlafen	er schläft ein	er schlief ein	er ist eingeschlafen
schlagen *(jemanden)*	er schlägt	er schlug	er hat geschlagen
niederschlagen *(sich auf eine Leistung/ in einem Ergebnis)*	es schlägt sich nieder	es schlug sich nieder	es hat sich niederge-schlagen
vorschlagen *(ein Projekt)*	er schlägt vor	er schlug vor	er hat vorgeschlagen
(ein Dieb) schleichen *(um das Haus)*	er schleicht	er schlich	er ist geschlichen
schleifen* *(einen Diamanten)*	er schleift	er schliff	er hat geschliffen
schließen *(eine Tür/Freundschaft)*	er schließt	er schloss	er hat geschlossen
abschließen *(eine Tür/ein Studium)*	er schließt ab	er schloss ab	er hat abgeschlossen
schmeißen *(Steine)*	er schmeißt	er schmiss	er hat geschmissen
(das Eis) schmelzen	es schmilzt	es schmolz	es ist geschmolzen
schneiden *(das Gemüse)*	er schneidet	er schnitt	er hat geschnitten
ausschneiden *(ein Foto)*	er schneidet aus	er schnitt aus	er hat ausgeschnitten
schreiben *(einen Brief)*	er schreibt	er schrieb	er hat geschrieben
beschreiben *(ein Bild)*	er beschreibt	er beschrieb	er hat beschrieben
mitschreiben *(in einer Vorlesung)*	er schreibt mit	er schrieb mit	er hat mitgeschrieben
unterschreiben *(einen Vertrag)*	er unterschreibt	er unterschrieb	er hat unterschrieben
(das Baby) schreien	es schreit	es schrie	es hat geschrien

Infinitiv	3. Person Singular Präsens	3. Person Singular Präteritum	3. Person Singular Perfekt
schweigen	er schweigt	er schwieg	er hat geschwiegen
verschweigen *(jemandem einen Fehler)*	er verschweigt	er verschwieg	er hat verschwiegen
(der Fuß) schwellen	er schwillt	er schwoll	er ist geschwollen
schwimmen	er schwimmt	er schwamm	er ist geschwommen
schwören *(ewige Treue)*	er schwört	er schwor	er hat geschworen
sehen *(einen Film)*	er sieht	er sah	er hat gesehen
ansehen *(jemanden/jemandem die Freude)*	er sieht an	er sah an	er hat angesehen
aussehen *(gut/schlecht)*	er sieht aus	er sah aus	er hat ausgesehen
fernsehen	er sieht fern	er sah fern	er hat ferngesehen
umsehen *(sich nach einer Arbeit)*	er sieht sich um	er sah sich um	er hat sich umgesehen
zusehen *(jemandem beim Kochen)*	er sieht zu	er sah zu	er hat zugesehen
senden* *(eine E-Mail)*	er sendet	er sandte	er hat gesandt
versenden *(einen Brief)*	er versendet	er versandte	er hat versandt
zusenden *(jemandem ein Dokument)*	er sendet zu	er sandte zu	er hat zugesandt
singen *(ein Lied)*	er singt	er sang	er hat gesungen
(das Interesse) sinken	es sinkt	es sank	es ist gesunken
sitzen *(auf dem Sofa)*	er sitzt	er saß	er hat gesessen
besitzen *(ein Haus)*	er besitzt	er besaß	er hat besessen
sprechen *(eine Fremdsprache)*	er spricht	er sprach	er hat gesprochen
besprechen *(einen Plan)*	er bespricht	er besprach	er hat besprochen
(das Haus) entsprechen *(meinen Vorstellungen)*	es entspricht	es entsprach	es hat entsprochen
versprechen *(jemandem ein Geschenk)*	er verspricht	er versprach	er hat versprochen
widersprechen *(jemandem)*	er widerspricht	er widersprach	er hat widersprochen
springen *(über ein Hindernis)*	er springt	er sprang	er ist gesprungen
(die Mücke) stechen	sie sticht	sie stach	sie hat gestochen
bestechen *(einen Beamten mit Geld)*	er besticht	er bestach	er hat bestochen
stehen *(im Tor)*	er steht	er stand	er hat gestanden
aufstehen	er steht auf	er stand auf	er ist aufgestanden
beistehen *(jemandem in einer schweren Lage)*	er steht bei	er stand bei	er hat beigestanden
bestehen *(eine Prüfung/aus zwei Teilen)*	er besteht	er bestand	er hat bestanden
gestehen *(den Diebstahl)*	er gesteht	er gestand	er hat gestanden
verstehen *(jemanden/etwas)*	er versteht	er verstand	er hat verstanden
stehlen *(ein Gemälde)*	er stiehlt	er stahl	er hat gestohlen
steigen *(auf einen Berg)*	er steigt	er stieg	er ist gestiegen
(der Meeresspiegel) ansteigen	er steigt an	er stieg an	er ist angestiegen
aussteigen *(aus einem Auto)*	er steigt aus	er stieg aus	er ist ausgestiegen
einsteigen *(in einen Zug)*	er steigt ein	er stieg ein	er ist eingestiegen
umsteigen	er steigt um	er stieg um	er ist umgestiegen
sterben *(an einer Krankheit)*	er stirbt	er starb	er ist gestorben
(der Müll) stinken	er stinkt	er stank	er hat gestunken
stoßen *(jemanden/auf Widerstand)*	er stößt	er stieß	er hat/ist gestoßen
verstoßen *(gegen Regeln)*	er verstößt	er verstieß	er hat verstoßen
streichen *(eine Wand/Urlaubstage)*	er streicht	er strich	er hat gestrichen
streiten *(sich mit dem Chef)*	er streitet sich	er stritt sich	er hat sich gestritten

Infinitiv	3. Person Singular Präsens	3. Person Singular Präteritum	3. Person Singular Perfekt
tragen *(moderne Kleidung)*	er trägt	er trug	er hat getragen
(die Lieferzeit) betragen	sie beträgt	sie betrug	sie hat betragen
übertragen *(etwas live/eine Krankheit)*	er überträgt	er übertrug	er hat übertragen
treffen *(eine Entscheidung/sich mit Freunden)*	er trifft	er traf	er hat getroffen
treiben *(Sport)*	er treibt	er trieb	er hat getrieben
treten *(vor die Presse/jemanden/etwas)*	er tritt	er trat	er ist/hat getreten
antreten *(eine Reise)*	er tritt an	er trat an	er hat angetreten
auftreten *(auf einer Bühne)*	er tritt auf	er trat auf	er ist aufgetreten
betreten *(ein Gebäude)*	er betritt	er betrat	er hat betreten
eintreten *(in eine Partei/eine Tür)*	er tritt ein	er trat ein	er ist/hat eingetreten
vertreten *(seine Meinung/jemanden vor Gericht)*	er vertritt	er vertrat	er hat vertreten
zurücktreten *(von einem Amt)*	er tritt zurück	er trat zurück	er ist zurückgetreten
trinken *(eine Tasse Kaffee)*	er trinkt	er trank	er hat getrunken
tun *(nichts)*	er tut	er tat	er hat getan
abtun *(einen Vorschlag als sinnlos)*	er tut ab	er tat ab	er hat abgetan
verderben *(jemandem den Spaß)*	er verdirbt	er verdarb	er hat verdorben
vergessen *(einen Termin/jemanden)*	er vergisst	er vergaß	er hat vergessen
verlieren *(den Autoschlüssel)*	er verliert	er verlor	er hat verloren
verschwinden *(im Dunkeln)*	er verschwindet	er verschwand	er ist verschwunden
verzeihen *(jemandem einen Fehler)*	er verzeiht	er verzieh	er hat verziehen
(der Baum) wachsen	er wächst	er wuchs	er ist gewachsen
aufwachsen *(in einer Stadt)*	er wächst auf	er wuchs auf	er ist aufgewachsen
waschen *(sich/die Sachen)*	er wäscht	er wusch	er hat gewaschen
(der Gegner) weichen	er weicht	er wich	er ist gewichen
abweichen *(von der Norm)*	er weicht ab	er wich ab	er ist abgewichen
ausweichen *(einem Auto/einer Frage)*	er weicht aus	er wich aus	er ist ausgewichen
weisen *(jemandem den Weg)*	er weist	er wies	er hat gewiesen
beweisen *(eine Theorie)*	er beweist	er bewies	er hat bewiesen
erweisen *(sich als Irrtum)*	es erweist sich	es erwies sich	es hat sich erwiesen
nachweisen *(jemandem eine Tat)*	er weist nach	er wies nach	er hat nachgewiesen
verweisen *(auf einen Urheber)*	er verweist	er verwies	er hat verwiesen
werben *(für ein Produkt)*	er wirbt	er warb	er hat geworben
bewerben *(sich um ein Stipendium)*	er bewirbt sich	er bewarb sich	er hat sich beworben
erwerben *(Kenntnisse)*	er erwirbt	er erwarb	er hat erworben
werfen *(einen Gegenstand)*	er wirft	er warf	er hat geworfen
wiegen* *(80 kg)*	er wiegt	er wog	er hat gewogen
wissen	er weiß	er wusste	er hat gewusst
ziehen *(an einem Strick)*	er zieht	er zog	er hat gezogen
anziehen *(sich)*	er zieht sich an	er zog sich an	er hat sich angezogen
beziehen *(eine Wohnung/das Sofa/sich auf das Angebot)*	er bezieht	er bezog	er hat bezogen
umziehen *(sich)*	er zieht sich um	er zog sich um	er hat sich umgezogen
umziehen *(in eine andere Stadt)*	er zieht um	er zog um	er ist umgezogen
zurückziehen *(einen Antrag/sich aufs Land)*	er zieht zurück	er zog zurück	er hat zurückgezogen
zwingen *(jemanden zum Lernen)*	er zwingt	er zwang	er hat gezwungen

*Verben mit unregelmäßigen und regelmäßigen Vergangenheitsformen

bewegen
unregelmäßige Konjugation im Sinne von *Grund/Motiv*
Die Situation bewog ihn zum Umdenken. Die Situation hat ihn zum Umdenken bewogen.

regelmäßige Konjugation im Sinne von *Gefühl* oder *Bewegung*
Er bewegte sich langsam vorwärts. Er hat sich langsam vorwärts bewegt.

erschrecken
unregelmäßige Konjugation als intransitives Verb (ohne Akkusativergänzung)
Er erschrak. Er ist erschrocken.

regelmäßige Konjugation als transitives Verb (mit Akkusativergänzung)
Er erschreckte sich. Er hat sich erschreckt.

hängen
unregelmäßige Konjugation als intransitives Verb (ohne Akkusativergänzung)
Der Mantel hing an der Garderobe. Der Mantel hat an der Garderobe gehangen.

regelmäßige Konjugation als transitives Verb (mit Akkusativergänzung)
Paul hängte den Mantel an die Garderobe. Paul hat den Mantel an die Garderobe gehängt.

schaffen
unregelmäßige Konjugation im Sinne von *etwas künstlerisch herstellen*
Er schuf das Kunstwerk. Er hat das Kunstwerk geschaffen.

regelmäßige Konjugation im Sinne von *etwas bewältigen/beenden*
Er schaffte die Aufgabe problemlos. Er hat die Aufgabe problemlos geschafft.

schleifen
unregelmäßige Konjugation im Sinne von *etwas bearbeiten*
Er schliff den Diamanten. Er hat den Diamanten geschliffen.

regelmäßige Konjugation im Sinne von *etwas über den Boden ziehen/den Boden berühren*
Er schleifte die Kiste hinter sich her. Er hat die Kiste hinter sich hergeschleift.

senden
unregelmäßige Konjugation im Sinne von *schicken*
Er sandte den Brief. Er hat den Brief gesandt.

regelmäßige Konjugation im Sinne von *Rundfunk-/TV-Übertragung*
Der Rundfunk sendete ein Sonderkonzert. Der Rundfunk hat ein Sonderkonzert gesendet.

wenden
unregelmäßige Konjugation im Sinne von *sich Rat holen*
Er wandte sich an einen Experten. Er hat sich an einen Experten gewandt.

regelmäßige Konjugation im Sinne von *umdrehen*
Er wendete das Steak auf dem Grill. Er hat das Steak auf dem Grill gewendet.

wiegen
unregelmäßige Konjugation im Sinne von *Gewicht feststellen*
Er wog 80 kg. Er hat 80 kg gewogen.

regelmäßige Konjugation im Sinne von *schaukeln*
Die Mutter wiegte das Kind in ihren Armen. Die Mutter hat das Kind in ihren Armen gewiegt.

9.3 Übersicht: Verben mit direktem Kasus

Einige Verben mit dem Akkusativ

▸ Sehr viele deutsche Verben bilden Sätze mit einer Akkusativergänzung.
▸ Verben mit den untrennbaren Präfixen *be-*, *ver-* und *zer-* werden fast immer mit dem Akkusativ gebraucht.

Infinitiv	Ergänzung	Beispielsatz
abholen	AKK, *von* + DAT (oft)	Peter holt die Gäste vom Bahnhof ab.
absagen	AKK (oft)	Ich muss den Termin leider absagen.
anrufen	AKK	Ich rufe dich morgen an.
beantworten	AKK	Frau Müller beantwortet die E-Mail sofort.
bearbeiten	AKK	Ich kann das Dokument nicht bearbeiten.
bedienen	AKK	Nur Spezialisten können die Maschine bedienen.
beeinflussen	AKK	Die steigende Nachfrage beeinflusst die Preise.
bekämpfen	AKK	Mittags bekämpfen wir unsere eigene Müdigkeit.
benutzen	AKK	Bitte benutzen Sie nur die Toiletten in der ersten Etage.
besuchen	AKK	Paul besucht seine Freunde in Paris.
bezahlen	AKK	Wir bezahlen die Rechnung in zwei Wochen.
empfangen	AKK	Der Direktor empfängt heute Gäste.
entwickeln	AKK	Unsere Fachleute haben ein neues Programm entwickelt.
erhalten	AKK	Wir haben die Ware noch nicht erhalten.
erwarten	AKK	Wir erwarten die Lieferung morgen.
finden	AKK	Wie findest du meine neue Wohnung?
genießen	AKK	Genießen Sie Ihr Wochenende!
gründen	AKK	Wir gründen eine Firma.
hören	AKK	Hörst du die Vögel?
kennenlernen	AKK	Wann haben Sie den berühmten Maler kennengelernt?
kopieren	AKK	Frau Müller hat die Dokumente kopiert.
lesen	AKK	Martina liest einen Krimi.
lieben	AKK	Mäuse lieben Süßspeisen.
lösen	AKK	Ich kann das Problem nicht lösen.
mögen	AKK	Ich mag den neuen Kollegen nicht.
planen	AKK	Wir planen ein neues Projekt.
präsentieren	AKK	Joachim präsentiert heute die Arbeitsergebnisse.
respektieren	AKK	Wir müssen unseren Biorhythmus respektieren.
sehen	AKK	Siehst du das blaue Auto dort?
speichern	AKK	Hast du die Dokumente gespeichert?
stehlen	AKK	Die Einbrecher haben ein Bild von Picasso gestohlen.
suchen	AKK	Ich suche meine Uhr.
tragen	AKK	Der Mann trug einen schwarzen Hut.
unterstützen	AKK	Graf Schattenbach hat Mozart finanziell unterstützt.
verarbeiten	AKK	Die Maschine verarbeitet die Daten.
vereinbaren	AKK	Der Chef vereinbart einen neuen Termin.
vergessen	AKK	Hast du den Termin vergessen?
vorbereiten	AKK	Herr Klein bereitet eine Präsentation vor.
zerreißen	AKK	Der Schüler zerreißt das Zeugnis.
zerstören	AKK	Der Sturm zerstörte viele Häuser.

Einige Verben mit dem Dativ

Infinitiv	Ergänzung	Beispielsatz
antworten	DAT (oft)	Wann hast du ihm geantwortet?
ausweichen	DAT	Wir konnten dem Lkw gerade noch ausweichen.
befehlen	DAT, Inf. mit *zu*	Der Kommandeur befahl den Soldaten, sich zurückzuziehen.
begegnen	DAT	Ich bin heute im Supermarkt meinem alten Mathelehrer begegnet.
beistehen	DAT	Niemand stand mir in dieser schwierigen Lage bei.
beitreten	DAT	Die Ministerin ist schon mit 16 Jahren der Partei beigetreten.
danken	DAT, *für* + AKK (oft)	Ich danke dir für das Geschenk.
entsprechen	DAT	Das Haus entspricht absolut nicht unseren Vorstellungen.
fehlen	DAT	Du fehlst mir so sehr!
folgen	DAT	Die Polizei folgte dem Dieb.
gefallen	DAT	Die Wohnung gefällt mir.
gehorchen	DAT	Katzen gehorchen ihren Besitzern nicht.
gehören	DAT	Die Sonnenbrille gehört mir.
gelingen	DAT, Inf. mit *zu* (oft)	Es ist dem Experten bisher nicht gelungen, seine Theorie zu beweisen.
genügen	DAT	Reichtum allein genügt ihm nicht.
glauben	DAT	Warum glaubst du mir nicht?
gratulieren	DAT, *zu* + DAT	Ich gratuliere dir zu deiner Beförderung!
helfen	DAT, *bei* + DAT (oft)	Kannst du mir bei den Hausaufgaben helfen?
misstrauen	DAT	Wegen fehlerhaften Rechnungen misstraute der Chef seinem Sekretär.
nähern *(sich)*	DAT	Die Ermittler nähern sich langsam der Wahrheit.
nützen	DAT	Wem nützen diese Maßnahmen eigentlich?
passieren	DAT	Mir ist etwas Schreckliches passiert!
raten	DAT, Inf. mit *zu*	Ich rate dir dringend, damit aufzuhören.
schaden	DAT	Die Kampagne in der Presse schadet unserem Ruf.
schmecken	DAT	Wie schmeckt dir das Essen?
vertrauen	DAT	Die Mandantin vertraute ihrem Anwalt nicht mehr.
verzeihen	DAT, AKK (oft)	Ich verzeihe dir deinen Fehler noch einmal.
widersprechen	DAT	Immer widersprichst du mir!
zuhören	DAT	Hörst du mir mal zu?
zulächeln	DAT	Wenn mir jemand zulächelt, lächle ich zurück.
zusehen	DAT, *bei* + DAT	Man darf dem Künstler beim Malen zusehen.
zustimmen	DAT	Die Abgeordneten stimmten der Gesetzesvorlage zu.
zuvorkommen	DAT	Wir müssen der Konkurrenz zuvorkommen.

Einige Verben mit Akkusativ und Dativ

▸ Bei Ergänzungen im Dativ und Akkusativ steht meist die Person im Dativ, die Sache im Akkusativ.

Infinitiv	Ergänzung	Beispielsatz
anvertrauen	DAT, AKK	Soll ich dir ein Geheimnis anvertrauen?
ausdenken	DAT, AKK	Das hast du dir ja schön ausgedacht!
beantworten	DAT (oft), AKK	Können Sie mir meine Fragen beantworten?
bieten anbieten	DAT (oft), AKK DAT (oft), AKK	Wir bieten unseren Kunden vollen Komfort. Darf ich Ihnen noch einen Kaffee anbieten?
bringen mitbringen	DAT, AKK DAT, AKK	Bitte bringen Sie mir noch eine Tasse Tee. Bringst du mir ein Brötchen mit?

Infinitiv	Ergänzung	Beispielsatz
empfehlen	DAT, AKK	Wir empfehlen unseren Besuchern das Restaurant „Lecker".
erklären	DAT, AKK	Otto erklärt den Kollegen das neue Computerprogramm.
erzählen	DAT, AKK	Mein Opa erzählte mir manchmal Geschichten von früher.
geben zurückgeben	DAT, AKK DAT, AKK	Gibst du mir mal den Bleistift? Wann gibst du mir die CD zurück?
gewähren	DAT, AKK	Wir gewähren Ihnen einen Rabatt.
holen	DAT, AKK	Holst du mir noch ein Glas Wasser?
kaufen	DAT (oft), AKK	Hast du dir schon wieder neue Schuhe gekauft?
leihen	DAT, AKK	Ich leihe dir kein Geld mehr.
leisten *(sich etwas)*	DAT, AKK	Diese Wohnung kann ich mir leider nicht leisten.
merken	DAT, AKK	Merkst du dir die Telefonnummer?
mitteilen	DAT, AKK	Bitte teilen Sie mir den Liefertermin sobald wie möglich mit.
schenken	DAT, AKK, *zu* + DAT (oft)	Ich habe meiner Frau zum Geburtstag einen Fotoapparat geschenkt.
schicken	DAT, AKK	Wir schicken Ihnen das neue Handy mit der Post.
schreiben	DAT (oft), AKK	Ich schreibe dir eine Postkarte.
senden	DAT, AKK	Ich sende Ihnen heute die Preisliste.
überlassen	DAT, AKK	Herr Müller überließ ihr während der Urlaubszeit sein Büro.
verbieten	DAT, AKK/Inf. mit *zu*	Der Arzt verbot dem Sportler die Teilnahme am Wettkampf.
versprechen	DAT, AKK	Er versprach ihr ewige Liebe.
verweigern	DAT, AKK	Der Grenzbeamte verweigerte ihm die Einreise.
vorstellen	DAT, AKK	Ich habe mir den Urlaub ganz anders vorgestellt.
waschen	DAT, AKK	Kannst du mir meine Hosen waschen?
wünschen	DAT, AKK, *zu* + DAT (oft)	Ich wünsche dir alles Gute zum Geburtstag.
zeigen	DAT, AKK	Können Sie mir die Rechnung zeigen?

Verben mit zwei Akkusativen

▸ Es gibt nur ganz wenige Verben, die zwei Akkusativergänzungen haben können.

Infinitiv	Ergänzung	Beispielsatz
lehren	AKK, AKK	Sein Vater lehrte ihn das Klavierspielen.
nennen	AKK, AKK	Er nannte den Journalisten einen Schmierfinken.
kosten	AKK, AKK (oft)	Der Umbau des Hauses kostet den Eigentümer ein Vermögen.
schimpfen	AKK, AKK	Die Fans schimpften den Schiedsrichter eine Niete.

Verben mit Akkusativ und Genitiv

▸ Ergänzungen im Akkusativ und Genitiv stehen oft bei Verben, die mit kriminellen Delikten und ihrer strafrechtlichen Verfolgung zu tun haben.

Infinitiv	Ergänzung	Beispielsatz
anklagen	AKK, GEN	Die Staatsanwaltschaft klagte den Verdächtigen des Diebstahls an.
bezichtigen	AKK, GEN	Er bezichtigte den Politiker der Lüge.
überführen	AKK, GEN	Die Polizei überführte den Mann des Mordes.
verdächtigen	AKK, GEN	Der Direktor verdächtigte den Buchhalter der Untreue.

9.4   Übersicht: Verben mit präpositionalem Kasus

Wichtige Verben mit präpositionalem Kasus in alphabetischer Reihenfolge

Infinitiv	Ergänzung		Beispielsatz
abhängen	von	+ DAT	Alles hängt vom Wetter ab.
achten	auf	+ AKK	Achten Sie besonders auf die Großschreibung.
anfangen	mit	+ DAT	Wann fangt ihr mit dem Projekt an?
sich ängstigen Angst haben	vor	+ DAT	Wer ängstigt sich (hat Angst) vor Spinnen?
sich anpassen	an	+ AKK	Wir müssen uns an die neuen Bedingungen anpassen.
anrufen	bei	+ DAT	Ruf doch mal beim Servicezentrum an.
antworten	auf	+ AKK	Auf diese Fragen antworte ich nicht.
arbeiten	bei als an	+ DAT + NOM + DAT	Frau Müller arbeitet bei Siemens als Sekretärin. Kerstin arbeitet an einem Gymnasium.
sich ärgern	über	+ AKK	Frau Müller ärgert sich über ihren Chef.
aufhören	mit	+ DAT	Hör auf mit dem Quatsch!
aufpassen	auf	+ AKK	Wer passt heute auf die Kinder auf?
sich aufregen	über	+ AKK	Regst du dich schon wieder über die Benzinpreise auf?
sich auseinandersetzen	mit	+ DAT	Man muss sich mit seinen Ängsten auseinandersetzen.
ausgeben	für	+ AKK	Er gibt sehr viel Geld für Computerspiele aus.
ausgehen	von	+ DAT	Die neue Theorie geht von einem anderen Ansatz aus.
befördern	zu	+ DAT	Eduard ist zum Direktor befördert worden.
beginnen	mit	+ DAT	Wann beginnt ihr mit der Arbeit?
sich bedanken	bei für	+ DAT + AKK	Martin bedankt sich bei seinem Chef. Der Projektleiter bedankt sich für die gute Zusammenarbeit.
sich beklagen	bei über	+ DAT + AKK	Einige Mitarbeiter beklagten sich bei der Gewerkschaft über die Arbeitsbedingungen.
sich bemühen	um	+ AKK	Wir bemühen uns um eine Verbesserung der Kommunikation.
berichten	über von	+ AKK + DAT	Der Politiker berichtet über das Ergebnis der Verhandlungen. Oskar berichtet von seiner Chinareise.
sich beschäftigen	mit	+ DAT	Erwin beschäftigt sich gerade mit der Abrechnung.
sich beschränken	auf	+ AKK	Meine Arbeit beschränkt sich auf einen Aspekt des Themas.
beschreiben	als	+ AKK	Die Störungen werden als ungewöhnliche Reaktionen beschrieben.
sich beschweren	bei über	+ DAT + AKK	Der Gast beschwert sich bei dem Manager über das Hotelzimmer.
bestehen	aus auf in	+ DAT + DAT + DAT	Der Film besteht nur aus Actionszenen. *(oft ohne Artikel)* Wir bestehen auf der Einhaltung der Sicherheitsregeln. Das Problem besteht in der Zusammensetzung der Materialien.
sich bewerben	um	+ AKK	Robert bewirbt sich um ein Stipendium.
bezeichnen	als	+ AKK	Er bezeichnete mich als Experten.
bitten	um	+ AKK	Ich bitte dich um einen kleinen Gefallen.
danken	für	+ AKK	Ich danke dir für die Blumen.
denken	an	+ AKK	Frau Müller denkt auch nachts an ihre Arbeit.
diskutieren	mit über	+ DAT + AKK	Der Direktor diskutiert mit den Mitarbeitern über die Arbeitsergebnisse.
sich eignen	für zu	+ AKK/ + DAT	Die bisherigen Untersuchungsmethoden eignen sich nicht für den/zum Nachweis des neuen Krankheitserregers.

Infinitiv	Ergänzung		Beispielsatz
sich einigen	auf	+ AKK	Die Gewerkschaft hat sich mit dem Arbeitgeber auf einen Kompromiss geeinigt.
	mit	+ DAT	
einladen	zu	+ DAT	Gustav hat die Kollegen zu seiner Hochzeit eingeladen.
sich entscheiden	für	+ AKK	Wir entscheiden uns für die kleine Wohnung.
sich entschließen	zu	+ DAT	Wir haben uns dazu entschlossen, das Haus komplett umzubauen.
sich entschuldigen	bei	+ DAT	Ich möchte mich bei dir für den Fehler entschuldigen.
	für	+ AKK	
sich erholen	von	+ DAT	Wie erholen Sie sich am besten vom Alltagsstress?
sich erinnern	an	+ AKK	Erinnern Sie sich an Ihre Schulzeit?
erkennen	an	+ DAT	Sie erkannte den Täter an seiner Stimme.
erklären	mit	+ DAT	Diese Entwicklung kann man nicht nur mit dem Fall des Dollars erklären.
sich erkundigen	bei	+ DAT	Erkundigen Sie sich bitte bei der Lufthansa nach günstigen Flugverbindungen.
	nach	+ DAT	
sich ernähren	von	+ DAT	Das Tier ernährt sich ausschließlich von Pflanzen.
fragen	nach	+ DAT	Der Chef fragt die Kollegen nach dem Stand der Dinge.
sich freuen	über	+ AKK	Ich freue mich über die Blumen und auf das Wochenende.
	auf	+ AKK	
führen	zu	+ DAT	Die Bauarbeiten führen zu kilometerlangen Staus.
sich fürchten	vor	+ DAT	Ich fürchte mich vor der Dunkelheit.
gehören	zu	+ DAT	Kaffee kochen gehört nicht zu meinen Aufgaben.
es geht	um	+ AKK	Es geht um das neue Projekt.
gelten	als	+ NOM	Er gilt als Experte.
geraten	in	+ AKK	Er ist in eine schwierige Situation geraten.
sich gewöhnen	an	+ AKK	An diese Kälte werde ich mich nie gewöhnen.
gliedern	in	+ AKK	Der Artikel ist in verschiedene Abschnitte gegliedert.
gratulieren	zu	+ DAT	Ich gratuliere dir zum Geburtstag.
halten	von	+ DAT	Was hältst du von unserem neuen Kollegen?
es handelt sich	um	+ AKK	Es handelt sich um unser neues Produkt.
hoffen	auf	+ AKK	Die Veranstalter hoffen auf gutes Wetter.
sich interessieren	für	+ AKK	Interessierst du dich für Computerspiele?
sich irren	in	+ DAT	Frau Müller hat sich im Datum geirrt.
kämpfen	für	+ AKK	Der neue Präsident kämpft für den Frieden und gegen die Korruption.
	gegen	+ AKK	
sich konzentrieren	auf	+ AKK	Ich konzentriere mich nur auf meinen nächsten Wettkampf.
sich kümmern	um	+ AKK	Die Organisation kümmert sich um Menschen in Not.
lachen	über	+ AKK	Über diesen alten Witz lacht niemand mehr.
leiden	an	+ DAT	Der Künstler litt an einer schweren Krankheit.
	unter	+ DAT	Wir wohnen an einer Kreuzung und leiden unter dem Lärm.
es liegt	an	+ DAT	Es liegt nicht an mir!
nachdenken	über	+ AKK	Über diesen Vorschlag muss ich erst mal nachdenken.
sich orientieren	an	+ DAT	Wir orientieren uns an den Qualitätsstandards.
reagieren	auf	+ AKK	Mäuse reagieren auf den Geruch von Käse.
rechnen	mit	+ DAT	Wir rechnen mit deiner Hilfe.
reden	mit	+ DAT	Er redet gern mit den Ausstellungsbesuchern über moderne Kunst.
	über	+ AKK	

Infinitiv	Ergänzung		Beispielsatz
riechen	*nach*	+ DAT	Der Joghurt riecht nach Erdbeeren.
schmecken	*nach*	+ DAT	Der Joghurt schmeckt auch nach Erdbeeren.
schreiben	*an*	+ DAT	Die Autorin schreibt bereits an der Fortsetzung ihres Erfolgsromans.
(sich) schützen	*vor*	+ DAT	Die Creme schützt vor Sonnenbrand.
sehen	*als*	+ AKK, Inf. mit *zu*	Ich sehe das als gute Gelegenheit, mich weiterzubilden.
sich sehnen	*nach*	+ DAT	Sie sehnt sich nach den Bergen.
senken	*um* *auf*	+ AKK + AKK	Wir müssen unsere Ausgaben um 20 Prozent auf 300 000 Euro senken.
sinken	*um* *auf*	+ AKK + AKK	Unsere Einnahmen sanken um zehn Prozent auf einen Tiefpunkt.
sorgen sich sorgen sich Sorgen machen	*für* *um* *um* *über*	+ AKK + AKK + AKK + AKK	Paul sorgt für seine Mutter. Er sorgt sich um seine Zukunft. Ich mache mir große Sorgen um dich. Über die finanzielle Situation der Firma mache ich mir keine Sorgen.
sprechen	*mit* *über* *von*	+ DAT + AKK + DAT	Ich spreche morgen mit meinem Arzt. Die Kinder sprechen über ihre Probleme. Sie spricht nur noch von ihrem neuen Freund.
stammen	*aus*	+ DAT	Das älteste Buch stammt aus China.
(an)steigen	*um* *auf*	+ AKK + AKK	Die Zahl der Arbeitslosen stieg um zwei Prozent auf vier Millionen.
sterben	*an*	+ AKK	Anfang des 19. Jahrhunderts starb jeder Vierte an Tuberkulose.
sich streiten	*mit* *über*	+ DAT + AKK	Otto streitet sich mit seinem Kollegen über den richtigen Lösungsweg.
staunen	*über*	+ AKK	Selbst die Ärzte staunten über seine schnelle Genesung.
teilnehmen	*an*	+ DAT	Wer nimmt an der Besprechung teil?
telefonieren	*mit*	+ DAT	Ich telefoniere gerade mit meiner Mutter.
träumen	*von*	+ DAT	Paul träumt von schönen Frauen.
zu tun haben	*mit*	+ DAT	Mit dem Projekt haben wir nichts zu tun.
sich umstellen sich einstellen	*auf* *auf*	+ AKK + AKK	Der Körper muss sich auf die Hitze umstellen/einstellen.
sich unterhalten	*mit* *über*	+ DAT + AKK	Ich unterhalte mich mit Christine über die Arbeit.
verfügen	*über*	+ AKK	Das Hotel verfügt über einen Swimmingpool.
verbinden	*mit*	+ DAT	Verbinden Sie mich bitte mit der Marketingabteilung.
sich verlassen	*auf*	+ AKK	Ich verlasse mich auf dich.
sich verlieben	*in*	+ AKK	Marie hat sich in ihren Friseur verliebt.
verstehen	*unter*	+ DAT	Was verstehen Sie unter diesem Begriff?
verstoßen	*gegen*	+ AKK	Das verstößt gegen die Regeln.
verzichten	*auf*	+ AKK	Die Mitarbeiter verzichteten auf eine Lohnerhöhung.
sich vorbereiten	*auf*	+ AKK	Der Schwimmer bereitet sich auf den Wettkampf gut vor.
warnen	*vor*	+ DAT	Vor diesem Mann kann ich dich nur warnen!
warten	*auf*	+ AKK	Ich warte am Ausgang auf euch.
sich wundern	*über*	+ AKK	Wunderst du dich gar nicht über das Ergebnis?
zurückführen	*auf*	+ AKK	Man kann sein Verhalten auf wenig Selbstbewusstsein zurückführen.
zweifeln	*an*	+ DAT	Er zweifelte keine Sekunde an seiner Entscheidung.

9.5 Übersicht: Adjektive mit präpositionalem Kasus

Einige Adjektive mit präpositionalem Kasus in alphabetischer Reihenfolge

Infinitiv	Ergänzung		Beispielsatz
abhängig sein	von	+ DAT	Wir sind von den Aufträgen der Firma abhängig.
adressiert sein	an	+ AKK	Das Paket ist nicht an Sie adressiert.
anerkannt sein	als	+ NOM	Er ist als Experte überall anerkannt.
aufgeschlossen sein	gegenüber	+ DAT	Der Kollege ist auch Kritik gegenüber aufgeschlossen.
befreundet sein	mit	+ DAT	Tante Ina ist mit dem Oberarzt befreundet.
begeistert sein	von	+ DAT	Der Chef war von unseren Vorschlägen begeistert.
bekannt sein	als	+ NOM	Der Autor ist als Kämpfer für den Frieden überall bekannt.
	bei	+ DAT	Brunos Lieder sind bei Jung und Alt bekannt.
	für	+ AKK	Der Millionär ist für seine Großzügigkeit bekannt.
(un)beliebt sein	bei	+ DAT	Bruno ist bei seinen Fans sehr beliebt.
beschäftigt sein	mit	+ DAT	Frau Müller ist immer noch mit der Seminarvorbereitung beschäftigt.
besorgt sein	um	+ AKK	Der Arzt ist um seinen Patienten besorgt.
beteiligt sein	an	+ DAT	Die Firma ist an dem Projekt finanziell beteiligt.
blass sein	vor	+ DAT	Sie war ganz blass vor Angst.
böse sein	auf	+ AKK	Bist du noch böse auf mich?
charakteristisch sein	für	+ AKK	Die besondere Farb- und Raumgestaltung sind für den Architekten charakteristisch.
dankbar sein	für	+ AKK	Die Polizei ist für jeden Hinweis dankbar.
eifersüchtig sein	auf	+ AKK	Bist du etwa eifersüchtig auf Georg?
entfernt sein	von	+ DAT	Wir sind von einer Lösung des Problems noch weit entfernt.
entscheidend sein	für	+ AKK	Das frühe Tor war entscheidend für den Spielverlauf.
einverstanden sein	mit	+ DAT	Der Abteilungsleiter ist mit dem Vorschlag einverstanden.
enttäuscht sein	von	+ DAT	Die Zuschauer waren von dem Film enttäuscht.
erstaunt sein	über	+ AKK	Ich bin über seine Reaktion sehr erstaunt.
fähig sein	zu	+ DAT	Wer ist zu so einer Tat fähig?
fertig sein	mit	+ DAT	Wann bist du mit dem Protokoll fertig?
(un)freundlich sein	zu	+ DAT	Das Hotelpersonal ist zu den Gästen sehr freundlich.
froh sein	über	+ AKK	Die Parteifreunde waren über den Ausgang der Wahl froh.
(un)geeignet sein	für	+ AKK	Der Bewerber ist für die Stelle ungeeignet.
gespannt sein	auf	+ AKK	Wir sind auf das Ergebnis sehr gespannt.
gewöhnt sein	an	+ AKK	Ich bin an diese Hitze nicht gewöhnt.
(un)glücklich sein	über	+ AKK	Susanne war über die Absage der Firma sehr unglücklich.
gut sein	zu	+ DAT	Er war immer gut zu mir.
	in	+ AKK	In diesem Fach war Friedrich noch nie gut.
immun sein	gegen	+ AKK	Er ist jetzt gegen die Krankheit immun.
interessiert sein	an	+ DAT	Die Konkurrenz ist an unseren Arbeitsergebnissen interessiert.
misstrauisch sein	gegenüber	+ DAT	Gegenüber Fremden sind die Dorfbewohner misstrauisch.

Infinitiv	Ergänzung		Beispielsatz
müde sein	*von*	+ DAT	Ich bin vom langen Zuhören müde.
nett sein	*zu*	+ DAT	Du solltest zu dem Praktikanten etwas netter sein.
neugierig sein	*auf*	+ AKK	Auf die Resultate der Auslosung bin ich richtig neugierig.
nützlich sein	*für*	+ AKK	Benno übernimmt nur Projekte, die für seine Karriere nützlich sind.
reich sein	*an*	+ DAT	Das Land ist reich an Bodenschätzen.
(un)schädlich sein	*für*	+ AKK	Autoabgase sind schädlich für die Umwelt.
schuld sein	*an*	+ DAT	An dem Unfall ist der Busfahrer schuld.
stolz sein	*auf*	+ AKK	Die Eltern sind auf die Leistungen des Kindes stolz.
traurig sein	*über*	+ AKK	Über deinen Weggang sind wir alle sehr traurig.
überzeugt sein	*von*	+ DAT	Der Vorstand ist von der Richtigkeit der Maßnahmen überzeugt.
verantwortlich sein	*für*	+ AKK	Wer war für die Katastrophe verantwortlich?
verärgert sein	*über*	+ AKK	Die Organisatoren waren über die Absage des Künstlers verärgert.
verliebt sein	*in*	+ AKK	Bist du in deinen Deutschlehrer verliebt?
verrückt sein	*nach*	+ DAT	Sie ist verrückt nach Schokolade.
verwandt sein	*mit*	+ DAT	Sind Sie mit dem berühmten Schauspieler verwandt?
verwundert sein	*über*	+ AKK	Über diese Einschätzung sind wir sehr verwundert.
wichtig sein	*für*	+ AKK	Das Diplom ist für meine Bewerbung sehr wichtig.
wütend sein	*auf* *über*	+ AKK + AKK	Sie ist auf ihren Ex-Mann und über die Entscheidung des Gerichts noch immer wütend.
(un)zufrieden sein	*mit*	+ DAT	Mit meinem Gehalt bin ich sehr zufrieden.
zuständig sein	*für*	+ AKK	Otto ist für die Produktwerbung zuständig.
zurückhaltend sein	*gegenüber*	+ DAT	Gegenüber neuen Kollegen ist Frau Müller meist zurückhaltend.

Grammatik

9.6 Übersicht: Nomen-Verb-Verbindungen

Einige wichtige Nomen-Verb-Verbindungen

einfaches Verb	Nomen-Verb-Verbindung	Beispielsatz
abgelehnt werden	auf Ablehnung stoßen	Die Vorschläge stießen auf Ablehnung.
abhängen *(von etwas)*	sich in Abhängigkeit befinden	Durch hohe Kredite befindet sich die Firma in finanzieller Abhängigkeit von der Bank.
absprechen *(etwas)*	eine Absprache treffen	Wir haben über den Zeitplan bereits eine Absprache getroffen.
anerkannt werden	Anerkennung finden	Die Publikation fand in der Fachwelt breite Anerkennung.
anfangen	den Anfang machen	Wer macht den Anfang?
anklagen *(jemanden)*	Anklage erheben	Die Staatsanwaltschaft erhebt nun Anklage gegen den Bankdirektor.
ansprechen *(ein Thema)*	zur Sprache bringen	Wir werden auch die geplante Verlängerung der Arbeitszeiten zur Sprache bringen.
sich anstrengen	Anstrengungen unternehmen	Um konkurrenzfähig zu bleiben, müssen wir noch größere Anstrengungen unternehmen.
anwenden *(etwas)*	zur Anwendung kommen	Das neue Verfahren kommt erst Ende des Jahres zur Anwendung.
aufregen *(jemanden)* sich aufregen	in Aufregung versetzen in Aufregung geraten	Die Pläne des Vorstandes versetzten die Mitarbeiter in helle Aufregung.
auswählen *(etwas/jemanden)*	eine Auswahl treffen	Die Personalabteilung trifft ihre Auswahl in der nächsten Woche.
ausgewählt werden können	zur Auswahl stehen	Es stehen mehrere geeignete Kandidaten zur Auswahl.
sich auswirken *(auf etwas)*	Auswirkungen haben auf	Die Ereignisse in Japan haben direkte Auswirkungen auf die europäische Wirtschaft.
bauen/gebaut werden	sich im Bau befinden	Die Autobahn befindet sich noch im Bau.
beachten *(etwas)*	Beachtung finden	Seine Forschungsergebnisse fanden weltweit Beachtung.
beanspruchen *(etwas)*	Anspruch haben/erheben auf	Die Mitarbeiter haben Anspruch auf Urlaubsgeld.
beantragen *(etwas)*	einen Antrag stellen	Für den Erhalt einer Aufenthaltserlaubnis müssen Sie einen Antrag stellen.
beauftragen *(jemanden)* beauftragt werden	einen Auftrag geben/erteilen einen Auftrag bekommen/ erhalten	Wir erteilen Ihnen den Auftrag zur Umgestaltung unserer Cafeteria.
beeindrucken *(jemanden)*	Eindruck machen auf/einen (guten) Eindruck hinterlassen	Der Kandidat hat auf uns einen guten Eindruck gemacht.
beeinflussen *(etwas/jemanden)*	Einfluss ausüben/nehmen auf	Wir können leider auf die Entscheidung der Kommission keinen Einfluss nehmen.
beeinflusst werden	unter dem Einfluss stehen	Er stand unter dem Einfluss von Medikamenten.
begleiten *(jemanden)*	Gesellschaft leisten	Soll ich dir Gesellschaft leisten?
beitragen *(etwas)*	einen Beitrag leisten zu	Dazu kann ich leider keinen Beitrag leisten.
sich bemühen *(um etwas)*	Bemühungen unternehmen	Zur Steigerung der Verkaufszahlen müssen wir größere Bemühungen unternehmen.
beobachtet werden	unter Beobachtung stehen	Der Verdächtige stand seit langem unter Beobachtung der Polizei.

einfaches Verb	Nomen-Verb-Verbindung	Beispielsatz
berechnen *(jemandem etwas)*	in Rechnung stellen	Den entstandenen Schaden stellen wir Ihnen in Rechnung.
bereitstellen *(etwas)* bereitstehen	zur Verfügung stellen zur Verfügung stehen	Können Sie mir die Unterlagen bis Montag zur Verfügung stellen?
berücksichtigen *(etwas)* berücksichtigt werden	Rücksicht nehmen auf Berücksichtigung finden	Wir nehmen keine Rücksicht auf unsere Nachbarn. Einige Bewerbungen fanden keine Berücksichtigung.
beschließen *(etwas)*	einen Beschluss fassen	Die Regierung fasste einen Beschluss über den Ausstieg aus der Kernenergie.
besprechen *(ein Thema)* besprochen werden	zur Sprache bringen zur Sprache kommen	Er wollte das Thema zur Sprache bringen, leider ist es aber nicht zur Sprache gekommen.
sich bewegen	in Bewegung geraten/ kommen	Die Finanzmärkte sind in Bewegung geraten.
beweisen *(etwas)*	unter Beweis stellen/einen Beweis erbringen/führen	Bei diesem Test müssen die Kandidaten ihre fachlichen Fähigkeiten unter Beweis stellen.
sich beziehen *(auf etwas)*	Bezug nehmen auf	Ich nehme Bezug auf Ihr Schreiben vom 25.1.
diskutieren *(ein Thema)* diskutiert werden	zur Diskussion stellen zur Diskussion stehen	Im Bundestag stehen heute die Vorschläge zur Gesundheitsreform zur Diskussion.
einsehen *(Akten)*	Einsicht nehmen in	Der Beschuldigte konnte keine Einsicht in die Akten nehmen.
empfangen *(jemanden)*	in Empfang nehmen	Frau Müller nimmt die Gäste in Empfang.
entgegenstehen *(jemandem/ etwas)*	im Gegensatz stehen zu	Das Verhalten einiger Mitglieder steht im Gegensatz zu unseren Richtlinien.
sich entschließen *(zu etwas)*	einen Entschluss fassen	Nach langer Überlegung fasste er den Entschluss, sein Studium abzubrechen.
erfüllt werden	in Erfüllung gehen	Ich hoffe, dass meine Wünsche in Erfüllung gehen.
erlauben *(jemandem etwas)*	eine Erlaubnis erteilen/geben	Mein Chef hat mir die Erlaubnis erteilt, zur Konferenz nach Rom zu fliegen.
erstaunen *(jemanden)*	in Erstaunen versetzen	Du versetzt mich immer wieder in Erstaunen.
erwägen *(etwas)*	in Erwägung ziehen	Ich werde Ihren Vorschlag in Erwägung ziehen.
folgen *(aus etwas)*	zur Folge haben	Die Umstrukturierung hat auch die Entlassung von Mitarbeitern zur Folge.
fordern *(etwas)*	eine Forderung stellen	Man darf nicht nur Forderungen stellen, man muss auch etwas leisten.
fragen *(etwas)*	eine Frage stellen	Möchte noch jemand zu diesem Thema eine Frage stellen?
gefährden *(jemanden/etwas)* gefährdet sein	in Gefahr bringen in Gefahr schweben/sein/sich in Gefahr befinden	Mit seiner riskanten Fahrweise brachte er andere in Gefahr. In einigen Ländern befinden sich Politiker der Opposition in Gefahr.
handeln	Maßnahmen treffen/ergreifen	So geht das nicht weiter! Die Regierung muss endlich Maßnahmen ergreifen!
helfen *(jemandem)*	Hilfe leisten	Die Organisation leistet vor allem in Katastrophengebieten Hilfe.
hinweisen *(jemanden auf etwas)*	einen Hinweis/Hinweise geben	Alle Bürger, die wichtige Hinweise geben können, sollten sich bei den zuständigen Behörden melden.

Infinitiv	Ergänzung	Beispielsatz
hoffen *(auf etwas)*	die Hoffnung haben/hegen sich Hoffnung machen	Ich habe die Hoffnung, dass wir die Krise bald überwinden.
informieren *(jemanden)*	in Kenntnis setzen	Bitte setzen Sie uns über eine Veränderung der Situation sofort in Kenntnis.
sich irren	sich im Irrtum befinden/ im Irrtum sein	Der Gutachter befand sich im Irrtum.
kritisieren *(jemanden/etwas)* kritisiert werden	Kritik üben an auf Kritik stoßen	Die Opposition übte an der Regierung heftige Kritik.
kontaktieren *(jemanden)* Kontakt haben	Kontakt aufnehmen mit/ sich in Verbindung setzen mit in Verbindung stehen	Bitte setzen Sie sich mit dem Kollegen Krause in München in Verbindung.
lösen *(ein Problem)*	eine Lösung finden	Wir haben bisher noch keine Lösung gefunden.
meinen	eine Meinung/eine Ansicht/einen Standpunkt vertreten der Meinung/der Ansicht sein	Ich vertrete die Meinung, dass wir auf dem richtigen Weg sind.
protokollieren	Protokoll führen/schreiben	Wer führt heute Protokoll?
raten *(jemandem etwas)*	einen Rat erteilen/geben	Kannst du mir vielleicht einen Rat geben?
reden wollen reden	das Wort ergreifen eine Rede halten	Der Politiker ergriff immer wieder das Wort. Die Ministerin hielt eine Rede über das Zusammenleben in Großstädten.
sprechen	ein Gespräch führen	Der Außenminister führte Gespräche mit seinem Amtskollegen.
unterstützt werden nicht unterstützen *(jemanden)*	Unterstützung genießen/ finden im Stich lassen	Die Hilfsaktion fand große Unterstützung bei der Bevölkerung. Er ist einfach abgehauen und hat uns im Stich gelassen.
sich verabschieden	Abschied nehmen	Mit einem Trauergottesdienst nahmen Angehörige und Freunde von den gefallenen Soldaten Abschied.
verbessern	Verbesserungen durchführen/ vornehmen	An dem Prototyp müssen wir noch Verbesserungen vornehmen.
verdächtigen *(jemanden)* verdächtigt werden	Verdacht hegen/schöpfen unter Verdacht stehen	Die Studenten hegten keinen Verdacht gegen ihren Mitbewohner.
vereinbaren *(etwas)*	eine Vereinbarung treffen	In den Gesprächen wurden Vereinbarungen über das weitere Vorgehen getroffen.
verstehen *(etwas)*	Verständnis haben/zeigen	Wir haben Verständnis für Ihre Situation.
versuchen	einen Versuch unternehmen	Ihr müsst noch einen Versuch unternehmen.
vorbereiten *(etwas)*	Vorbereitungen treffen	Frau Müller hat alle Vorbereitungen getroffen.
vorwerfen *(jemandem etwas)*	einen Vorwurf machen/ erheben	Der Journalist erhob in seinem Artikel schwere Vorwürfe gegen einige Sportfunktionäre.
wählen *(etwas)*	eine Wahl/Auswahl treffen	Der Vorstand trifft heute die Wahl des neuen Standortes.
widerstehen *(jemandem)*	Widerstand leisten	Mit den Massendemonstrationen leistet die Bevölkerung dem Diktator zum ersten Mal Widerstand.

9.7 Für Lehrer: Grammatik spielend festigen

Kommunikativer Grammatikunterricht mit Text- und Bildkärtchen

In diesem Abschnitt finden Sie einige Ideen und konkrete Beispiele zur Auflockerung der Grammatikvermittlung im Unterricht. Mit Text- und Bildkärtchen werden grammatische Strukturen spielerisch gefestigt. Gleichzeitig werden alle Fertigkeiten trainiert. Diese Methode schafft Sprechanlässe, regt zu kommunikativer Bewegung im Unterrichtsraum an und eignet sich für jede Sozialform des Unterrichts.

Sie können die Kärtchen direkt im Unterricht einsetzen, indem Sie die entsprechende Seite kopieren und zurechtschneiden. Falls es eine Rückseite gibt, kopieren Sie die Vorlage und kleben Sie zwei Kärtchen oder zwei Seiten zusammen.

Die abgedruckten Kärtchen und Aufgaben sind Anregungen und Muster. Entwerfen Sie außerdem Ihre eigenen Kärtchen oder lassen Sie die Kursteilnehmer (KT) individuelle erstellen. Ihrer Kreativität sind keine Grenzen gesetzt. Tipp: Fertigen Sie immer mehrere Kartensätze an, falls beispielsweise in Zweiergruppen gearbeitet wird und jede Gruppe einen Satz benötigt.

Weitere Beispiele zu Übungen für einen kommunikativen Grammatikunterricht finden Sie im Anhang der *A-Grammatik*.

■ Textkärtchen

Textkärtchen können beim Einüben zahlreicher Grammatikstrukturen (z. B. Artikel- und Adjektivdeklination, Vergangenheitsformen der Verben) sehr hilfreich sein.

Auf den Seiten 255–256 finden Sie ein Beispiel für Kärtchen zur Deklination des bestimmten Artikels. Auf der Vorderseite steht der Ausdruck ohne Artikel, aber mit Angabe des Kasus, und auf der Rückseite steht die Lösung, der vollständige Ausdruck (Nomen mit Artikel).
Tipp: Sie könnten hier zusätzlich vier Kärtchen für den Plural anfertigen. Außerdem könnten Sie auch Adjektive einbeziehen, verschiedene von ihnen mit Nomen auf Kärtchen schreiben, um die Adjektivdeklination zu üben usw.

Hier sind einige Ideen, wie Sie diese und ähnliche Kärtchen im Unterricht in verschiedenen Sozialformen einsetzen können:

1) *Klassenspaziergang*
Beispiel: Artikelendungen

Jeder KT bekommt eine bestimmte Anzahl Kärtchen zu maskulinen, femininen, neutralen Nomen oder Nomen im Plural.

Die KT wiederholen ein paar Minuten lang die Endungen auf den eigenen Kärtchen allein, danach laufen sie durch den Raum und suchen einen Partner mit anderen Kärtchen. Nun fragen sie sich gegenseitig ab, indem sie die Seite der Kärtchen zeigen, auf der das Nomen ohne Artikel steht.

Anschließend werden die Kärtchen getauscht. Nun spazieren sie wieder durch den Raum und suchen einen neuen Partner und befragen sich gegenseitig zu den Artikelendungen.

2) *Arbeit in Kleingruppen und im Plenum*
Beispiel: Artikelendungen

Die KT bilden Kleingruppen. Jede Gruppe bekommt einen vollständigen Kartensatz.

Die KT fragen sich untereinander zu den Formen ab.

Danach bildet Gruppe 1 im Plenum zu einer (frei gewählten oder von einer anderen Gruppe vorgegebenen) Endung einen vollständigen Satz. Wenn eine andere Gruppe im Satz einen Fehler entdeckt, ruft sie *Stopp!* und korrigiert den Satz. Die Gruppe, die den Fehler gemacht hat, wiederholt den korrigierten Satz und bildet einen neuen.

Variante: Die Gruppe, die korrigiert hat, kann ein Wort vorgeben, das Gruppe 1 im Satz benutzen muss. Dadurch wird die Aufgabe schwieriger und die Motivation zum aufmerksamen Zuhören höher.

Das Spiel geht so lange, bis alle Endungen behandelt wurden oder die KT es nicht mehr interessant finden.

3) *Arbeit im Plenum*
Beispiel: Artikelendungen

Die KT bilden zwei Großgruppen. Sie zeigen Gruppe 1 die Vorderseite des Kärtchens und bitten sie, den Ausdruck zu ergänzen. Für die richtige Lösung bekommt Gruppe 1 einen Punkt. Wenn sie falsch antwortet, darf Gruppe 2 korrigieren und so den Punkt erwerben. Das Spiel geht so lange, bis alle Endungen behandelt wurden, danach werden die Punkte zusammengezählt.

Endungen, bei denen die KT Schwierigkeiten hatten, werden im Plenum noch einmal wiederholt.

4) *Einzelarbeit und Arbeit im Plenum*
Beispiel: Relativsätze

Für dieses Spiel benötigen Sie Kärtchen mit allen Relativpronomen. Erstellen Sie die Kärtchen oder lassen Sie es Ihre KT tun. Machen Sie zwei bis drei Kartensätze.

Variante 1: Teilen Sie die Kärtchen so aus, dass jeder KT die gleiche Anzahl hat.

Schreiben Sie vier Satzanfänge für Maskulinum, Femininum, Neutrum und Plural an die Tafel, z. B.: *Ich mag Menschen, mit …/wegen …/über …/bei …/ohne …/… (keine Präposition)./Ich möchte ein Haus, in …/aus …/neben …/ vor … (keine Präposition)* usw.

Bitten Sie die KT, den ersten Satz zu beenden. Dabei können sie nur die Relativpronomen auf den eigenen Kärtchen benutzen.

Die KT bilden der Reihe nach Sätze. Ziel der Aufgabe ist es, alle zur Verfügung stehenden Pronomen mindestens einmal eingesetzt zu haben.

Nach der ersten Runde werden die Kärtchen an den linken Nachbarn weitergegeben. Das Spiel geht so lange, bis alle Sätze beendet wurden.

Variante 2: Die KT arbeiten in Kleingruppen und bekommen sieben bis acht Karten pro Gruppe. Schreiben Sie nun Satzanfänge ohne Nomen an die Tafel, z. B: *Ich spreche gern …/Ich träume oft …/Ich unterhalte mich nicht gern …* usw.

Bitten Sie die KT, innerhalb einer vorgegebenen Zeit Relativsätze zu den Satzanfängen zu schreiben. Jede Gruppe darf nur die Relativpronomen auf den eigenen Karten benutzen.

Die Sätze werden vorgelesen, für jeden richtigen Satz bekommt die Gruppe zwei Punkte. Für falsche Sätze wird ein Punkt abgezogen. Wenn eine andere Gruppe den Satz korrigieren kann, bekommt sie zwei Punkte. Gewonnen hat die Kleingruppe, die mit all ihren Relativpronomen mindestens je einen fehlerfreien Satz gebildet hat.

5) *Einzelarbeit und Arbeit im Plenum*
Beispiel: Vergangenheitsformen der Verben

Für dieses Spiel benötigen Sie 60–70 Kärtchen mit dem Infinitiv von Verben, die Sie üben lassen möchten. Erstellen Sie die Kärtchen.
Tipp: Sie könnten sie gemeinsam mit den KT beschriften und gestalten.

Teilen Sie die Kärtchen für ein Kartenspiel in der Gruppe so aus, dass jeder fünf Kärtchen bekommt und einige Kärtchen übrigbleiben.

Bitten Sie KT 1, das Verb auf seinem ersten Kärtchen vorzulesen und die Vergangenheitsformen (Perfekt und Präteritum) zu nennen. Wenn KT 1 eine richtige Antwort gibt, darf er sein Kärtchen ablegen. Wenn er falsch antwortet, behält er das Kärtchen und muss ein zusätzliches ziehen.

Das Spiel geht so lange, bis ein Spieler keine Kärtchen mehr hat.

Als weiterführende Übung können Sie die KT bitten, Wörter und Ausdrücke zu den Verben beim Klassenspaziergang zu sammeln, z. B. Gegenstände, die zur Tätigkeit gehören, oder Orte, wo die Tätigkeit ausgeführt werden kann. Auf diese Weise werden Artikel- und Adjektivendungen, lokale Präpositionen und andere ausgewählte grammatische Aspekte gleich mitgeübt und die KT korrigieren sich gegenseitig.

■ Bildkärtchen

Bildkärtchen können beim Wörterlernen, aber auch beim Einüben bestimmter Grammatikaspekte (z. B. Konjugation der Verben, Satzstellung) eingesetzt werden. In den Beispielen auf den Seiten 257 bis 261 finden Sie Bildkärtchen mit Text (ab Seite 257) oder ohne (Seite 261) zu Verben. Auf den Bildkärtchen mit Text ist auf der Vorderseite eine Zeichnung, die eine Tätigkeit zeigt, und auf der Rückseite steht das dazugehörige Verb im Infinitiv mit zusätzlich vier Formen.

Vorderseite

Rückseite

auf etw./jmdn. (A) warten	
Präsens:	sie wartet auf den Bus
Präteritum:	sie wartete auf den Bus
Perfekt:	sie hat auf den Bus gewartet
Imperativ:	Warte auf den Bus!

Vorderseite

Es gibt jeweils fünf Beispielkärtchen zu regelmäßigen Verben (Seite 257), zu unregelmäßigen Verben (Seite 258), zu Verben mit Präfix (Seite 259) und zu reflexiven Verben (Seite 260).

Bei den folgenden Aufgaben zu unterschiedlichen Übungsformen können Sie wählen, welche Kärtchen Sie verwenden. Auf den Kärtchen mit Text ist das Verb für die KT bereits vorgegeben, d. h., sie haben es hier leichter.

Tipp: Sie könnten gemeinsam mit den KT die Bildkärtchen beschriften oder Sie verwenden die Bildkärtchen mit Text ohne die Rückseite, d. h. nur die Zeichnung.

1) *Bilden Sie einen Satz.*
   Beispiel: Konjugation

   Jeder KT bekommt ein Kärtchen.

   Geben Sie eine Zeitform und Person vor und bitten Sie die KT, einen Satz mit dem jeweiligen Verb zu bilden. Die KT sagen der Reihe nach einen Satz.

   Nach der ersten Runde wird das Kärtchen an den linken Nachbarn weitergegeben.

   Geben Sie für die nächste Runde eine andere Zeitform (einen anderen Modus, eine andere Person) vor. Beenden Sie das Spiel nach einigen Runden.

2) *Bilden Sie den längsten Satz.*
   Beispiel: Präpositionen, Pronomen, Artikel- und Adjektivendungen, Wortstellung

   Variante 1: Die KT arbeiten in Kleingruppen, jede Gruppe bekommt zwei Kärtchen. Bitten Sie die KT, ein Kärtchen auszuwählen und zum Verb auf dem Kärtchen einen sehr langen Satz zu bilden. Die einzuübende Grammatikstruktur (z. B. Präpositionen, Adjektivdeklination) muss im Satz mindestens zweimal vorkommen.

   Die KT lesen den Satz im Plenum vor, eventuelle Fehler werden korrigiert. Die KT wiederholen den korrigierten Satz.

   Variante 2: KT 1 bildet einen kurzen Satz zu seinem Kärtchen. KT 2 ergänzt den Satz mit einem Wort/Ausdruck. KT 3 erweitert den Satz mit einem neuen Wort/Ausdruck. Hier gilt es wieder, die einzuübende Grammatikstruktur im Satz mindestens zweimal vorkommen zu lassen. Die Wortstellung im Satz wird automatisch mitgeübt.

   Beenden Sie das Spiel nach zwei bis drei Runden.

3) *Stellen Sie Fragen.*
   Beispiel: Verben mit präpositionalem Kasus, Pronominaladverbien

   Wählen Sie Kärtchen aus, auf denen Verben mit präpositionalem Kasus abgebildet sind. Legen Sie die Kärtchen auf einen frei stehenden Tisch. Alle KT stehen um den Tisch.

   Bitten Sie KT 1, ein Verb auszuwählen und dazu einen Satz zu bilden. Danach soll er seinem linken Nachbarn eine Frage stellen. Wenn beispielsweise auf dem Kärtchen die Zeichnung für *träumen* zu sehen ist, kann er Folgendes sagen: *Gestern habe ich von einem langen Urlaub auf einer einsamen Insel geträumt. Träumst du auch manchmal davon?* KT 2 gibt eine verneinende Antwort, indem er sagt: *Nein, davon träume ich nie. Ich träume aber oft von einem schönen Haus am Stadtrand.* usw. Dann bildet er einen Satz mit einem anderen Verb und stellt dem linken Nachbarn eine Frage wie im Beispiel. Das Spiel geht so lange, bis alle Kärtchen behandelt wurden und jeder KT an der Reihe war.

4) *Erzählen Sie eine Geschichte.*
Beispiel: Satzverbindungen, Wortstellung

Variante 1: Legen Sie einige Kärtchen auf einen Tisch. Die KT schreiben in Kleingruppen oder in Einzelarbeit eine Geschichte, in der möglichst viele abgebildete Tätigkeiten vorkommen. Die Geschichten werden im Plenum vorgelesen und evtl. weitergeschrieben.

Variante 2: Diese Variante eignet sich zur Arbeit im Plenum. Jeder KT bekommt drei Kärtchen und versucht, die abgebildeten Verben in die Geschichte, welche die Gruppe diesmal zusammen erfindet, einzubauen. Das Spiel geht so lange, bis alle Verben benutzt wurden und/oder die Geschichte rund ist.

■ Arbeit mit großen Bildern

Auch Poster, Plakate, vergrößerte Zeichnungen und Fotos kann man im Unterricht zum Einüben und Wiederholen von Grammatikstrukturen einsetzen. Auf Seite 262 finden Sie eine Zeichnung, die Sie für verschiedene Übungen und Spiele benutzen können.

Tipp: Sammeln Sie großformatige Bilder aus Zeitungen, Zeitschriften oder Wandkalendern. Wenn Sie die Zeichnung in diesem Buch benutzen, sollten Sie diese möglichst auf ein DIN A3-Blatt vergrößern.

1) *Was war zu sehen?*
Beispiel: Präpositionen

Zeigen Sie den KT 30 Sekunden lang ein Bild, dann decken Sie es ab.

Die KT versuchen gemeinsam, das Bild möglichst genau zu beschreiben (im Plenum).

2) *Was fehlt?*
Beispiel: Relativsätze

Für diese Übung müssen Sie das Bild nicht vergrößern. Decken Sie vor dem Kopieren einige Teile ab (Gegenstände, Menschen oder ganze Szenen). Kopieren Sie die Zeichnung.

Decken Sie jetzt andere Teile der Zeichnung ab und kopieren Sie diese noch einmal.

Teilen Sie die Kopien aus: KT 1 bekommt Bild 1 und KT 2 Bild 2.

Ohne einander das Bild zu zeigen, stellen sich die KT Fragen, um herauszufinden, was/wer auf ihrer Zeichnung fehlt. Beispielsweise kann KT 1 fragen: *Hast du auch einen Jungen auf deinem Bild, der einen großen Rucksack trägt?* KT 2 antwortet (möglichst in einem ganzen Satz): *Nein, der Junge, der einen großen Rucksack trägt, ist nicht auf meinem Bild.* Es können auch Ergänzungsfragen mit einem Relativpronomen gestellt werden, z. B.: *Wer steht neben dem Jungen, dessen Flasche leer ist?* Die KT könnten auch im Raum herumlaufen und die Fragen zur Vervollständigung der Zeichnung an andere KT stellen.

Die KT diskutieren so lange, bis beide Zeichnungen vollständig sind.

3) *Wer macht was?*
Beispiel: Konjugation, Partizipien

Die KT bilden Kleingruppen, jede Gruppe bekommt dasselbe Bild. Bitten Sie die Gruppen, die Namen für alle abgebildeten Tätigkeiten zu notieren. (Die KT können die Verben auf die Zeichnung oder auf ein größeres Blatt, z. B. ein Blatt vom Flipchart, das unter die Zeichnung gelegt wird, schreiben).

Die Verben werden im Plenum vorgestellt. Nennen Sie anschließend eine Zeitform, in der die KT Sätze zur Zeichnung bilden sollen.

Geben Sie nach einer Runde eine andere Zeitform an (einen anderen Modus, eine Konjunktion). Beenden Sie die Übung nach einigen Runden.

Das Bild kann auf Pappe geklebt und zum späteren Gebrauch (z. B. Einüben der Partizipialkonstruktionen oder von Ortsangaben) im Unterrichtsraum ausgehängt werden.

■ Textkärtchen

.... **Informatiker** *(Nominativ)*	**der Informatiker**
.... **Informatiker** *(Akkusativ)*	**den Informatiker**
.... **Informatiker** *(Dativ)*	**dem Informatiker**
.... **Informatiker**....... *(Genitiv)*	**des Informatikers**
.... **Kollegin** *(Nominativ)*	**die Kollegin**
.... **Kollegin** *(Akkusativ)*	**die Kollegin**

B Grammatik

.... **Kollegin** *(Dativ)*	der Kollegin
.... **Kollegin** *(Genitiv)*	der Kollegin
.... **Mädchen** *(Nominativ)*	das Mädchen
.... **Mädchen** *(Akkusativ)*	das Mädchen
.... **Mädchen** *(Dativ)*	dem Mädchen
.... **Mädchen**....... *(Genitiv)*	des Mädchens

B Grammatik

■ **Bildkärtchen mit Text (regelmäßige Verben)**

Gymnastik machen

Präsens:	sie macht Gymnastik
Präteritum:	sie machte Gymnastik
Perfekt:	sie hat Gymnastik gemacht
Imperativ:	Mach Gymnastik!

etw./jmdn. (A) malen

Präsens:	er malt
Präteritum:	er malte
Perfekt:	er hat gemalt
Imperativ:	Mal(e)!

tanzen

Präsens:	sie tanzt
Präteritum:	sie tanzte
Perfekt:	sie hat getanzt
Imperativ:	Tanz!

auf etw./jmdn. (A) warten

Präsens:	sie wartet auf den Bus
Präteritum:	sie wartete auf den Bus
Perfekt:	sie hat auf den Bus gewartet
Imperativ:	Warte auf den Bus!

etw./jmdn. (A) fotografieren

Präsens:	er fotografiert
Präteritum:	er fotografierte
Perfekt:	er hat fotografiert
Imperativ:	Fotografier(e)!

■ **Bildkärtchen mit Text (unregelmäßige Verben)**

liegen

Präsens:	er liegt
Präteritum:	er lag
Perfekt:	er hat gelegen
Imperativ:	Lieg!

etw. (A) trinken

Präsens:	sie trinkt Wein
Präteritum:	sie trank Wein
Perfekt:	sie hat Wein getrunken
Imperativ:	Trink Wein!

mit dem Motorrad fahren

Präsens:	sie fährt mit dem Motorrad
Präteritum:	sie fuhr mit dem Motorrad
Perfekt:	sie ist mit dem Motorrad gefahren
Imperativ:	Fahr mit dem Motorrad!

ein Brötchen (A) essen

Präsens:	er isst ein Brötchen
Präteritum:	er aß ein Brötchen
Perfekt:	er hat ein Brötchen gegessen
Imperativ:	Iss ein Brötchen!

schwimmen

Präsens:	sie schwimmt
Präteritum:	sie schwamm
Perfekt:	sie ist geschwommen
Imperativ:	Schwimm(e)!

■ Bildkärtchen mit Text (Verben mit Präfix)

unterrichten

Präsens:	er unterrichtet
Präteritum:	er unterrichtete
Perfekt:	er hat unterrichtet
Imperativ:	Unterrichte!

weggehen/hinausgehen

Präsens:	er geht weg/hinaus
Präteritum:	er ging weg/hinaus
Perfekt:	er ist weggegangen/ hinausgegangen
Imperativ:	Geh weg/hinaus!

über die Lösung (A) nachdenken

Präsens:	er denkt über die Lösung nach
Präteritum:	er dachte über die Lösung nach
Perfekt:	er hat über die Lösung nachgedacht
Imperativ:	Denk über die Lösung nach!

abspülen

Präsens:	er spült ab
Präteritum:	er spülte ab
Perfekt:	er hat abgespült
Imperativ:	Spül ab!

einkaufen

Präsens:	er kauft ein
Präteritum:	er kaufte ein
Perfekt:	er hat eingekauft
Imperativ:	Kauf ein!

■ **Bildkärtchen mit Text (reflexive Verben)**

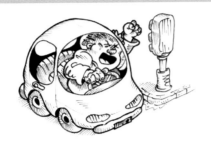

sich ärgern

Präsens:	er ärgert sich
Präteritum:	er ärgerte sich
Perfekt:	er hat sich geärgert
Imperativ:	Ärger dich!

sich sonnen

Präsens:	sie sonnt sich
Präteritum:	sie sonnte sich
Perfekt:	sie hat sich gesonnt
Imperativ:	Sonn dich!

sich duschen

Präsens:	er duscht sich
Präteritum:	er duschte sich
Perfekt:	er hat sich geduscht
Imperativ:	Dusch dich!

sich vorstellen

Präsens:	er stellt sich vor
Präteritum:	er stellte sich vor
Perfekt:	er hat sich vorgestellt
Imperativ:	Stell dich vor!

sich anziehen

Präsens:	er zieht sich an
Präteritum:	er zog sich an
Perfekt:	er hat sich angezogen
Imperativ:	Zieh dich an!

■ Bildkärtchen ohne Text

■ **Großes Bild**

9.8 Index